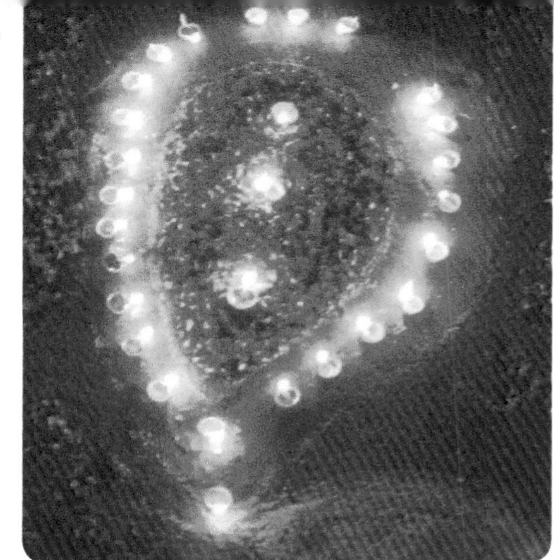

CBAC

Astudiaethau Crefyddol UG

Hindŵaeth

Huw Dylan Jones

Golygwyd gan Richard Gray

CBAC Astudiaethau Crefyddol UG: Hindŵaeth

Addasiad Cymraeg o *WJEC/Eduqas Religious Studies for A Level Year 1 & AS: Hinduism* a gyhoeddwyd yn 2017 gan Illuminate Publishing Ltd, P.O. Box 1160, Cheltenham GL50 9RW.

Archebion: Ewch i www.illuminatepublishing.com neu anfonwch e-bost at sales@illuminatepublishing.com

Ariennir yn Rhannol gan **Lywodraeth Cymru**
Part Funded by **Welsh Government**

Cyhoeddwyd dan nawdd Cynllun Adnoddau Addysgu a Dysgu CBAC

Data Catalogio Cyhoeddiadau y Llyfrgell Brydeinig

Mae cofnod catalog ar gyfer y llyfr hwn ar gael gan y Llyfrgell Brydeinig.

ISBN 978-1-911208-63-1

Argraffwyd gan: Printondemand-Worldwide.com, Peterborough

03.18

Polisi'r cyhoeddwr yw defnyddio papurau sy'n gynhyrchion naturiol, adnewyddadwy ac ailgylchadwy o goed a dyfwyd mewn coedwigoedd cynaliadwy. Disgwylir i'r prosesau torri coed a gweithgynhyrchu gydymffurfio â rheoliadau amgylcheddol y wlad y mae'r cynnyrch yn tarddu ohoni.

Gwnaed pob ymdrech i gysylltu â deiliaid hawlfraint y deunydd a atgynhyrchwyd yn y llyfr hwn. Os cânt eu hysbysu, bydd y cyhoeddwyr yn falch o gywiro unrhyw wallau neu hepgoriadau ar y cyfle cyntaf.

Mae'r deunydd hwn wedi'i gymeradwyo gan CBAC, ac mae'n cynnig cefnogaeth o ansawdd uchel ar gyfer cymwysterau CBAC. Er bod y deunydd wedi bod trwy broses sicrhau ansawdd CBAC, mae'r cyhoeddwr yn dal yn llwyr gyfrifol am y cynnwys.

Atgynhyrchir cwestiynau arholiad CBAC drwy ganiatâd CBAC.

Gosodiad y llyfr Cymraeg: John Dickinson

Dyluniad a gosodiad gwreiddiol: EMC Design Ltd, Bedford

Cydnabyddiaeth

Llun y Clawr: © Asianet-Pakistan / Alamy

Lluniau trwy garedigrwydd y canlynol:

t. 7 Universal Images Group North America LLC / Llun Stoc Alamy; **t. 10** Ar gael i'r cyhoedd; **t. 15** Nila Newsom; **t. 18** NastyaSigne; **t. 25** Ar gael i'r cyhoedd; **t. 26** Ar gael i'r cyhoedd; **t. 36** pathdoc; **t. 41** Llun stoc Arat Directors & TRIP / Alamy; **t. 42** Ens Blis; **t. 43** Shymko Svitlana; **t. 44** (chwith) Shyamalamuralinaath; **t. 44** (dde) Cristian Balate; **t. 51** imageBROKER / Llun Stoc Alamy; **t. 53** YouTube Transmigration of Souls; **t. 55** OlegD; **t. 64** foryouinf; **t. 71** brianindia / Llun Stoc Alamy; **t. 72** Pictorial Press Ltd / Llun Stoc Alamy; **t. 73** Bettmann / Contributer; **t. 79** Infinite Graphics; **t. 81** Zvonimir Atletic; **t. 82** Everett Collection Historical / Llun Stoc Alamy; t. 83 AfriPics.com / Llun Stoc Alamy; **t. 90** sunsetman; **t. 91** Mohiniraj Bhave; **t. 92** Dziobek; **t. 97** Ar gael i'r cyhoedd; **t. 98** Miriana Taneckova; **t. 99** Robert Herhold / iStock; **t. 101** Perfect Lazybones; **t. 106** Shutterstock / stockshoppe; **t. 107** Tuul a Bruno Morandi / Llun Stoc Alamy

Cynnwys

Ynglŷn â'r llyfr hwn

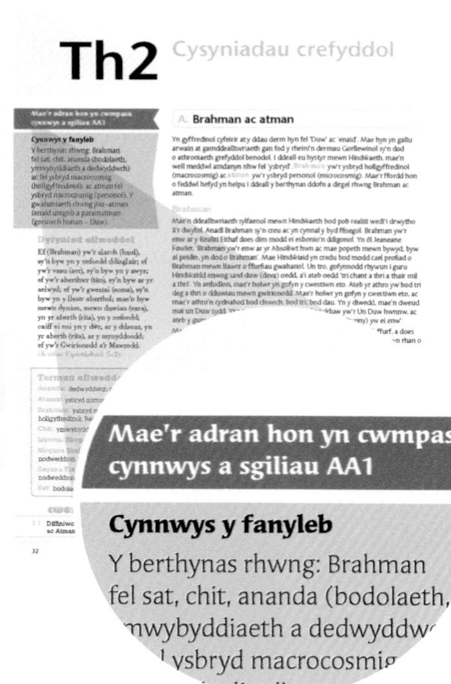

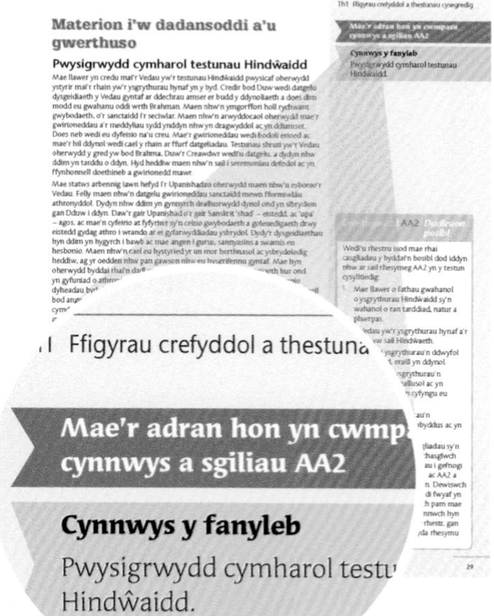

Yn y Safon Uwch newydd mewn Astudiaethau Crefyddol, mae llawer o waith i'w drafod a'i wneud i baratoi ar gyfer yr arholiadau ar ddiwedd yr UG neu'r Safon Uwch llawn. Nod y llyfrau hyn yw rhoi cefnogaeth i chi a fydd yn arwain at lwyddiant.

Mae'r gyfres hon o lyfrau yn canolbwyntio ar sgiliau wrth ddysgu. Mae hyn yn golygu bod y llyfrau yn trafod cynnwys y fanyleb a pharatoi ar gyfer yr arholiadau o'r dechrau. Mewn geiriau eraill, y nod yw eich helpu i weithio drwy'r cwrs, gan ddatblygu rhai sgiliau pwysig sydd eu hangen ar gyfer yr arholiadau ar yr un pryd.

Er mwyn eich helpu i astudio, mae adrannau sydd wedi'u diffinio'n glir ar gyfer meysydd AA1 ac AA2 y fanyleb. Mae'r rhain wedi eu trefnu yn ôl themâu'r fanyleb ac maen nhw'n defnyddio penawdau'r fanyleb, pan fydd hynny'n bosibl, er mwyn eich helpu i weld bod y cynnwys wedi'i drafod, ar gyfer UG a Safon Uwch.

Mae'r cynnwys AA1 yn fanwl ac yn benodol, gan roi cyfeiriadau defnyddiol at weithiau crefyddol/athronyddol a barn ysgolheigion. Mae'r cynnwys AA2 yn ymateb i'r materion sy'n cael eu codi yn y fanyleb ac yn cynnig syniadau i chi ar gyfer trafodaeth bellach, i'ch helpu i ddatblygu eich sgiliau gwerthuso eich hun.

Sut i ddefnyddio'r llyfr hwn

Wrth ystyried ffyrdd gwahanol o addysgu a dysgu, penderfynwyd bod angen hyblygrwydd yn y llyfrau er mwyn eu haddasu at bwrpasau gwahanol. O ganlyniad, mae'n bosibl eu defnyddio ar gyfer dysgu yn yr ystafell ddosbarth, gwaith annibynnol unigol, gwaith cartref, a 'dysgu fflip' hyd yn oed (os yw eich ysgol neu eich coleg yn defnyddio'r dull hwn).

Fel y byddwch yn gwybod, mae amser dysgu yn werthfawr iawn adeg Safon Uwch. Rydyn ni wedi ystyried hyn drwy greu nodweddion a gweithgareddau hyblyg, er mwyn arbed amser ymchwilio a pharatoi manwl i athrawon a dysgwyr fel ei gilydd.

Nodweddion y llyfrau

Mae pob un o'r llyfrau'n cynnwys y nodweddion canlynol sy'n ymddangos ar ymyl y tudalennau, neu sydd wedi'u hamlygu yn y prif destun, er mwyn cefnogi'r dysgu ac addysgu.

Termau allweddol – yn esbonio geiriau neu ymadroddion technegol, crefyddol ac athronyddol

Termau allweddol

Hindŵ: un a oedd yn byw y tu hwnt i afon Indus yng ngogledd orllewin India.

Cwestiynau cyflym – cwestiynau syml, uniongyrchol i helpu i gadarnhau ffeithiau allweddol am yr hyn sy'n cael ei ystyried wrth ddarllen drwy'r wybodaeth

cwestiwn cyflym

1.2 Enwch y tri llwybr i ryddhad mae Krishna yn eu henwi.

Dyfyniadau allweddol – dyfyniadau o weithiau crefyddol ac athronyddol a/neu weithiau ysgolheigion

Dyfyniad allweddol

Er bod pwyslais ar ysbrydolrwydd personol, mae cysylltiad agos rhwng hanes Hindŵaeth a datblygiadau cymdeithasol a gwleidyddol fel dyrchafiad a chwymp teyrnasoedd ac ymerodraethau gwahanol. (Gavin Flood)

Awgrymiadau astudio – cyngor ar sut i astudio, paratoi ar gyfer yr arholiad ac ateb cwestiynau

Awgrym astudio

Gwnewch yn siŵr eich bod yn gyfarwydd â'r holl dermau allweddol a'u diffiniadau cywir. Mae hyn yn arbennig o berthnasol i'r adran hon. Bydd hyn yn sicrhau eich bod yn gwneud 'defnydd trylwyr a chywir o iaith a geirfa arbenigol mewn cyd-destun' (disgrifydd band 5 AA1).

Gweithgareddau AA1 – pwrpas y rhain yw canolbwyntio ar adnabod, cyflwyno ac esbonio, a datblygu'r wybodaeth a'r ddealltwriaeth sydd eu hangen ar gyfer yr arholiad

Gweithgaredd AA1

Ar ôl darllen yr adran am 'arferion Vedaidd', paratowch adroddiad newyddion 30 eiliad o hyd ar drefn cymdeithas yn India Vedaidd. Mae hyn yn ymarfer sgìl AA1 o ddewis a chyflwyno'r wybodaeth berthnasol allweddol.

Gweithgareddau AA2 – pwrpas y rhain yw canolbwyntio ar gasgliadau, fel sail ar gyfer meddwl am y materion, gan ddatblygu'r sgiliau gwerthuso sydd eu hangen ar gyfer yr arholiad

Gweithgaredd AA2 *Dadleuon posibl*

Wedi'u rhestru isod mae rhai casgliadau y byddai'n bosibl dod iddyn nhw ar sail rhesymeg AA2 yn y testun cysylltiedig:

Geirfa o'r holl dermau allweddol er mwyn cyfeirio atyn nhw'n gyflym.

Nodwedd benodol: Datblygu sgiliau

Mae'r adran hon yn canolbwyntio'n fawr ar 'beth i'w wneud' â'r cynnwys a'r materion sy'n cael eu codi. Maen nhw'n digwydd ar ddiwedd pob adran, gan roi 12 enghraifft AA1 a 12 gweithgaredd AA2 sy'n canolbwyntio ar yr arholiad.

Mae'r adrannau Datblygu sgiliau wedi'u trefnu fel eu bod yn cynnig cymorth i chi ar y dechrau, ac yna'n raddol yn eich annog i fod yn fwy annibynnol.

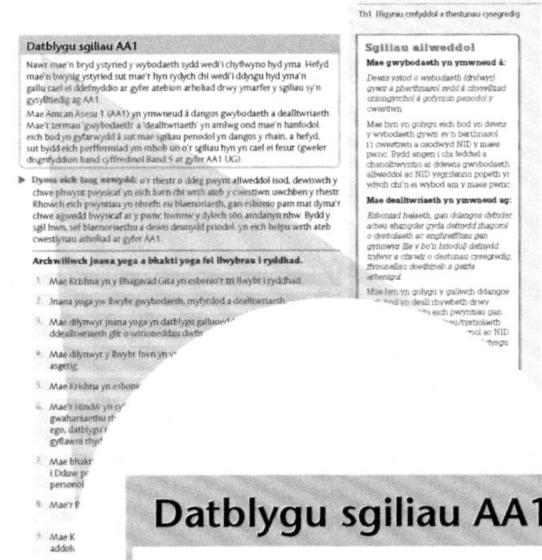

Datblygu sgiliau AA1
Nawr mae'n bryd ystyried y wyb
mae'n bwysig ystyried sut mae'
gallu cael ei ddefnyddio ar gyf
gysylltiedig ag AA1.

Atebion a sylwadau AA1 ac AA2

Yn yr adran olaf mae detholiad o atebion a sylwadau yn fframwaith ar gyfer barnu beth yw ymateb effeithiol ac aneffeithiol. Mae'r sylwadau'n tynnu sylw at rai camgymeriadau cyffredin a hefyd at enghreifftiau o arfer da fel bod pawb sy'n ymwneud ag addysgu a dysgu yn gallu ystyried sut mae mynd i'r afael ag atebion arholiad.

Richard Gray
Golygydd y Gyfres
2017

Th1 Ffigyrau crefyddol a thestunau cysegredig

Mae'r adran hon yn cwmpasu cynnwys a sgiliau AA1

Cynnwys y fanyleb

Gwareiddiad Dyffryn Indus a'i nodweddion; yr Ariaid a'u diwylliant; arferion Vedaidd – yr aberth Vedaidd a strwythur y gymdeithas Vedaidd; y ddadl ynglŷn â'r tarddiadau – diffiniadau o'r gair 'Hindŵaeth' sy'n anghyson â'i gilydd; gwrthdaro rhwng y damcaniaethau ynglŷn â tharddiadau Indus ac Aria.

A: Ffynonellau o awdurdod – tarddiadau Hindŵaeth

Rhagarweiniad

Mae'r ymgais i ddod o hyd i darddiad Hindŵaeth wedi bod o ddiddordeb i ysgolheigion ers blynyddoedd, gan arwain at lawer o drafod ond fawr ddim cytuno. Yn ôl Girilal Jain, 'Dros amser, mae sawl camddealltwriaeth fel pe bai wedi codi ynghylch tarddiad Hindŵaeth'. Un rheswm yw bod tarddiad y term Hindŵaeth ei hun yn anodd iawn ei bennu ac yn codi nifer o gwestiynau. Mae'r term yn awgrymu crefydd sydd ag un system o gredoau a syniadau, nad yw, wrth gwrs, yn cyd-fynd o gwbl â natur amrywiol Hindŵaeth fel rydyn ni'n ei hadnabod. Dydy'r Hindŵiaid eu hunain ddim yn defnyddio'r term hwn fel arfer. Gweinyddiaeth drefedigaethol Prydain yn India a fabwysiadodd y term i ddisgrifio credoau ac arferion crefyddol amrywiol y rhan fwyaf o boblogaeth India. Mewn un ystyr felly mae Hindŵaeth yn greadigaeth drefedigaethol. Mae'r term 'Hindŵ' yn dod o air Persiaidd ac yn wreiddiol roedd yn cyfeirio at y bobl a oedd yn byw y tu hwnt i'r Sindhu neu afon Indus yng ngogledd orllewin India.

Problem arall wrth chwilio am darddiad Hindŵaeth yw does dim sylfaenydd gan Hindŵaeth. Mae'n ymddangos ei bod wedi esblygu o syniadau gwahanol a oedd yn cyd-fyw ochr yn ochr â'i gilydd. Hefyd mae Hindŵaeth yn honni does dim dechrau iddi a'i bod yn ddiamser.

Mae'r ddwy brif drafodaeth ar darddiad Hindŵaeth rhwng y rheini sy'n ffafrio gwareiddiad Dyffryn Indus a'r rheini sy'n dweud bod Hindŵaeth wedi dod gyda'r **Ariaid** o ganolbarth Asia. Mae ysgolheigion ar ddwy ochr y ddadl wedi cyflwyno tystiolaeth sy'n groes i'w gilydd ac mae'n anodd iawn dehongli deunydd Indus a datrys y ddamcaniaeth ynglŷn â goresgyniad yr Ariaid.

Fodd bynnag, mae damcaniaethau eraill wedi'u cyflwyno sy'n adlewyrchu'r gwahaniaeth rhwng barn y bobl y tu allan i'r grefydd a'r rhai sy'n rhan o'r grefydd am y tarddiad. Mae rhai'n dadlau bod gwareiddiad Dyffryn Indus yr un fath â'r gwareiddiad **Vedaidd** a bod yr Ariaid yn dod o India. Mae hyn yn seiliedig ar ddeall bod y gair Ariaidd yn golygu unigolion bonheddig yn y gymdeithas. Barn **Hindŵiaid** Indiaidd yw'r ddadl hon ond mae'n well gan ysgolheigion y gorllewin ddamcaniaeth goresgyniad yr Ariaid.

Gwareiddiad Dyffryn Indus a'i nodweddion

Roedd gwareiddiad Dyffryn Indus yn ddiwylliant yr Oes Efydd rhwng 2500 a 1500 CCC. Mae tystiolaeth archaeolegol yn dangos diwylliant dinesig datblygedig iawn gyda chymdeithas â dosbarth canol cyfoethog a llywodraeth ganolog. Roedd trigolion y diwylliant soffistigedig hwn yn gyfuniad o bobloedd a wnaeth ymdoddi, mae'n debyg, i wareiddiad Dyffryn Indus. Cafodd yr enw hwn oherwydd ar hyd glannau afon Indus y cafodd y safleoedd cyntaf eu cloddio. Enw arall arno yw

Dyfyniad allweddol

Y gwir amdani yw bod tarddiad estron i'r DDAU air 'Hindŵ' ac 'India'. Dydy'r gair 'Hindŵ' ddim yn air Sanskrit nac yn unrhyw un o dafodieithoedd ac ieithoedd brodorol India. Sylwch, dydy 'Hindŵ' DDIM yn air crefyddol o gwbl. Does dim cyfeiriad at y gair 'Hindŵ' yn yr Ysgrythurau Vedaidd Hynafol. (shraddhananda.com)

Termau allweddol

Ariaid: goresgynwyr neu fudwyr a ddaeth i ogledd India tua 1500 CCC a datblygu syniadau crefyddol Vedaidd

Hindŵ: un a oedd yn byw y tu hwnt i afon Indus yng ngogledd orllewin India

Vedaidd: syniadau sy'n gysylltiedig â'r Vedau, sef yr ysgrythurau Hindŵaidd hynaf

Dyfyniad allweddol

Er bod pwyslais ar ysbrydolrwydd personol, mae cysylltiad agos rhwng hanes Hindŵaeth a datblygiadau cymdeithasol a gwleidyddol fel dyrchafiad a chwymp teyrnasoedd ac ymerodraethau gwahanol. (Gavin Flood)

diwylliant Harappaidd ar ôl tref **Harappa**, sef y dref gyntaf i'w chloddio. Yn ôl S. Sinda, 'roedd gwareiddiad a diwylliant trigolion Dyffryn Indus ... yn ddatblygedig iawn eu natur'.

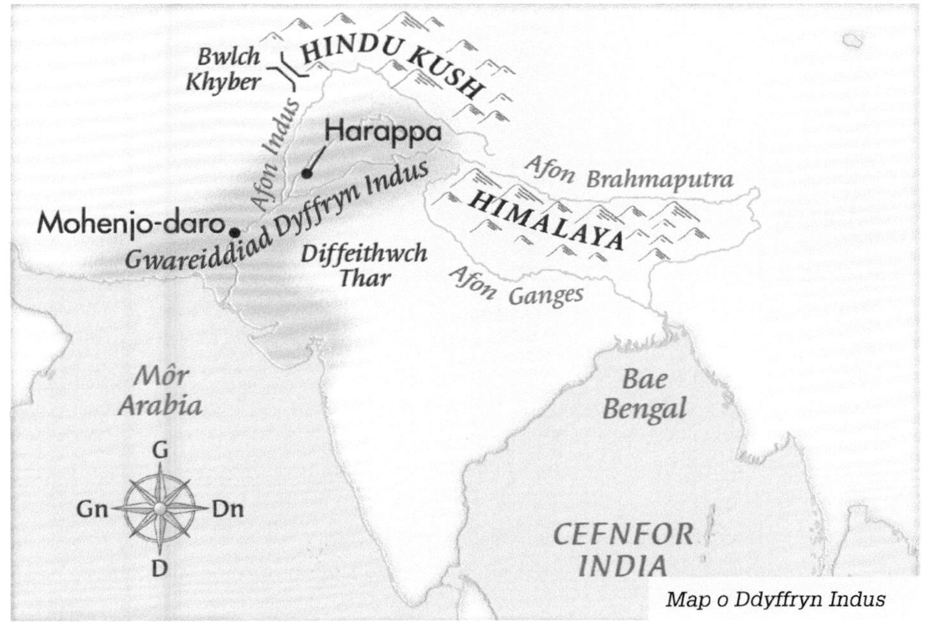

Map o Ddyffryn Indus

Roedd gwareiddiad Dyffryn Indus wedi'i ganoli o gwmpas trefi a dinasoedd â phoblogaethau mawr. Roedd y trefi a'r dinasoedd wedi'u cynllunio a'u dylunio ar ffurf grid ac wedi'u hadeiladu ar lwyfannau briciau i'w diogelu rhag llifogydd. Roedd llawer o ffynhonnau cyhoeddus ac roedd eu ffynhonnell eu hunain o ddŵr gan lawer o dai. Roedd ganddyn nhw system gwaredu carthion hynod o effeithlon. Mae'n ymddangos bod graneri ac ardaloedd diwydiannol gan y dinasoedd hefyd.

Ychydig iawn rydyn ni'n ei wybod am ffordd y bobl o fyw yng ngwareiddiad Dyffryn Indus. Y rheswm dros hyn yw, er bod ganddyn nhw system fanwl o ysgrifennu a bod miloedd o arysgrifau'n bodoli, does dim modd deall na chyfieithu llawysgrifen Dyffryn Indus. Felly, mae llawer o ddyfalu ar sail tystiolaeth archaeolegol yn unig. Fodd bynnag, gan eu bod yn fasnachwyr, roedd pobl Dyffryn Indus yn defnyddio seliau bach sgwâr. Mae'r delweddau ar y rhain yn rhoi darlun o agweddau ar fywyd y diwylliant gan gynnwys arferion crefyddol. Mae'r rhain fel arfer yn cynnwys delwedd o anifail – byfflo, gwartheg, rhinoseros – a phobl yn syrthio ar yr wyneb o'u blaen, sy'n awgrymu rhyw fath o addoli.

Ychydig iawn rydyn ni'n ei wybod am gredoau crefyddol Indus, er bod rhywfaint o dystiolaeth sy'n awgrymu eu bod yn credu mewn bywyd ar ôl marwolaeth. Ar dair sêl mae bod duwiol sy'n debyg i'r Duw Hindŵaidd **Shiva**, sydd wedi'i alw'n proto-Shiva. Hefyd mae rhywfaint o dystiolaeth bod y ffigurynnau benywaidd yn awgrymu addoli'r **Fam Dduwies.**

Termau allweddol

Harrapa: y ddinas gyntaf yn Nyffryn Indus i'w darganfod a'i chloddio

Mam Dduwies: benywdod dwyfol, sy'n ganolog i draddodiadau Hindŵaidd Shakti a Shiva

Shiva: un o brif dduwdodau Hindŵaeth

Dyfyniad allweddol

Mae'n bosibl bod dilyniant rhwng gwareiddiad Dyffryn Indus a Hindŵaeth ddiweddarach. Mae'r pwyslais amlwg ar ymdrochi defodol, aberth ac addoli duwiesau yn awgrymu hyn. Ond mae purdeb defodol, aberth a phwyslais ar ffrwythlondeb yn bod mewn crefyddau hynafol eraill. (Gavin Flood)

cwestiwn cyflym

1.1. Rhestrwch y pethau sy'n debyg rhwng gwareiddiad Dyffryn Indus a Hindŵaeth fodern.

Yr Ariaid a'u diwylliant

Daeth yr Ariaid yn wreiddiol o Ganolbarth Asia, i'r dwyrain o Fôr Caspia. Mae ysgolheigion yn dadlau a oedd hwn yn oresgyniad drwy rym neu'n hyrddiau o anheddu dros gyfnod hir. Gwnaethon nhw anheddu'r Punjab i ddechrau cyn ymledu'n raddol i'r de a thra-arglwyddiaethu dros ogledd India. Galwon nhw eu hunain yn Ariaid, sy'n golygu bonheddwyr, er mwyn bod yn wahanol i drigolion Dyffryn Indus. Eu disgrifiad ohonyn nhw eu hunain oedd pobl dal â chroen golau ac roedd croen tywyll a thrwynau smwt gan y bobl a orchfygwyd neu a ddisodlwyd ganddyn nhw, y **Dasyus**. Oherwydd hyn, roedden nhw'n meddwl eu bod yn well nag unrhyw hil arall yn India. Mae llawer o ysgolheigion wedi awgrymu mai pwrpas gwreiddiol y system **varna** oedd cadw'r ddau grŵp hyn ar wahân a chadw'r Ariaid gwell rhag cael eu 'llygru' gan drigolion israddol Dyffryn Indus. Casgliad Michael Bamshad yw bod y 'castiau uwch yn fwy tebyg i Ewropeaid nag i Asiaid; a bod y castiau uwch yn fwy tebyg o lawer i Ewropeaid na'r castiau is'.

Dyfyniad allweddol

Mae'r castiau uwch yn fwy tebyg i Ewropeaid nag i Asiaid; ac mae'r castiau uwch yn fwy tebyg o lawer i Ewropeaid nag y mae'r castiau is. **(Michael Bamshad)**

Roedd yr Ariaid yn bobl fugeiliol o'u cyferbynnu â thrigolion Dyffryn Indus a oedd yn bobl drefol. Er iddyn nhw ddod ag Oes yr Haearn i India, mae ysgolheigion yn credu eu bod yn anllythrennog. Felly trosglwyddwyd eu hysgrythurau, y **Vedau**, ar lafar yn yr iaith Sanskrit o'r naill genhedlaeth i'r nesaf. Roedden nhw heb adeiladu unrhyw ddinasoedd, ac roedd eu diwylliant ar y cyfan yn ddigon cyffredin. Roedd eu ffordd o fyw yn lled-grwydrol a'u strwythur cymdeithasol yn batriarchaidd a llwythol. Roedd yr Ariaid wedi dofi ceffylau a gwartheg – mae arwyddocâd mawr i'r ceffyl yn y Vedau. Gan nad oes sôn am geffylau yng nghofnodion Dyffryn Indus, yr awgrym yw bod yr Ariaid wedi goresgyn ar gefn ceffylau. Roedd y fuwch yn symbol o fawredd yn y gymdeithas Ariaidd. Adeiladon nhw dai o goed a brwyn, a ffermio gwartheg oedd eu prif alwedigaeth, er eu bod yn defnyddio crefftau eraill fel gwaith coed a gwaith metel yn y pentrefi.

Roedd yr Ariaid yn addoli duwiau rhyfelgar, yn enwedig **Indra** a elwir yn 'ddinistriwr dinasoedd' ac a ddefnyddir yn aml i gefnogi'r ddamcaniaeth am oresgyniad yr Ariaid. Does dim amheuaeth eu bod wedi cael dylanwad sylweddol ac wedi troi Gogledd India yn Ariaidd o fewn hanner can mlynedd.

Termau allweddol

Dasyus: preswylwyr gwreiddiol India. Yn ôl y Vedau, fe gawson nhw eu trechu gan yr Ariaid a oresgynnodd y wlad

Indra: duw taranau'r traddodiad Vedaidd cynnar

Upanishadau: ysgrythurau ar ddiwedd y Vedau. Eu nodwedd yw myfyrio cyfriniol ac athronyddol ar natur yr hunan a Realiti Eithaf

Varna: yn llythrennol yn golygu 'lliw', y gair am y system pedwar dosbarth mewn Hindŵaeth – cast yw'r enw arno yn aml

Varuna: deva Vedaidd. Y gred yw mai hwn yw creawdwr a chynhaliwr y bydysawd

Vedau: testun gwreiddiol Hindŵaeth sy'n mynd yn ôl i 1500 CCC

Yajna: aberth tân y grefydd Vedaidd

Gweithgaredd AA1

Ar ôl darllen yr adran am yr Ariaid, caewch y llyfr a nodwch bum syniad allweddol rydych chi wedi'u dysgu am yr Ariaid a'u diwylliant. Yna cymharwch yr atebion ag atebion rhywun arall ac ystyriwch a ydych am newid eich rhestr chi.

Arferion Vedaidd – yr aberth Vedaidd a strwythur y gymdeithas Vedaidd

Mae crefydd Vedaidd yn cyfeirio at y credoau a'r arferion sydd yn y Vedau, ac mae llawer ohonyn nhw'n dal i fod yn rhan o arfer Hindŵaidd cyfoes. Yn ôl Jeaneane Fowler, 'Mae angen esbonio rhywfaint ar y term crefydd Vedaidd. Yn benodol, mae'n cyfeirio at y grefydd a amlinellir yn yr ysgrythurau Vedaidd ac mae hyn yn cynnwys yr holl **Upanishadau**'. Arfer canolog y grefydd Vedaidd oedd **Yajna** – yr aberth tân, a oedd yn seiliedig ar gynnig offrymau i'r devas (duwiau) drwy eu rhoi mewn tân. Byddai offeiriad Brahmin bob amser yn cynnal y ddefod ac yn adrodd y geiriau Sanskrit o'r Vedau. Roedd llawer o devas gan y grefydd Vedaidd gynnar a gellid galw arnyn nhw i gynorthwyo pan fyddai angen. Ymhlith y prif devas yn y grefydd Vedaidd gynnar oedd **Varuna** – creawdwr y byd, Indra – duw taranau a Rudra – rheolwr pwerau natur.

Byddai'r Brahmin yn galw'r devas i ddod at yr aberth a byddai offrymau iddyn nhw'n cael eu rhoi mewn tân i'w difa. Mae cofnodion yn nodi bod aberthau dynol wedi'u cynnal, ond y ddefod enwocaf a ddisgrifir yw aberthu ceffyl. Fodd bynnag, erbyn diwedd y cyfnod Vedaidd dim ond grawn, ffrwythau, ghee a llaeth oedd yn cael eu hoffrymu. Agwedd bwysig iawn ar yr aberth oedd paratoi ac yfed soma. Drwy yfed hwn roedd y cyfranogwyr yn gallu 'gweld' y devas a chysylltu â'r cyflyrau uwch o fodolaeth, y duwdodau. Ymhen amser, dechreuodd ystyr yr aberth newid gyda dwyfoli ac addoli elfennau yn yr aberth. Y pwysicaf oedd Agni – deva tân.

Mae tarddiad y gymdeithas Vedaidd yn y **Purusha Sukta** yn y **Rig Veda** sy'n disgrifio'r devas yn creu'r bydysawd drwy aberthu'r purusha anferth neu'r dyn cosmig. Byddai rhannau gwahanol o'r cawr yn creu'r system varna, sy'n dangos yn glir nad oedd yn system ddynol ond yn un a gafodd ei chreu gan y duwiau. Daeth y Brahminiaid o'r geg; y Kshatriyaid o'r breichiau; y Vaishyaid o'r morddwydydd a'r Sudraid o'r traed.

Termau allweddol

Mohenjo-Daro: dinas fawr hynafol gwareiddiad Dyffryn Indus yn rhanbarth Sindh, Pakistan

Purusha Sukta: aberth dyn cysefin y creodd y duwiau'r bydysawd ohono

Rig Veda: y Veda hynaf sy'n cynnwys mantrau ac emynau ar gyfer yr yajnas

Gweithgaredd AA1

Ar ôl darllen yr adran am 'arferion Vedaidd', paratowch adroddiad newyddion 30 eiliad o hyd ar drefn cymdeithas yn India Vedaidd. Mae hyn yn ymarfer sgìl AA1 o ddewis a chyflwyno'r wybodaeth berthnasol allweddol.

Syniadau allweddol

Y system varna

- Brahminiaid – offeiriaid
- Kshatriyaid – rhyfelwyr/ llywodraethwyr
- Vaishyaid – yn gyfrifol am fusnes a masnach
- Sudraid – yn gyfrifol am grefft a chynhyrchu.

Y gwrthdaro rhwng damcaniaethau ynglŷn â tharddiadau Indus ac Aria

Mae i'r ddwy ddamcaniaeth eu cryfderau a'u gwendidau, eu cefnogwyr a'u hamheuwyr. Prif broblem damcaniaeth Dyffryn Indus yw bod y llawysgrifen yn parhau heb ei dehongli, sy'n golygu bod llawer o ddyfalu yn seiliedig ar y dystiolaeth archaeolegol. Hefyd mae llawer o ddehongli'n seiliedig ar ragdybiaeth, h.y. bod y dystiolaeth yn gorfod cyd-fynd â'r ddamcaniaeth yn hytrach na bod y ddamcaniaeth yn seiliedig ar y dystiolaeth e.e. mae rhai archaeolegwyr yn awgrymu bod y Baddon Mawr yn **Mohenjo-Daro** yn ganolog mewn crefydd ffrwythlondeb a oedd yn defnyddio puteiniaid cysegredig. Fodd bynnag does dim tystiolaeth o hyn yn India ac mae rhagdybiaethau fel hyn yn beryglus. Hefyd mae cysylltiadau rhwng gwareiddiad Dyffryn Indus â Hindŵaeth Vedaidd a chyfoes. Fodd bynnag, dim ond awgrymiadau rhesymol yw'r rhain, a does dim un yn sicr. Mae rhai'n cysylltu'r ddau le tân yn nhai Dyffryn Indus â thân at bwrpasau aberthu mewn Hindŵaeth Vedaidd. Hefyd cysylltir hierarchaeth gymdeithasol Indus â'r system varna, y Baddon Mawr â golchi i buro, a ffigurynnau benywaidd ceramig â duwiesau a Murtis. Hefyd mae rhai'n cysylltu'r ffigwr proto-Shiva â Shiva.

Mae problemau yn namcaniaeth goresgyniad yr Ariaid hefyd. Mae llawer o ysgolheigion yn gwrthod derbyn bod goresgyniad wedi digwydd – does dim tystiolaeth archaeolegol i gefnogi'r farn hon. Ni chafodd dinasoedd Dyffryn Indus eu dinistrio, cawson nhw eu gadael oherwydd diffyg dŵr a does dim tystiolaeth o ryfel. Mae ysgolheigion eraill yn dadlau bod y cyfnod Vedaidd yn barhad o wareiddiad Dyffryn Indus ac nad oedd yr Ariaid yn grwydriaid ond yn byw mewn trefi. Dydy'r dystiolaeth o'r ysgerbydau a gladdwyd drwy gydol cyfnod y goresgyniad tybiedig ddim yn dangos unrhyw amrywiaeth o ran hil. Dadl Sardar Kavalam Madhava Panikkar, ysgolhaig Indiaidd, oedd, 'Mae un peth yn sicr fodd bynnag, ac yn ddi-ddadl erbyn hyn – ni ddaeth gwareiddiad i India gyda'r Ariaid. Mewn llenyddiaeth Indiaidd nad yw'n ystyried y Dasyus (Dravidiaid) yn anwaraidd, does dim cefnogaeth i'r ddysgeidiaeth hon bod gwareiddiad India yn tarddu o'r Ariaid. Damcaniaethau ysgolheigion Indiaidd–Almaenig, a oedd yn honni bod popeth gwerthfawr yn y byd yn deillio o'r Ariaid, sy'n gyfrifol am y ddysgeidiaeth hon. Nid yn unig mae gwareiddiad India yn gyn-Vedaidd, ond mae'n bosibl bod nodweddion hanfodol y grefydd Hindŵaidd fel rydyn ni'n ei hadnabod heddiw yn bresennol yn Mohenjo-Daro'.

Barn wahanol yw bod yr Ariaid wedi mudo i ogledd India dros gyfnod hir, gan ddod yn rhan o'r gymdeithas yno ac yn y pen draw i dra-arglwyddiaethu drosti.

Mae'n amlwg bod dwy ddamcaniaeth yn cystadlu â'i gilydd, ac oherwydd diffyg tystiolaeth ddi-ddadl, mae ysgolheigion yn rhydd i ddefnyddio unrhyw dystiolaeth sy'n cefnogi eu damcaniaeth benodol nhw.

Dyfyniad allweddol

Mae India yn wynebu'r Aifft a Babylonia erbyn y trydydd mileniwm â'i gwareiddiad gwbl unigol ac annibynnol ei hun. (Childe)

Gweithgaredd AA1

Ar ôl darllen yr adran am 'Y gwrthdaro rhwng damcaniaethau ynglŷn â tharddiadau Indus ac Aria', dewiswch y ddamcaniaeth sy'n well gennych chi ac esboniwch i weddill y dosbarth pam rydych chi'n credu mai'r ddamcaniaeth hon yw'r un fwyaf credadwy. Mae hyn yn ymarfer sgìl AA1 o ddefnyddio tystiolaeth ac enghreifftiau i esbonio.

Awgrym astudio

Mae ymgeiswyr yn aml yn dda am gofio pwyntiau allweddol ond weithiau dydyn nhw ddim yn eu hesbonio'n llawn. I ddatblygu pwynt, defnyddiwch amrywiaeth o ffyrdd sy'n dangos sut caiff y pwynt hwn ei ddefnyddio ac os yw'n bosibl, cyflwynwch rai safbwyntiau ysgolheigaidd cyferbyniol i ategu eich ateb. Mae hyn yn dangos bod yr ateb yn 'dangos dyfnder a/neu ehangder helaeth. Defnydd rhagorol o dystiolaeth ac enghreifftiau' (disgrifydd band 5 AA1) yn hytrach na bod y wybodaeth yn 'gyfyngedig o ran dyfnder a/neu ehangder, gan gynnwys defnydd cyfyngedig o dystiolaeth ac enghreifftiau' (disgrifydd band 2 AA1).

Mohenjo-Daro

Datblygu sgiliau AA1

Nawr mae'n bryd ystyried y wybodaeth sydd wedi'i chyflwyno hyd yma. Hefyd mae'n bwysig ystyried sut mae'r hyn rydych chi wedi'i ddysgu hyd yma'n gallu cael ei ddefnyddio ar gyfer atebion arholiad drwy ymarfer y sgiliau sy'n gysylltiedig ag AA1.

Mae Amcan Asesu 1 (AA1) yn ymwneud â dangos gwybodaeth a dealltwriaeth. Mae'r termau 'gwybodaeth' a 'dealltwriaeth' yn amlwg ond mae'n hanfodol eich bod yn gyfarwydd â sut mae sgiliau penodol yn dangos y rhain, a hefyd, sut bydd eich perfformiad ym mhob un o'r sgiliau hyn yn cael ei fesur (gweler disgrifyddion band cyffredinol Band 5 ar gyfer AA1 UG).

Yn amlwg mae ateb yn cael ei osod mewn disgrifydd band priodol, yn ôl pa mor dda yw'r ateb, gan amrywio o ragorol, da, boddhaol, sylfaenol/cyfyngedig i gyfyngedig iawn.

I ddechrau, ceisiwch ddefnyddio'r fframwaith / ffrâm ysgrifennu sydd wedi'i rhoi i'ch helpu i ymarfer y sgiliau hyn er mwyn ateb y cwestiwn isod.

Wrth i'r unedau ym mhob adran o'r llyfr ddatblygu, bydd faint o gymorth a gewch yn cael ei leihau'n raddol er mwyn eich annog i ddod yn fwy annibynnol a pherffeithio eich sgiliau AA1.

YMARFER ARHOLIAD: FFRÂM YSGRIFENNU

Ystyriwch grefydd a chymdeithas Vedaidd.

Cymdeithas Vedaidd yw un o'r rhai hynaf yn y byd. Ystyr y term Vedaidd yw ...

Mae nodweddion cymdeithas Vedaidd yn cynnwys ...

Mae tystiolaeth am y nodweddion hyn yn cynnwys ...

Yn gymdeithasol roedd yn seiliedig ar y system varna ...

Roedd arferion crefyddol amrywiol hefyd ...

Un o'r pwysicaf oedd yr aberth tân ...

I gloi ...

Sgiliau allweddol

Mae gwybodaeth yn ymwneud â:

Dewis ystod o wybodaeth (drylwyr) gywir a pherthnasol sydd â chysylltiad uniongyrchol â gofynion penodol y cwestiwn.

Mae hyn yn golygu eich bod yn dewis y wybodaeth gywir sy'n berthnasol i'r cwestiwn a osodwyd NID y maes pwnc. Bydd angen i chi feddwl a chanolbwyntio ar ddewis gwybodaeth allweddol ac NID ysgrifennu popeth yr ydych chi'n ei wybod am y maes pwnc.

Mae dealltwriaeth yn ymwneud ag:

Esboniad helaeth, gan ddangos dyfnder a/neu ehangder gyda defnydd rhagorol o dystiolaeth ac enghreifftiau gan gynnwys (lle y bo'n briodol) defnydd trylwyr a chywir o destunau cysegredig, ffynonellau doethineb a geirfa arbenigol.

Mae hyn yn golygu y gallwch ddangos eich bod yn deall rhywbeth drwy egluro ac ehangu eich pwyntiau gan ddefnyddio enghreifftiau/tystiolaeth gefnogol mewn ffordd bersonol ac NID ailadrodd darnau o werslyfr (sef dysgu ar y cof).

Cymhwyso sgiliau ymhellach:

Ewch drwy'r meysydd pwnc yn yr adran hon a lluniwch rai rhestri bwled o bwyntiau allweddol o feysydd allweddol. Ar gyfer pob un, rhowch fwy o fanylion ac esboniwch fwy drwy ddefnyddio tystiolaeth ac enghreifftiau.

Mae'r adran hon yn cwmpasu cynnwys a sgiliau AA2

Cynnwys y fanyleb

Y ddadl ynglŷn â tharddiadau Hindŵaeth.

Materion i'w dadansoddi a'u gwerthuso

Y ddadl ynglŷn â tharddiadau Hindŵaeth

Hindŵaeth yw'r hynaf o chwe phrif grefydd y byd, ac mae llawer yn credu ei bod yn mynd yn ôl 5000 o flynyddoedd. Mae'r ymchwil i'w tharddiad yn ddiddorol ac yn ddadleuol. Mae ei thraddodiadau wedi'u gwreiddio yn yr hen fyd ac maen nhw mor amrywiol, mae llawer o ysgolheigion yn dadlau nad Hindŵaeth y dylid ei ystyried ond Hindŵaethau. Problem arall yw nad yw Hindŵaeth yn gysyniad Indiaidd yn wreiddiol ac mae llawer sydd wedi'i ysgrifennu am Hindŵaeth yn dod o'r tu allan i'r traddodiad. Mae nifer hefyd yn credu mai diwylliant, ffordd o fyw, yw Hindŵaeth, nid crefydd.

Dydy'r gair 'Hindŵ' ddim yn dod o India ond o Bersia. Y Mughaliaid oedd yn ei ddefnyddio'n wreiddiol wrth orchfygu gogledd India yn yr unfed ganrif ar bymtheg i ddisgrifio'r bobl a oedd yn byw o gwmpas y Sindhu neu afon Indus. Yn ddiddorol, roedden nhw'n defnyddio'r gair i ddisgrifio'r bobl, ffordd o fyw ac nid crefydd.

Pan orchfygodd Prydain India, mabwysiadwyd y term 'Hindŵaeth' a'i ddefnyddio ar gyfer yr holl syniadau ac arferion crefyddol brodorol.

Byddai llawer o fewn y traddodiad Hindŵaidd yn dadlau does dim dechrau i Hindŵaeth fel rydyn ni'n ei hadnabod, ei bod yn ddiamser.

Byddai llawer o ysgolheigion yn dadlau bod modd deall cyfnod Dyffryn Indus fel cyfnod cyn-Hindŵaidd, er bod llawer wedi dadlau bod rhai nodweddion yn parhau mewn Hindŵaeth fodern – e.e. tystiolaeth bosibl o addoli duwies ffrwythlondeb, ymdrochi defodol a phrototeip o Shiva. Y broblem yw nad oes neb wedi dehongli'r llawysgrifen o Ddyffryn Indus.

Mae eraill yn dadlau bod Hindŵaeth wedi dod gyda'r Ariaid o Ganolbarth Asia. Fodd bynnag, mae llawer yn ystyried bod y cysyniad hwn o oresgyniad neu gipgyrch yn ddiffygiol ac mae wedi dod yn destun dadl. Yn aml mae damcaniaethwyr y goresgyniad yn cael eu cyhuddo o gymhellion ymerodraethol wrth ddadlau bod Hindŵaeth mewn gwirionedd wedi dod o'r gorllewin. Mae hyrwyddwyr y ddamcaniaeth hon yn dadlau bod y diwylliant Vedaidd yn perthyn i grwydriaid cyntefig a ddaeth o Ganolbarth Asia gyda'u ceffylau, eu cerbydau rhyfel a'u harfau haearn gan orchfygu dinasoedd y diwylliant Hindŵaidd mwy datblygedig oherwydd eu tactegau brwydro gwell. Fel tystiolaeth, y ddadl oedd nad oes unrhyw geffylau, cerbydau rhyfel na haearn wedi'u darganfod yn Nyffryn Indus. Mae gwrthwynebwyr hyn yn dadlau mai ychydig iawn sydd wedi'i ddarganfod i ategu'r ddamcaniaeth a bod tystiolaeth archaeolegol yn ei difrïo. Mae cloddiadau wedi darganfod ceffylau mewn safleoedd cyn-Indus sy'n profi bod defnyddio ceffylau yn gyffredin yn hen India. Hefyd cafwyd tystiolaeth o ddefnyddio olwynion, a daeth sêl Indus i'r golwg, yn dangos olwyn fel olwyn cerbyd rhyfel, sy'n awgrymu defnyddio cerbydau rhyfel. Rhan arall o'r ddamcaniaeth am oresgyniad yr Ariaid sydd wedi'i herio yw'r syniad bod crwydriaid yn defnyddio cerbydau rhyfel. Fyddai crwydriaid ddim yn defnyddio cerbydau rhyfel, sydd ddim ond yn addas i'w defnyddio ar dir gwastad. Bydden nhw'n gwbl anaddas i groesi mynyddoedd a diffeithdiroedd fel y byddai'r Ariaid wedi'i wneud wrth oresgyn.

Mae llawer yn credu bod Hindŵaeth yn tarddu yn y grefydd Ariaidd a oedd yn canolbwyntio ar buro â thân a dylanwadu ar y duwiau drwy aberth ddefodol. Roedden nhw hefyd yn defnyddio Sanskrit a daethon nhw â'r Vedau.

Er bod nodweddion o wareiddiad Dyffryn Indus ac Aria yn parhau mewn Hindŵaeth gyfoes, mae'n amhosibl sôn yn hyderus am y tarddiad.

Gweithgaredd AA2 ***Dadleuon posibl***

Wedi'u rhestru isod mae rhai casgliadau y byddai'n bosibl dod iddyn nhw ar sail rhesymeg AA2 yn y testun cysylltiedig:

1. Does dim un diffiniad o Hindŵaeth.
2. Mae'r wybodaeth sydd ar gael am wareiddiad Dyffryn Indus yn anghyflawn.
3. Mae nifer o nodweddion mewn Hindŵaeth fodern yn debyg i'r hyn sydd yng ngwareiddiad a chrefydd yr Ariaid.
4. Yr Ariaid a ddaeth â'r Vedau, sef sylfaen Hindŵaeth fel rydyn ni'n ei hadnabod.
5. Does dim digon o dystiolaeth i ddod i unrhyw gasgliad pendant.

Ystyriwch bob un o'r casgliadau sy'n cael eu gwneud uchod a chasglwch dystiolaeth ac enghreifftiau i gefnogi pob dadl o'r deunydd AA1 ac AA2 a astudiwyd yn yr adran hon. Dewiswch un casgliad sy'n argyhoeddi fwyaf yn eich barn chi ac esboniwch pam mae hyn yn wir. Nawr cyferbynnwch hyn â'r casgliad gwannaf ar y rhestr, gan gyfiawnhau eich dadl gyda rhesymu clir a thystiolaeth.

Y berthynas rhwng Hindŵaeth fodern a thraddodiadau Dyffryn Indus ac Aria

Does dim amheuaeth bod cysylltiadau amrywiol rhwng Hindŵaeth fodern a thraddodiadau Dyffryn Indus ac Aria. Fodd bynnag, mater o farn yw pa un o'r gwareiddiadau hyn, os o gwbl, yw tarddiad Hindŵaeth fodern a pha un sydd wedi dylanwadu fwyaf ar gredoau ac arferion. Hefyd mae llawer o agweddau ar Hindŵaeth fodern nad yw'n bosibl eu holrhain yn ôl i'r naill wareiddiad na'r llall.

Mae llawer o broblemau'n codi wrth geisio sefydlu cyswllt rhwng Hindŵaeth fodern a phobl a gwareiddiad Dyffryn Indus. Un o'r prif broblemau yw'r anhawster i ddeall eu harysgrifau a'u llawysgrifen sydd yn anffodus yn parhau heb eu cyfieithu. Er bod llawer o dystiolaeth archaeolegol wedi'i chasglu, mae'r casgliadau'n seiliedig yn bennaf ar ddyfalu yn hytrach na ffeithiau.

Byddai pobl yr Indus yn creu cerrig sêl wedi'u cerfio'n brydferth a oedd yn cynnwys darn bach o lawysgrifen a delwedd – anifail, fel arfer. Roedden nhw hefyd yn gwneud modelau clai o ddynion, menywod ac anifeiliaid. Yn ôl rhai ysgolheigion mae hyn yn awgrymu eu bod yn addoli duwdodau. Hefyd, mae rhywfaint o dystiolaeth eu bod yn credu mewn bywyd ar ôl marwolaeth oherwydd eu bod wedi'u claddu gyda bwyd a gemwaith.

Ar ôl darganfod y Baddon Mawr yn Mohenjo-Daro, mae rhai wedi cysylltu gwareiddiad Dyffryn Indus â Hindŵaeth. Mae union bwrpas y baddon hwn yn ddirgelwch. Doedd dim angen cyfleusterau ymolchi cymunedol oherwydd roedd gan bob tŷ ei gyfleusterau ymolchi ei hun. Mae ysgolheigion wedi awgrymu ei fod yn arwydd o ymdrochi defodol i sicrhau glendid ysbrydol ac mae llawer o Hindŵiaid yn dechrau eu diwrnod drwy ymolchi'n ddefodol. Yn ôl eu cred, mae hyn yn eu puro'n ysbrydol. Mae'r arfer o ymdrochi yn afon Ganga yn boblogaidd iawn ac mae miliynau o bererinion yn teithio bob blwyddyn i Varanasi gan gredu y bydd ymdrochi yn yr afon o les ysbrydol iddyn nhw.

Cyswllt posibl arall yw'r ffigurynnau ceramig benywaidd sydd wedi'u darganfod, sy'n awgrymu duwiesau ffrwythlondeb. Un nodwedd bwysig ac unigryw o Hindŵaeth yw addoli duwiesau a chredu mewn Shakti – grym benywaidd y dwyfol. Mae hefyd yn awgrymu defnyddio Murtis. Mae hwn yn gysyniad pwysig iawn mewn Hindŵaeth oherwydd, i lawer o Hindŵiaid, pwrpas allweddol addoli yw sicrhau darshan. Gallwn ddeall hyn fel 'dal llygad Duw'. Pan fydd Hindŵiaid yn edrych i lygaid y Murti, nid dim ond edrych ar ddelwedd maen nhw, ond dal llygad y duw neu'r dduwies. Felly mae'n bosibl creu cyswllt â gwareiddiad Dyffryn Indus mewn dwy ffordd – addoli Murtis ac addoli duwiesau.

Fodd bynnag, mae cysylltiadau cryf hefyd â gwareiddiad yr Ariaid o ran crefydd, strwythur cymdeithasol ac iaith. Sanskrit, iaith y Vedau oedd iaith yr Ariaid, sy'n dal i fod yn bwysig iawn mewn Hindŵaeth fodern. Yr Ariaid hefyd oedd yn gyfrifol am y system varna sydd wedi'i godio yn y Vedau ac sy'n dal i fod yn arwyddocaol heddiw. Hefyd roedd ganddyn nhw bantheon o dduwiau ac mae llawer o devas cynnar yr Ariaid yn dal i fod yn bwysig mewn Hindŵaeth heddiw. Yn ogystal, roedd ganddyn nhw ganon o ysgrythurau ac roedden nhw'n rhoi pwys mawr ar yajna, yr aberth tân. Yn y cyd-destun hwn, roedd duw tân yn bwysig iawn, ynghyd â Vac, duwies lleferydd. Nid lleferydd pob dydd oedd hyn ond iaith arbennig y ddefod, sef Sanskrit. Mae'r ddau dduwdod hyn a'r credoau yn eu cylch yn arwydd o newid o bolytheistiaeth (amldduwiaeth) i bantheistiaeth – y gred bod un bod neu endid yn sylfaenol i'r bydysawd cyfan. Datblygodd hyn i'r cysyniad o Brahman.

Cynnwys y fanyleb

Y berthynas rhwng Hindŵaeth fodern a thraddodiadau Dyffryn Indus ac Aria.

Gweithgaredd AA2 ***Dadleuon posibl***

Wedi'u rhestru isod mae rhai casgliadau y byddai'n bosibl dod iddyn nhw ar sail rhesymeg AA2 yn y testun cysylltiedig:

1. Mae'n bosibl gwneud gwahanol gysylltiadau rhwng y ddau draddodiad a Hindŵaeth fodern.
2. Mae sail y dystiolaeth rhwng nodweddion gwareiddiad Dyffryn Indus a Hindŵaeth fodern yn denau.
3. Mae'n bosibl dadlau bod arferion gwareiddiad Dyffryn Indus yn sail i rai o arferion Hindŵaeth fodern.
4. Mae'r dystiolaeth am gysylltiad rhwng gwareiddiad yr Ariaid a Hindŵaeth fodern yn ymddangos yn gryfach na'r cysylltiad â Dyffryn Indus.
5. Mae agweddau ar Hindŵaeth fodern nad ydyn nhw'n gysylltiedig â'r naill wareiddiad na'r llall.

Ystyriwch bob un o'r casgliadau sy'n cael eu gwneud uchod a chasglwch dystiolaeth ac enghreifftiau i gefnogi pob dadl o'r deunydd AA1 ac AA2 a astudiwyd yn yr adran hon. Dewiswch un casgliad sy'n argyhoeddi fwyaf yn eich barn chi ac esboniwch pam mae hyn yn wir. Nawr cyferbynnwch hyn â'r casgliad gwannaf ar y rhestr, gan gyfiawnhau eich dadl gyda rhesymu clir a thystiolaeth.

Sgiliau allweddol

Mae dadansoddi'n ymwneud â nodi materion sy'n cael eu codi gan y deunyddiau yn adran AA1, ynghyd â'r rhai a nodwyd yn adran AA2, ac mae'n cyflwyno safbwyntiau cyson a chlir, naill ai gan ysgolheigion neu safbwyntiau personol, yn barod i'w gwerthuso.

Mae hyn yn golygu ei fod yn nodi pethau allweddol i'w trafod a'r dadleuon sy'n cael eu cyflwyno gan eraill neu o safbwynt personol.

Mae gwerthuso'n ymwneud ag ystyried goblygiadau amrywiol y materion sy'n cael eu codi, yn seiliedig ar y dystiolaeth a gafwyd wrth ddadansoddi ac mae'n rhoi dadl fanwl eang gyda chasgliad clir.

Mae hyn yn golygu bod yr ateb yn pwyso a mesur y dadleuon amrywiol a gwahanol a gafodd eu dadansoddi drwy roi sylwadau ac ymateb unigol, gan ddod i gasgliad drwy broses rhesymu clir.

Datblygu sgiliau AA2

Nawr mae'n bryd ystyried y wybodaeth sydd wedi'i chyflwyno hyd yma. Hefyd mae'n bwysig ystyried sut mae'r hyn rydych chi wedi'i ddysgu hyd yma'n gallu cael ei ddefnyddio ar gyfer atebion arholiad drwy ymarfer y sgiliau sy'n gysylltiedig ag AA2.

Mae Amcan Asesu 2 (AA2) yn ymwneud â 'dadansoddi' a 'gwerthuso'. Efallai fod ystyr y termau'n amlwg ond mae'n hanfodol eich bod yn gyfarwydd â sut mae sgiliau penodol yn dangos y rhain, a hefyd, sut bydd eich perfformiad ym mhob un o'r sgiliau hyn yn cael ei fesur (gweler disgrifyddion band cyffredinol Band 5 ar gyfer AA2 UG).

Yn amlwg mae ateb yn cael ei osod mewn disgrifydd band priodol, yn ôl pa mor dda yw'r ateb, gan amrywio o ragorol, da, boddhaol, sylfaenol/cyfyngedig i gyfyngedig iawn.

I ddechrau, ceisiwch ddefnyddio'r fframwaith / ffrâm ysgrifennu sydd wedi'i rhoi i'ch helpu i ymarfer y sgiliau hyn er mwyn ateb y cwestiwn isod.

Wrth i'r unedau ym mhob adran o'r llyfr ddatblygu, bydd faint o gymorth a gewch yn cael ei leihau'n raddol er mwyn eich annog i ddod yn fwy annibynnol a pherffeithio eich sgiliau AA2.

Rhowch gynnig ar ateb y cwestiwn hwn drwy ddefnyddio'r ffrâm ysgrifennu isod.

YMARFER ARHOLIAD: FFRÂM YSGRIFENNU

I ba raddau mae hi'n gywir ystyried bod Hindŵaeth wedi tarddu o gredoau ac arferion Dyffryn Indus?

Y pwnc i'w drafod yma yw ...

Mae ffyrdd gwahanol o edrych ar hyn a nifer o gwestiynau allweddol i'w gofyn fel ...

Adeg gwareiddiad Dyffryn Indus, roedd nifer o gredoau'n bodoli. Mae angen i ni feddwl pa mor berthnasol yw'r credoau hyn mewn Hindŵaeth fodern. Er enghraifft, gallwn ddadlau bod darganfod y Baddon Mawr yn awgrymu pwysigrwydd ymolchi defodol ...

Mae rhai credoau serch hynny yn amherthnasol, fel ...

Dadl arall fyddai bod arferion fel ... yn dangos y cysylltiad rhwng Dyffryn Indus a Hindŵaeth fodern.

Fodd bynnag, safbwynt arall yw ein bod yn gallu olrhain tarddiad Hindŵaeth i'r Ariaid. Mae llawer yn credu hyn oherwydd ...

Yng ngoleuni hyn i gyd, gellid dadlau ...

Serch hynny, fy marn i yw ...

ac rwyf yn seilio'r ddadl hon ar y rhesymau canlynol:

B: Krishna ac Arjuna

Mae'r adran hon yn cwmpasu cynnwys a sgiliau AA1

Cynnwys y fanyleb

Y ddysgeidiaeth ar dharma a varnadharma.

Y cefndir

Stori **Krishna** ac **Arjuna** a'r sgwrs rhyngddyn nhw yw cynnwys y **Bhagavad Gita**. Yn ôl Dr Ramananda Prasad, 'Dysgeidiaeth ganolog y Gita yw bod yn hapus neu ddod yn rhydd o hualau bywyd drwy wneud eich dyletswydd', hynny yw, eich dharma yn ôl eich cast (varnadharma). Sgwrs fer yw'r Gita a dim ond 711 o adnodau Sanskrit sydd ynddi. Digwyddodd y sgwrs ar faes y gad wrth i ddwy fyddin baratoi at ryfel. Roedd y rhain mewn gwirionedd yn ddau griw o gefndryd a oedd yn cystadlu am yr orsedd – y **Pandavas** a'r Kurus. Roedd y Pandavas yn awyddus i ddatrys yr anghydfod yn heddychlon ond methodd pob ymyriad gan Krishna ac eraill ac roedd rhyfel yn anochel i benderfynu ffawd yr orsedd. Cafwyd brwydr fawr yn Kurukshetra yn India.

Roedd Krishna yn gyfeillgar â'r ddwy ochr, ac oherwydd ei fod am ymddangos yn ddiduedd, cynigiodd ei fyddin fawr a phwerus i'r naill ochr, ac ef ei hun i'r llall. Duryodhana, arweinydd y Kurus a gafodd y dewis cyntaf, a dewisodd y fyddin. Felly ymunodd Krishna ag Arjuna, arweinydd y Pandavas. Er bod Krishna wedi cytuno i beidio ag ymladd, cynigiodd yrru cerbyd rhyfel Arjuna.

Roedd Arjuna y saethwr mawr yn aelod o'r Kshatriyaid – varna y rhyfelwr, y llywodraethwr, ac felly ei ddyletswydd oedd ymladd. Gofynnodd Arjuna i Krishna roi ei gerbyd rhyfel rhwng y ddwy fyddin er mwyn iddo ystyried y sefyllfa cyn dechrau'r frwydr. Edrychodd draw at ei wrthwynebwyr gan adnabod ffrindiau a theulu ar y ddwy ochr. Daeth i'r casgliad nad oedd yr orsedd yn werth marwolaeth pawb roedd yn ei garu. Felly taflodd ei fwa i lawr a thynnu'n ôl o'r frwydr. Roedd yn well ganddo beidio â gweithredu yn hytrach na bod yn gyfrifol am farwolaeth y bobl roedd yn eu caru.

Gwelodd Krishna Arjuna yn tynnu'n ôl a dechreuodd ei berswadio y dylai gadw at ei ddyletswydd fel rhyfelwr ac ymgysylltu â'r gelyn. Dyma ddechrau'r sgwrs rydyn ni'n ei hadnabod fel Bhagavad Gita sy'n ffurfio rhan o'r **Mahabharata**.

Termau allweddol

Arjuna: arwr y Pandavas yn y Mahabharata

Bhagavad Gita: 'cân yr Arglwydd bendigaid' – rhan o'r Mahabharata, yr ysgrythur Hindŵaidd mwyaf poblogaidd

Krishna: afatar Vishnu

Mahabharata: arwrgerdd yn disgrifio'r rhyfel ar ddechrau oes bresennol Kali

Pandavas: pum mab Pandu yn y Mahabharata

Gweithgaredd AA1

Ar ôl darllen adran 'Y cefndir', paratowch a chyflwynwch fwletin newyddion 30 eiliad o hyd ar y digwyddiadau yn y stori. Mae hyn yn ymarfer sgìl AA1 o ddewis a chyflwyno'r wybodaeth berthnasol allweddol.

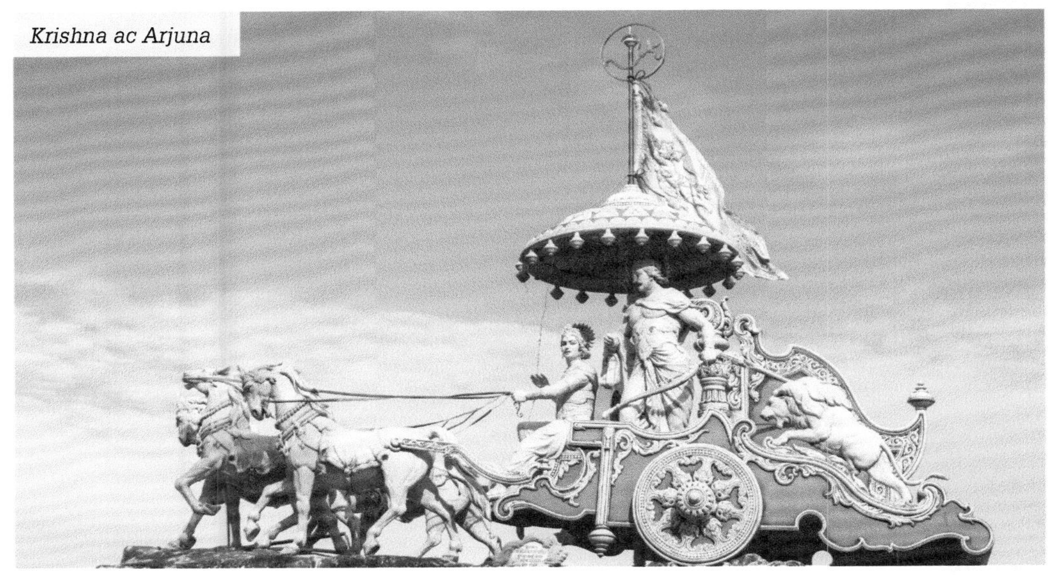
Krishna ac Arjuna

Cynnwys y fanyleb

Y ddysgeidiaeth ar varna a varnadharma. Y gwrthdaro a all godi o ddilyn dharma personol.

Y ddysgeidiaeth ar varna a varnadharma

Fel rydyn ni wedi gweld, roedd y varnau yn ffordd o strwythuro cymdeithas a ddechreuodd yn y cyfnod Vedaidd. Roedd dyletswyddau penodol gan aelodau pob varna. Dyma oedd eu **varnadharma**. Y varna uchaf yw'r Brahmin (offeiriad) a'i varnadharma yw cynnal defodau ac addysgu'r ffordd iawn o fyw. Y varna nesaf yw'r Kshatriya a'i varnadharma ef yw ymladd mewn rhyfeloedd cyfiawn, llywodraethu'n gyfiawn ac amddiffyn cymdeithas rhag gormes. Y trydydd varna yw'r Vaishya, a'i varnadharma yw cynhyrchu cyfoeth ac incwm i gynnal y gymdeithas. Y varna olaf yw'r Sudra, a'i varnadharma ef yw gwneud gwaith caib a rhaw a gwasanaethu'r varnau eraill.

Mae'n amlwg bod Arjuna yn poeni am fynd i ryfel a gorfod lladd ei deulu a'i ffrindiau. Ar y naill law mae'n gwybod ei fod yn Kshatriya ac mai ei ddyletswydd yw ymladd ond ar y llaw arall mae'n credu ei bod yn ddyletswydd arno hefyd i beidio â lladd ei deulu a'i ffrindiau. Mae hwn yn wrthdaro **dharma** personol. Mae felly'n gofyn i Krishna beth ddylai ei wneud – 'Nawr rwyf yn ddryslyd ynghylch fy nyletswydd ac wedi colli pob hunanfeddiant oherwydd fy ngwendid. Yn y cyflwr hwn gofynnaf i ti ddweud wrthyf yn glir beth yw'r peth gorau i mi.' (Bhagavad Gita 2:7)

Dywed Krishna wrth Arjuna na ddylai hyn ei boeni ac na fydd yn cael **karma** drwg drwy gymryd rhan yn y rhyfel. Yna mae Krishna yn sôn am varnadharma ac yn dadlau does dim effeithiau karmig i weithred oherwydd ymdeimlad o ddyletswydd, heb ymlyniad. Nid gweithredoedd yw ffynhonnell drygioni ond y bwriadau y tu ôl i'r gweithredoedd. Anrhydedd a dyletswydd Arjuna yw ymladd. Mae'n aelod o'r varna Kshatriya – y frwydr yw'r union reswm dros ei fodolaeth. Yn olaf, mae Arjuna yn penderfynu gwrando ar gyngor Krishna drwy frwydro ac yn y pen draw mae'r Pandavas yn rheoli'r deyrnas unwaith eto. Mae Bimal Krishna yn esbonio arwyddocâd y ddysgeidiaeth hon ar dharma,

'Mae Hindŵaeth yn cadarnhau'r angen am hawliau a chyfrifoldebau cymesur. Fodd bynnag, mae'n pwysleisio dyletswyddau. Os yw rhywun yn cyflawni ei ddyletswyddau, mae hyn yn cyflawni hawliau rhywun arall yn awtomatig. Fodd bynnag mae'r tueddiad presennol i fynnu ein hawliau'n creu diwylliant o feio, iawndal ac anghyfrifoldeb. Mae gosod y pwyslais ar dharma yn tueddu i hybu cyfrifoldeb. Dydy hi ddim yn anghywir mynnu hawliau dilys ond heb ddiwylliant o gyfrifoldeb mae'n creu problemau. Ac mae'n dechrau ar y brig, gyda'r arweinwyr. Dyna pam mae llawer o storïau Hindŵaidd yn esbonio sut mae arweinyddiaeth yn seiliedig ar gymeriad, ac nid safle yn unig.'

Dyfyniad allweddol

Nid drwy beidio â gweithredu mae dyn yn sicrhau rhyddid rhag gweithredu; na thrwy ddim ond ymwadu â gweithredu mae'n cyrraedd ei nod ysbrydol ... Gwnewch eich gwaith penodol, oherwydd mae gweithredu'n well na pheidio â gweithredu ... Felly, heb ymlyniad, gwnewch y gwaith mae'n rhaid ei wneud bob amser, oherwydd mae dyn sy'n gwneud ei waith heb ymlyniad yn cyrraedd y nod uchaf. (Bhagavad Gita Pennod 3)

Termau allweddol

Dharma: dyletswydd unigolyn ac un o dri phrif nod bywyd

Karma: 'gweithredu a ffrwyth gweithredu' – y cysyniad bod y bydysawd yn ad-dalu pob gweithred

Samkhya: ysgol athroniaeth sy'n addysgu bod Ishvara, Prakriti ac atman yn amlygiadau o Brahman

Varnadharma: dyletswydd yn ôl eich varna

Gweithgaredd AA1

Ysgrifennwch ddeialog rhwng Krishna ac Arjuna sy'n esbonio penbleth Arjuna a chyngor Krishna.

Awgrym astudio

Gwnewch yn siŵr eich bod yn gyfarwydd â'r holl dermau allweddol a'u diffiniadau cywir. Mae hyn yn arbennig o berthnasol i'r adran hon. Bydd hyn yn sicrhau eich bod yn gwneud 'defnydd trylwyr a chywir o iaith a geirfa arbenigol mewn cyd-destun' (disgrifydd band 5 AA1)

Cynnwys y fanyleb

Doethineb Samkhya, natur arferion crefyddol.

Athroniaeth Samkhya

Samkhya yw un o athroniaethau hynaf ac amlycaf Hindŵaeth. Mae'n seiliedig ar yr Upanishadau a'r gŵr doeth Kapila oedd ei sefydlydd. Mae athroniaeth Samkhya yn cyfuno athrawiaeth sylfaenol Samkhya ac yoga. Gallwn ddweud bod Samkhya yn cynrychioli'r ddamcaniaeth a bod yoga yn cynrychioli'r gweithredu neu'r agweddau personol. Yoga yw'r ddisgyblaeth feddyliol a ddefnyddir i achosi newid mewn ymwybod ac ymwybyddiaeth a mwy o ddyfnder ysbrydol.

Mae'n bosibl disgrifio Samkhya fel realiti deuolaidd oherwydd mae'n cydnabod dau realiti eithaf – **Prakriti**, natur neu fater, a **Purusha**, yr hunan (ysbryd). Mae'n realistig yn yr ystyr ei fod yn ystyried bod mater ac ysbryd yr un mor real â'i gilydd. Yn ôl Richard Garbe, dyma'r 'system athroniaeth fwyaf arwyddocaol y mae India wedi'i chynhyrchu'.

Mae athroniaeth Samkhya yn archwilio natur y byd ffisegol a'r berthynas rhwng y byd gwrthrychol a'r hunan goddrychol. Mae Prakriti, natur, wedi'i greu o dri **guna** – sattva (purdeb), rajas (angerdd) a tamas (syrthni). Mae'r atman yn byw ym myd Prakriti ac mae wedi'i ddal yn gaeth yno oherwydd ei fod yn mwynhau'r tri guna. Mae'n anghofio ei wir natur ac yn adlewyrchu nodweddion y tri guna. Felly mae'n dod o dan reolaeth karma ac yn cael ei ddal yng nghylch samsara. Mae yoga yn ymgais i ymdrin â hyn yn uniongyrchol drwy ddatgysylltu'r atman yn raddol o rwyd Prakriti a chyrraedd rhyddhad.

Daeth **Patanjali** â'r credoau a'r arferion hyn at ei gilydd i greu'r hyn a elwir heddiw yn Samkhya yoga. Er ei fod yn seiliedig ar syniadau blaenorol, datblygodd Patanjali system newydd o athroniaeth ac ymarfer sy'n cynnig cyngor ymarferol ar sut i wella pethau yn ogystal ag edrych ar natur y bydysawd. Y nod yw dod â'r hunan i gyflwr o ymwybod pur lle does ganddo ddim cyswllt â'r byd empirig nac ymwybyddiaeth ohono. Dyma sut mae Patanjali yn deall rhyddhad rhag samsara, nid amsugno'r atman i mewn i rywbeth mwy ond dedwyddwch parhaol, ar ei ben ei hun.

Gweithgaredd AA1

Ar gardiau adolygu bach gwnewch grynodeb o bwyntiau allweddol athroniaeth Samkhya. Bydd hyn yn eich helpu i ddewis a chofio set graidd o bwyntiau i ddatblygu'n ateb i esbonio prif nodweddion athroniaeth Samkhya a sicrhau eich bod chi'n gwneud 'defnydd cywir o iaith a geirfa arbenigol yn eu cyd-destun' (disgrifydd band 5 AA1).

Y llwybrau gwahanol i ryddhad – jnana yoga, karma yoga a bhakti yoga

Yn ei gyngor i Arjuna, mae Krishna yn dweud ei bod yn bosibl i rywun wneud yr hyn sy'n rhaid iddo ei wneud heb gael karma drwg. Yn y Bhagavad Gita, mae Krishna yn esbonio tair ffordd neu lwybr – llwybr gwybodaeth (**jnana** yoga), llwybr gweithredu (karma yoga) a llwybr ymroddiad (bhakti yoga). Disgrifiodd Carl G. Jung, y seicolegydd amlwg o'r Swistir, yoga fel 'un o'r pethau gorau mae'r meddwl dynol erioed wedi'i greu'.

Jnana yoga

Jnana yoga yw'r math mwyaf datblygedig o yoga a fynegir yn Bhagavad Gita. Yn y gorffennol dim ond y rheini a oedd yn perthyn i varna y Brahmin oedd yn gallu ei ymarfer. Mae jnana yn golygu gwybodaeth neu ddoethineb ac yn y Gita mae Krishna yn esbonio bod jnana yn golygu deall kshetra (y corff) a kshetrajna (yr enaid neu'r atman) a'r berthynas rhyngddyn nhw. Nod jnana yoga yw rhyddhad o fyd rhithiol **maya** drwy ddatblygu dealltwriaeth a gallu i wahaniaethu rhwng y tragwyddol a'r byrhoedlog, y gwir a'r gau, i gael gwared ar yr anwybodaeth sy'n clymu pobl wrth y byd materol. Mae hyn yn galluogi pobl i wahaniaethu rhwng yr hyn sy'n wir a'r hyn sy'n rhith. Mae Krishna yn esbonio sut mae gwybod hyn yn arwain at **moksha**, 'Maen nhw, sy'n deall y gwahaniaeth rhwng y greadigaeth a'r creawdwr yn gwybod techneg rhyddhad o fagl Maya, a gyda help gwybodaeth, yn cyrraedd y Goruchaf, sy'n deyrngar i Fi, yn annwyl i Fi.'

Dyfyniad allweddol

Mae'r sawl sydd â gunas yn weithredwr ac yn mwynhau'r hyn mae wedi'i wneud... mae'n crwydro drwy ailenedigaethau olynol yn unol â'i weithredoedd... Mae'n cael ei ryddhau o bob caethiwed wrth ddod i adnabod Brahman. (Shvetashvatara Upanishad 5:7, 12–13)

Cynnwys y fanyleb

Y llwybrau gwahanol i ryddhad – jnana yoga, karma yoga a bhakti yoga.

Termau allweddol

Gunas: tair edau Prakriti

Jnana: gwybodaeth am Brahman drwy brofiad

Maya: rhith – mae hyn yn golygu'r byd ffisegol ac unrhyw beth sy'n gwneud i chi feddwl nad ydych chi'n Brahman

Moksha: rhyddhad o gylch samsara – pedwerydd nod bywyd yr Hindŵ

Patanjali: cyfansoddwr yr yoga sutras (gweithiau ysgrifenedig)

Prakriti: y bydysawd empirig/natur mewn athroniaeth Samkhya, sy'n cynnwys y tri guna

Purusha: naill ai dyn cysefin y Vedau neu'r hunan ysbrydol unigol yn athroniaeth Samkhya

Yogi

cwestiwn cyflym

1.2 Enwch y tri llwybr i ryddhad mae Krishna yn eu henwi.

Awgrym astudio

Gwnewch yn siŵr eich bod bob amser yn ateb y cwestiwn a osodwyd, gan roi sylw arbennig i eiriau allweddol. Bydd hyn yn sicrhau bod gennych y siawns orau o roi 'Ateb helaeth a pherthnasol sy'n bodloni gofynion penodol y cwestiwn a osodwyd' (disgrifydd band 5 AA1).

Dyfyniad allweddol

Felly, heb ymlyniad, gwnewch y gwaith mae'n rhaid ei wneud bob amser, oherwydd mae dyn sy'n gwneud ei waith heb ymlyniad yn cyrraedd y nod uchaf. (Krishna)

Term allweddol

Bhakti: ymroddiad cariadus

cwestiwn cyflym

1.3 Rhowch ddwy enghraifft o bhakti yoga.

Mae'n bosibl cyflawni hyn drwy ddilyn y pedwar piler gwybodaeth:

- Viveka – gwahaniaethu rhwng y real a'r afreal
- Vairagya – datgysylltu oddi wrth eiddo bydol a'r ego
- Shatsampat – y chwe rhinwedd sy'n datblygu'r gallu i weld y tu hwnt i maya – llonyddwch, ffrwyno, ymwadu, dycnwch, ffydd a chanolbwyntio
- Mumukshutva – dyhead dwys ac angerddol i gyflawni rhyddhad.

Dyma'r broses o drosi gwybodaeth ddeallusol yn ddoethineb ymarferol. Mae'r ffyddloniaid yn gwneud hyn drwy ddefnyddio'r meddwl i ymholi ynghylch eu natur eu hunain ac mae'n eu harwain i brofi undod â Duw. Mae'r un sy'n gallu ymarfer jnana yoga yn llwyddiannus yn gallu cyrraedd y Bod Goruchaf a chyflawni moksha.

Karma yoga

Yn y Bhagavad, mae Krishna yn dweud wrth Arjuna does dim effeithiau karmig i weithred a wneir oherwydd ymdeimlad o ddyletswydd, heb ymlyniad. Mewn gwirionedd, mae'n llwybr i ryddhad. Karma yoga yw yoga gweithredu anhunanol ac mae'n puro'r galon drwy weithredu'n anhunanol heb ddyhead am wobr neu fudd. Mae'n golygu gweithredu'n unol â dharma heb ystyried y canlyniadau neu ffrwyth y gweithredoedd. Does dim cysylltiad â chanlyniadau gweithredoedd. Mae Krishna yn credu does dim modd ennill doethineb drwy beidio â gweithredu ond bod rhaid i bob gweithred fod yn anhunanol a'i gweld fel gwasanaeth i'r dwyfol.

Mae cyflawni eich potensial eich hun er budd cymdeithas yn cael ei ystyried yn llwybr karma yoga. Yn yr ystyr hwn mae Gandhi yn yogi karmig delfrydol.

Bhakti yoga

Bhakti yw'r gred bod perthynas â Duw yn bosibl, yn seiliedig ar gariad ac ymroddiad a chaiff ei mynegi drwy wasanaeth. Mae addolwyr yn ildio pob agwedd ar eu hunain i'r duwdod maen nhw'n ei ddewis. Mae bhakti yn llwybr sy'n arwain at moksha. Mae'n pwysleisio teimladau mewnol yn hytrach na defodau crefyddol ffurfiol bhakti yoga fel y llwybr ymroddiad systematig i uno â'r Absoliwt. Mae mathau gwahanol o bhakti:

- Sakamya-bhakti – ymroddiad ag awydd am enillion materol.
- Nishkamya-bhakti – mae'r addolwr yn ceisio bod yn un â Duw a chael bendithion ysbrydol fel doethineb a grym.
- Apara-bhakti – i'r rheini sy'n dechrau ymarfer yoga. Mae'r addolwr yn credu mai Duw yw'r Goruchaf, yn bresennol yn y ddelwedd ac mai dim ond yn y ffurf honno mae'n bosibl ei addoli.
- Para-bhakti – y math uchaf o bhakti. Mae'r addolwr yn gweld Duw ac yn teimlo ei rym ymhobman.

Er bod bhakti yn seiliedig ar ddysgeidiaeth 'Duw yw cariad, cariad yw Duw' mae'n fwy nag emosiwn yn unig. Mae'n fater o ddisgyblu a hyfforddi'r meddwl a'r ewyllys yn drylwyr. Rhaid gwneud popeth i greu amgylchedd sy'n datblygu'r ymdeimlad o bhakti – ystafell lân, llosgi arogldarth, goleuo lamp a chadw sedd lân. Dylai addolwyr ymdrochi, gwisgo dillad glân a rhoi lludw sanctaidd ar eu talcen a chanolbwyntio ar y duwdod maen nhw yn ei addoli.

Gweithgaredd AA1

Ar gardiau adolygu bach gwnewch grynodebau o nodweddion allweddol pob llwybr. Bydd hyn yn eich helpu i ddewis a chofio set graidd o nodweddion i ddatblygu ateb i esbonio llwybrau gwahanol rhyddhad a sicrhau eich bod chi'n gwneud 'defnydd cywir o iaith a geirfa arbenigol yn eu cyd-destun' (disgrifydd band 5 AA1).

Datblygu sgiliau AA1

Nawr mae'n bryd ystyried y wybodaeth sydd wedi'i chyflwyno hyd yma. Hefyd mae'n bwysig ystyried sut mae'r hyn rydych chi wedi'i ddysgu hyd yma'n gallu cael ei ddefnyddio ar gyfer atebion arholiad drwy ymarfer y sgiliau sy'n gysylltiedig ag AA1.

Mae Amcan Asesu 1 (AA1) yn ymwneud â dangos gwybodaeth a dealltwriaeth. Mae'r termau 'gwybodaeth' a 'dealltwriaeth' yn amlwg ond mae'n hanfodol eich bod yn gyfarwydd â sut mae sgiliau penodol yn dangos y rhain, a hefyd, sut bydd eich perfformiad ym mhob un o'r sgiliau hyn yn cael ei fesur (gweler disgrifyddion band cyffredinol Band 5 ar gyfer AA1 UG).

▶ **Dyma eich tasg newydd:** o'r rhestr o ddeg pwynt allweddol isod, dewiswch y chwe phwynt pwysicaf yn eich barn chi wrth ateb y cwestiwn uwchben y rhestr. Rhowch eich pwyntiau yn nhrefn eu blaenoriaeth, gan esbonio pam mai dyma'r chwe agwedd bwysicaf ar y pwnc hwnnw y dylech sôn amdanyn nhw. Bydd y sgìl hwn, sef blaenoriaethu a dewis deunydd priodol, yn eich helpu wrth ateb cwestiynau arholiad ar gyfer AA1.

Archwiliwch jnana yoga a bhakti yoga fel llwybrau i ryddhad.

1. Mae Krishna yn y Bhagavad Gita yn esbonio'r tri llwybr i ryddhad.
2. Jnana yoga yw llwybr gwybodaeth, myfyrdod a dealltwriaeth.
3. Mae dilynwyr jnana yoga yn datblygu galluoedd meddyliol sy'n arwain at ddealltwriaeth glir o wirioneddau dwfn.
4. Mae dilynwyr y llwybr hwn yn ymwadu am gyfnod ac yn dilyn bywyd asgetig.
5. Mae Krishna yn esbonio sut mae gwybod hyn yn arwain at moksha.
6. Mae'r Hindŵ yn cyflawni moksha drwy ddilyn y pedwar piler – gwahaniaethu rhwng y real a'r afreal, datgysylltu oddi wrth eiddo bydol a'r ego, datblygu'r gallu i weld y tu hwnt i maya a dyhead dwys ac angerddol i gyflawni rhyddhad.
7. Mae bhakti yoga yn golygu ymostwng yn llwyr mewn ymroddiad cariadus i Dduw personol. Mae'n arwain at moksha drwy ffydd yn y duwdod personol. Uno â'r duwdod mewn cariad ac ymostyngiad yw'r nod uwch.
8. Mae'r Bhagavad Gita yn cyflwyno bhakti yoga fel y brif ffordd i ryddhad.
9. Mae Krishna yn wrthrych ymroddiad ac mae ei ras cariadus yn dod â'r addolwr at ei nod eithaf.
10. Mae'r ddau yn llwybrau at moksha gan eu bod yn mynd uwchlaw'r bersonoliaeth gyffredin neu ddi-nod i gyrraedd lefelau uwch o wybodaeth, undod a dedwyddwch.

Sgiliau allweddol

Mae gwybodaeth yn ymwneud â:

Dewis ystod o wybodaeth (drylwyr) gywir a pherthnasol sydd â chysylltiad uniongyrchol â gofynion penodol y cwestiwn.

Mae hyn yn golygu eich bod yn dewis y wybodaeth gywir sy'n berthnasol i'r cwestiwn a osodwyd NID y maes pwnc. Bydd angen i chi feddwl a chanolbwyntio ar ddewis gwybodaeth allweddol ac NID ysgrifennu popeth yr ydych chi'n ei wybod am y maes pwnc.

Mae dealltwriaeth yn ymwneud ag:

Esboniad helaeth, gan ddangos dyfnder a/neu ehangder gyda defnydd rhagorol o dystiolaeth ac enghreifftiau gan gynnwys (lle y bo'n briodol) defnydd trylwyr a chywir o destunau cysegredig, ffynonellau doethineb a geirfa arbenigol.

Mae hyn yn golygu y gallwch ddangos eich bod yn deall rhywbeth drwy egluro ac ehangu eich pwyntiau gan ddefnyddio enghreifftiau/tystiolaeth gefnogol mewn ffordd bersonol ac NID ailadrodd darnau o werslyfr (sef dysgu ar y cof).

Cymhwyso sgiliau ymhellach:

Ar ôl i chi wneud eich dewisiadau a dewis eich gwybodaeth, cymharwch nhw â myfyriwr arall. Edrychwch i weld a allwch chi ar y cyd benderfynu ar chwech a'u trefn gywir, y tro hwn, yn ddilyniant ar gyfer ateb cwestiwn.

Mae'r adran hon yn cwmpasu cynnwys a sgiliau AA2

Cynnwys y fanyleb

Pwysigrwydd cymharol y llwybrau gwahanol i ryddhad.

Materion i'w dadansoddi a'u gwerthuso

Pwysigrwydd cymharol y llwybrau gwahanol i ryddhad

Gan fod Krishna yn y Bhagavad Gita yn cyfeirio at dri llwybr i ryddhad, yn naturiol mae'r cwestiwn yn codi pa un yw'r pwysicaf. Er bod hyrwyddwyr pob llwybr unigol yn gallu dadlau mai eu dewis nhw o lwybr sydd orau, bydd eraill yn dadlau bod pob llwybr yn gyfartal ei werth oherwydd maen nhw i gyd yn arwain at ryddhad o gylch samsara a chyrraedd nod moksha.

Mae karma yoga yn datblygu heb ymwadu â bywyd bydol mewn unrhyw ffordd. Mae'r rheini sy'n dilyn karma yoga yn gorfod sicrhau cynnydd ysbrydol yn wyneb heriau niferus bywyd. Mae llawer yn credu bod hynny ynddo'i hun yn ei wneud yn well na'r llwybrau eraill. Un o'i brif gefnogwyr oedd Gandhi a ddatblygodd y llwybr i'r eithaf gan ddangos grym gweithredu anhunanol. Mae'n creu perffeithrwydd yn y natur ddynol â nodweddion moesegol bonheddig, er enghraifft, yr agwedd gywir, y cymhelliad cywir, a gwneud eich gorau bob amser. Mae'n llwybr sy'n cynnwys pob agwedd ar fywyd, heb ymwneud ag arferion crefyddol arbenigol yn unig. Mae'n puro'r galon drwy eich addysgu i weithredu'n anhunanol, heb feddwl am wobr neu fudd a'ch datgysylltu eich hun o ffrwyth eich gweithredoedd a'u cynnig nhw i Dduw.

Fodd bynnag, byddai rhai'n dadlau bod materion bydol yn aml yn tynnu sylw oddi ar y llwybr ysbrydol a bod nodau ysbrydol yn gallu bod yn ail i faterion bydol. Mae'r llwybr uchaf yn galw ar yr Hindŵ i ddangos ymroddiad llwyr ac i dorri pob cwlwm â theulu ac eiddo materol.

Mae llawer yn ystyried mai jnana yoga yw'r ffurf uchaf, oherwydd mae'n datblygu pwerau ysbrydol y tu hwnt i alluoedd dynol. Mae'n llwybr sy'n galw am lefel uchel o ddeallusrwydd, ymroddiad ac ymwadu. Byddai llawer yn dadlau mai hwn yw'r llwybr anoddaf, sy'n galw am rym ewyllys a deallusrwydd anferthol. Gan gymryd athroniaeth Vedanta, mae'r yogi jnana yn defnyddio'i feddwl i ymholi ynghylch ei natur ei hun. Weithiau mae'n gofyn am ffordd sannyasin o fyw. Un o'i brif gefnogwyr yw Advaita Vedanta, lle mae duwdodau personol yn llwybr is at wirionedd ond bod hunan-wireddu llawn yn dod drwy ddatblygu cyflyrau meddyliol uwch.

Fodd bynnag, byddai rhai'n dadlau bod jnana yoga yn llwybr caeedig yn yr ystyr ei fod yn gyfyngedig i'r cast Brahmin a heb fod ar gael i bawb. Felly mae'n methu bod yn well na llwybrau sydd ar agor i bawb.

Mae llawer yn credu mai bhakti yoga sydd orau. Mae'r Bhagavad Gita yn ei gyflwyno fel y brif ffordd i ryddhad. Yn hwn mae Krishna yn wrthrych ymroddiad a'i ras cariadus yn dod â'r addolwr at ei nod eithaf. Ar ôl ei ddatblygu'n llawn mae effaith y profiad o ildio'r hunan i dduw personol yr un fath â jnana yoga. Mae llawer o Hindŵiaid yn ystyried mai dyma'r llwybr uchaf oherwydd mae'n seiliedig ar gariad yn hytrach na dealltwriaeth ddeallusol ac agwedd fwy hunanol. Mae bhakti yoga yn gweld Duw fel ymgorfforiad o gariad. Drwy weddi, addoli a defod mae'r ffyddloniaid yn ildio i Dduw, drwy gariad neu ymroddiad diamod. Hefyd mae ar gael i bawb.

Mae'n bosibl dadlau bod pob un o'r tri llwybr – karma yoga, jnana yoga a bhakti yoga yn cydweddu ag anian wahanol neu agwedd wahanol at fywyd. Mae'r llwybrau i gyd yn y pen draw yn arwain at yr un gyrchfan – at undod â Brahman neu Dduw – ac mae angen cyfuno gwersi pob un i gyflawni gwir ddoethineb.

Gweithgaredd AA2 ***Dadleuon posibl***

Wedi'u rhestru isod mae rhai casgliadau y byddai'n bosibl dod iddyn nhw ar sail rhesymeg AA2 yn y testun cysylltiedig:

1. Rhaid datblygu karma yoga yng nghanol bywyd pob dydd ac felly mae'n dylanwadu'n uniongyrchol ar yr hyn sy'n digwydd mewn bywyd.
2. Mae jnana yoga yn galw am ymroddiad llwyr ac ymwadu â bywyd pob dydd.
3. Bhakti yoga yw'r llwybr uchaf yn ôl y Bhagavad Gita.
4. Yn ôl llawer o Hindŵiaid, mae cariad yn bwysicach na gallu deallusol.
5. Mae gwerth cyfartal i bob llwybr i ryddhad.

Ystyriwch bob un o'r casgliadau sy'n cael eu gwneud uchod a chasglwch dystiolaeth ac enghreifftiau i gefnogi pob dadl o'r deunydd AA1 ac AA2 a astudiwyd yn yr adran hon. Dewiswch un casgliad sy'n argyhoeddi fwyaf yn eich barn chi ac esboniwch pam mae hyn yn wir. Nawr cyferbynnwch hyn â'r casgliad gwannaf ar y rhestr, gan gyfiawnhau eich dadl gyda rhesymu clir a thystiolaeth.

Cynnwys y fanyleb

Y berthynas rhwng Krishna ac Arjuna fel nodwedd ganolog o Hindŵaeth.

Y berthynas rhwng Krishna ac Arjuna fel nodwedd ganolog o Hindŵaeth

Y berthynas rhwng Krishna ac Arjuna yw nodwedd ganolog y Bhagavad Gita. Fodd bynnag, mae dylanwad y berthynas honno ar Hindŵaeth yn gyffredinol yn ehangach o lawer – y ddysgeidiaeth ar dharma a varnadharma, karma a'r berthynas rhwng Brahman ac atman.

Mae Krishna yn dduwdod Hindŵaidd pwysig a gaiff ei addoli fel y Svayam Bhagavan (y Bod Goruchaf) yn ei hawl ei hun neu fel ymgnawdoliad mwyaf pwerus a phoblogaidd Vishnu. Arwr poblogaidd mewn ysgrythur Hindŵaidd yw Arjuna sy'n enghraifft o lawer o'r nodweddion bonheddig y dylai bodau dynol wneud ymdrech i'w cyflawni. Mae hefyd yn arwr anfodlon sy'n cael ei alw i gyflawni tasg bwysig iawn ond sy'n gwrthod yr her ar y dechrau. Fodd bynnag, mae'n ailystyried ac yn concro yn effeithiol iawn. Mewn Hindŵaeth, mae arwyddocâd mawr i'r cyfeillgarwch anwahanadwy rhwng y ddau.

Wrth gwrs mae'r cyfeillgarwch hwn yn blodeuo yn y Bhagavad Gita ac mae arwyddocâd diwinyddol y ddeialog rhwng y ddau gyfaill yn enfawr. Mae Krishna yn esbonio natur y bydysawd ac mae Arjuna yn ymgorffori nodweddion y myfyriwr delfrydol. Dydy Arjuna ddim yn awyddus i ymladd. Mae'n taflu ei arfau i lawr gan ddweud wrth Krishna nad yw am ymladd. Yna mae Krishna yn dechrau esbonio ei bod yn ddyletswydd dharmig arno i ymladd a bod rhaid iddo ymladd i adfer ei karma.

Mae Krishna yn esbonio cylch samsara o enedigaeth a marwolaeth ac yn dweud nad yw'r enaid yn wir yn marw. Pwrpas y cylch hwn yw gadael i rywun weithio i waredu ei karma, sydd wedi cronni dros sawl einioes o weithredu. Os ydych yn gweithredu'n anhunanol, yn gwasanaethu Duw, gallwch gael gwared ar eich karma. Yn y pen draw bydd hyn yn arwain at ddiddymu'r enaid a diwedd cylch samsara. Os ydych yn gweithredu'n hunanol, rydych yn parhau i gronni dyled, gan fynd yn ddyfnach ac yn ddyfnach i ddyled karmig.

Mae Krishna yn cyflwyno tri phrif gysyniad i ddiddymu'r enaid fel hyn – ymwadu, gwasanaethu anhunanol a myfyrio. Mae'r tri hyn yn elfennau i gyflawni 'yoga', neu sgìl wrth weithredu.

Mae'r Gita yn gorffen gyda Krishna yn dweud wrth Arjuna bod rhaid iddo ddewis llwybr daioni neu ddrygioni, oherwydd ei ddyletswydd yw ymladd y Kauravas er mwyn ei deyrnas. Drwy wneud hyn, mae'n cywiro cydbwysedd daioni a drygioni, yn cyflawni ei dharma, ac yn cynnig y ffurf ddwysaf o wasanaeth anhunanol. Mae Arjuna yn deall hynny, ac felly mae'n mynd i frwydro. Mae hyn yn dylanwadu ar agweddau Hindŵaidd at ryfel a defnyddio trais. Mae Krishna yn dweud wrth Arjuna y dylai ymladd am nifer o resymau – dyma ei ddyletswydd; mae strwythur dwyfol cymdeithas yn bwysicach na'i deimladau personol; dim ond ar y corff mae trais yn effeithio ac nid yr enaid; ac mae bywyd a marwolaeth yn rhan o rith, a'r ysbrydol yw'r hyn sy'n bwysig mewn gwirionedd. Fel arfer mae cysyniad karma yn sail i wrthynebiad yr Hindŵ i ladd neu drais oherwydd bydd cyfraith naturiol y bydysawd yn ad-dalu unrhyw drais neu angharedigrwydd. Ond dydy hyn ddim yn wir os bydd y weithred o ladd neu drais yn fater o ddyletswydd.

Mae parodrwydd Arjuna i dderbyn gair Krishna, er bod hynny'n golygu ymladd yn erbyn ei deulu, yn egluro'i ymroddiad delfrydol i Dduw. Gyda'i gilydd, mae'r cyfeillgarwch anwahanadwy hwn rhwng Krishna ac Arjuna yn cynrychioli pa mor anwahanadwy yw Brahman ac atman, neu hanfod y bydysawd a'r enaid, un o syniadau sylfaenol Hindŵaeth.

Gweithgaredd AA2 ***Dadleuon posibl***

Wedi'u rhestru isod mae rhai casgliadau y byddai'n bosibl dod iddyn nhw ar sail rhesymeg AA2 yn y testun cysylltiedig:

1. Mae eu perthynas yn dylanwadu ar lawer o agweddau ar Hindŵaeth.
2. Mae Arjuna yn fodel rôl yn ei hawl ei hun.
3. Mae agweddau gwahanol ar eu perthynas yn cynrychioli nodweddion gwahanol e.e. Brahman ac atman.
4. Nodwedd bwysicaf eu perthynas yw'r athrawiaeth ar dharma.
5. Ymroddiad yw un o nodweddion allweddol eu perthynas.

Ystyriwch bob un o'r casgliadau sy'n cael eu gwneud uchod a chasglwch dystiolaeth ac enghreifftiau i gefnogi pob dadl o'r deunydd AA1 ac AA2 a astudiwyd yn yr adran hon. Dewiswch un casgliad sy'n argyhoeddi fwyaf yn eich barn chi ac esboniwch pam mae hyn yn wir. Nawr cyferbynnwch hyn â'r casgliad gwannaf ar y rhestr, gan gyfiawnhau eich dadl gyda rhesymu clir a thystiolaeth.

Sgiliau allweddol

Mae dadansoddi'n ymwneud â nodi materion sy'n cael eu codi gan y deunyddiau yn adran AA1, ynghyd â'r rhai a nodwyd yn adran AA2, ac mae'n cyflwyno safbwyntiau cyson a chlir, naill ai gan ysgolheigion neu safbwyntiau personol, yn barod i'w gwerthuso.

Mae hyn yn golygu ei fod yn nodi pethau allweddol i'w trafod a'r dadleuon sy'n cael eu cyflwyno gan eraill neu o safbwynt personol.

Mae gwerthuso'n ymwneud ag ystyried goblygiadau amrywiol y materion sy'n cael eu codi, yn seiliedig ar y dystiolaeth a gafwyd wrth ddadansoddi ac mae'n rhoi dadl fanwl eang gyda chasgliad clir.

Mae hyn yn golygu bod yr ateb yn pwyso a mesur y dadleuon amrywiol a gwahanol a gafodd eu dadansoddi drwy roi sylwadau ac ymateb unigol, gan ddod i gasgliad drwy broses rhesymu clir.

Datblygu sgiliau AA2

Nawr mae'n bryd ystyried y wybodaeth sydd wedi'i chyflwyno hyd yma. Hefyd mae'n bwysig ystyried sut mae'r hyn rydych chi wedi'i ddysgu hyd yma'n gallu cael ei ddefnyddio ar gyfer atebion arholiad drwy ymarfer y sgiliau sy'n gysylltiedig ag AA2.

Mae Amcan Asesu 2 (AA2) yn ymwneud â 'dadansoddi' a 'gwerthuso'. Efallai fod ystyr y termau'n amlwg ond mae'n hanfodol eich bod yn gyfarwydd â sut mae sgiliau penodol yn dangos y rhain, a hefyd, sut bydd eich perfformiad ym mhob un o'r sgiliau hyn yn cael ei fesur (gweler disgrifyddion band cyffredinol Band 5 ar gyfer AA2 UG).

Yn amlwg mae ateb yn cael ei osod mewn disgrifydd band priodol, yn ôl pa mor dda yw'r ateb, gan amrywio o ragorol, da, boddhaol, sylfaenol/cyfyngedig i gyfyngedig iawn.

▶ **Dyma eich tasg:** o'r rhestr o ddeg pwynt allweddol, dewiswch chwech sy'n berthnasol i'r dasg werthuso isod. Rhowch eich dewis yn y drefn y byddech chi'n ei defnyddio i wneud y dasg. Wrth esbonio pam ydych wedi dewis y chwe phwynt hyn i ateb y dasg, fe welwch eich bod yn datblygu proses rhesymu. Bydd hyn yn eich helpu i ddatblygu dadl i benderfynu i ba raddau rydych chi'n cytuno mai karma yoga yw'r ffurf uchaf o yoga.

'Karma yoga yw'r ffurf uchaf o yoga'. Aseswch/gwerthuswch y safbwynt hwn.

1. Rhaid cwblhau karma yoga heb ymwadu â bywyd byb dydd.
2. Rhaid i ddilynwyr karma yoga sicrhau twf ysbrydol yn wyneb heriau bywyd.
3. Mae karma yoga yn datblygu gweithredoedd anhunanol ac yn perffeithio natur ddynol.
4. Mae karma yoga yn dod â budd i gymdeithas.
5. Fodd bynnag, byddai rhai'n dadlau bod materion bydol yn aml yn tynnu sylw oddi ar y llwybr ysbrydol a bod nodau ysbrydol yn gallu bod yn ail i faterion bydol.
6. Byddai llawer yn dadlau mai jnana yoga yw'r ffurf uchaf oherwydd mae'n datblygu pwerau ysbrydol y tu hwnt i alluoedd dynol arferol.
7. Byddai llawer yn dadlau mai jnana yoga yw'r llwybr anoddaf, sy'n galw am rym ewyllys a deallusrwydd anferthol.
8. Fodd bynnag byddai rhai'n dadlau bod jnana yoga yn llwybr caeedig yn yr ystyr nad yw ar gael i bawb. Felly mae'n methu bod yn well na llwybrau sydd ar agor i bawb.
9. Mae llawer o Hindŵiaid yn ystyried mai bhakti yoga yw'r llwybr uchaf oherwydd mae'n seiliedig ar gariad yn hytrach na dealltwriaeth ddeallusol ac agwedd fwy hunanol.
10. Gallwn ddadlau bod y tri llwybr yn arwain yn y pen draw at yr un gyrchfan – at undod â Brahman.

C: Testunau Hindŵaidd fel ffynonellau o ddoethineb ac awdurdod – eu defnydd mewn bywyd bob dydd

Cymhariaeth o statws a phwysigrwydd testunau shruti a smriti

Mae dau fath o destun Hindŵaidd – **shruti** a **smriti**. Yn ôl yr Indolegydd Ffrengig, Robert Lingat, mae traddodiad (smriti) yn wahanol i ddatguddiad (shruti). Mae traddodiad heb glywed y canfyddiad duwiol yn uniongyrchol, yn hytrach mae'n ganfyddiad anuniongyrchol sy'n seiliedig ar y cof (smriti: cofio, Lladin – memor). Fel arfer ystyrir mai testunau shruti yw'r hynaf a'r mwyaf sanctaidd. Cawson nhw eu trosglwyddo ar lafar cyn eu hysgrifennu. Dyna un o'r prif resymau pam mae'r gair llafar wedi bod yn bwysig erioed mewn arferion Hindŵaidd. Ystyr shruti yw 'yr hyn a glywir' sy'n cyfeirio at eu statws o fod yn eiriau'r duwiau fel y clywodd y rishis nhw, nid yn eiriau dynol. Roedd cysylltiad uniongyrchol â'r duwiau gan y rishis. Yn aml bydden nhw'n mynd i fyw ar eu pen eu hunain yn y coedwigoedd a datblygu mewn sancteiddrwydd er mwyn clywed gwirioneddau'r bydysawd. Felly, ystyrir bod llenyddiaeth shruti yn cynnwys cyfreithiau hollgyffredinol tragwyddol, does dim modd eu newid. Dwy brif ran llenyddiaeth shruti yw'r Vedau a'r Upanishadau.

Dydy'r smriti ddim yn cael eu hystyried mor sanctaidd, ond maen nhw yr un mor bwysig. Ystyr smriti yw 'yr hyn a gaiff ei gofio'. Mae'n cyfeirio at destunau a ysgrifennwyd gan y rishis ar sail yr hyn roedd y shrutis eisoes wedi'i ddatgelu. Yn gyffredinol, mae llenyddiaeth smriti yn haws ei deall oherwydd mae'n defnyddio mytholeg, symbolaeth a storïau. Dyma un o'r prif resymau dros boblogrwydd y testunau ymhlith Hindŵiaid heddiw. Y pedwar prif destun smriti yw'r Itihasas (hanesion neu arwrgerddi), y Bhagavad Gita (athroniaeth), y Puranau (storïau a hanesion) a'r Dharma Shastra (llyfrau'r gyfraith).

Arwyddocâd gwahaniaethau o ran awdurdod a defnydd – y Vedau mewn seremonïau defodol a'r Ramayana a'r Mahabharata ar gyfer dysgeidiaeth foesegol

Y Vedau

Yr ysgrythurau pwysicaf mewn Hindŵaeth yw'r Vedau, ac ystyrir yn gyffredinol mai'r rhain yw'r ysgrythurau hynaf yn y byd. Yn ôl yr Athro Klaus K. Klostermaier, 'Ers yr oesoedd hynafol mae India wedi bod yn enwog am ei doethineb a'i meddwl'. Maen nhw'n perthyn i destunau shruti ac felly dydyn nhw ddim yn eiriau dynol ond yn eiriau'r duwiau. Hyn sy'n rhoi awdurdod a statws mewn Hindŵaeth i'r Vedau. Ystyr veda yw gwybodaeth, doethineb neu weledigaeth, ac mae cyfreithiau'r Vedau yn rheoleiddio arferion cymdeithasol, cyfreithol, domestig a chrefyddol yr Hindŵ hyd at heddiw. Cyfansoddwyd y Vedau yn wreiddiol tua 1500–1000 CCC a'u trosglwyddo ar lafar dros genedlaethau lawer cyn eu rhoi ar glawr yn y pen draw. Cyfansoddwyd rhannau o'r Vedau mewn cyfnodau gwahanol.

Awgrym astudio

Cofiwch bob amser nodi'r dystiolaeth destunol wrth esbonio'r hyn mae'r ysgrythurau Hindŵaidd yn ei addysgu. Mae disgrifyddion band AA1 yn disgwyl 'Cyfeiriad trylwyr a chywir at destunau sanctaidd a ffynonellau doethineb, lle bo'n briodol' (disgrifydd band 5 AA1)

Mae'r adran hon yn cwmpasu cynnwys a sgiliau AA1

Cynnwys y fanyleb

Cymhariaeth o statws a phwysigrwydd testunau shruti a smriti.

Dyfyniad allweddol

Y gwahaniaeth yn eu hawdurdod a'r grym a oedd yn eu clymu oedd canlyniad y gwahaniaeth naturiol rhwng dibynadwyedd yr hyn sy'n cael ei glywed o'i gymharu â'r hyn sydd ddim ond yn cael ei gofio. Roedd rheswm arall hefyd am y gwahaniaeth hwn yn y ddau fath o lenyddiaeth Dharma Shastra, sef statws eu hawduron. Rishis oedd awduron y Vedau, dim ond dynion dysgedig oedd awduron y smritis. Roedd y rishis yn uwch eu statws a'u sancteiddrwydd na'r rheini a oedd ddim ond yn ddysgedig. O ganlyniad byddai'r Vedau yn cael eu hystyried yn fwy awdurdodol na'r smritis. (Ambedkar)

Cynnwys y fanyleb

Arwyddocâd gwahaniaethau o ran awdurdod a defnydd – y Vedau mewn seremonïau defodol a'r Ramayana a'r Mahabharata ar gyfer dysgeidiaeth foesegol.

Termau allweddol

Shruti: yr hyn a glywir – testunau Hindŵaeth sydd wedi'u hysbrydoli'n ddwyfol

Smriti: yr hyn a gofir – testunau pwysig

cwestiwn cyflym

1.4 Esboniwch y gwahaniaeth rhwng y testunau shruti a smriti.

Dyfyniad allweddol

Gayatri Mantra

Dewch i ni fyfyrio ar olau llachar yr un sy'n deilwng o'i addoli ac sydd wedi creu'r holl fydoedd. Boed iddo gyfeirio ein meddyliau at y gwir. (Rig Veda 3:62:10)

Termau allweddol

Atharva Veda: Veda swynganeuon

Lakshmana: brawd Rama yn y Ramayana

Rama: seithfed afatar Vishnu – arwr y Ramayana

Ramayana: arwrgerdd yn disgrifio anturiaethau Rama

Ravana: ellyll-frenin

Sama Veda: Veda melodïau

Sita: gwraig Rama yn y Ramayana

Yajur Veda: Veda defodau

cwestiwn cyflym

1.5 Enwch y pedwar Veda.

Cynnwys y fanyleb

Swyddogaeth y Ramayana o ran addysgu pwysigrwydd ymddygiad cyfiawn, gofal anhunanol, dewrder, cyfeillgarwch ac ymroddiad.

Yn ôl Sri Aurobindo, 'Credaf mai'r Veda yw prif sail y Sanatan dharma; credaf mai dyma'r duwdod cudd mewn Hindŵaeth'. Mae pedwar Veda: y Rig Veda, y **Sama Veda**, yr **Yajur Veda** a'r **Atharva Veda**.

Y Rig Veda

Yn gyffredinol ystyrir mai dyma'r pwysicaf, ac yn ôl ysgolheigion, yr hynaf o blith y Vedau a gyfrannodd at y Vedau eraill. Mae wedi'i rannu'n ddeg llyfr â 1028 o emynau'n clodfori duwdodau amrywiol a elwir yn Riks. Mae hefyd yn cynnwys y Gayatri Mantra enwog a'r weddi a elwir y Purusha Shukta – stori'r dyn cysefin – ac mae'n ffynhonnell bwysig o hanes Vedaidd. Er bod y Rig Veda yn delio'n bennaf ag addoli duwdodau a gofyn iddyn nhw am fanteision bydol fel cyfoeth, iechyd, hir oes ac amddiffyniad, mae'n cyfeirio at bynciau eraill fel trefn priodas.

Y Sama Veda

Mae hwn yn cynnwys salmdonau a melodïau, a gaiff eu canu wrth addoli ac wrth gynnal yajna, ac sy'n arwyddocaol iawn oherwydd eu rhinweddau cerddorol a thelynegol. Pwrpas litwrgaidd ac ymarferol oedd iddo. Gelwir yr emynau'n Samans a'r Udgatris sy'n eu canu. Mae'r arddulliau llafarganu yn bwysig i ddefnyddio'r adnodau mewn litwrgi ac roedd yr emynau i'w canu ar rai alawon penodol. Mae'n bosibl ei alw'n llyfr emynau ar gyfer defodau crefyddol.

Yr Yajur Veda

Mae'n bosibl disgrifio hwn fel llawlyfr i offeiriaid ar gyfer addoli a chynnal yanjas (aberthau). Enw arall arno yw llyfr fformiwlâu. Mae wedi'i rannu'n ddwy adran – y 'du' cynharach a'r 'gwyn' diweddarach.

Yr Atharva Veda

Dyma'r Veda diweddaraf ac mae'n cynnwys 20 llyfr o emynau, mantras a swynganeuon hud. Dydy'r rhain ddim yn gysylltiedig ag yajna yn gyffredinol ond maen nhw'n adlewyrchu materion crefyddol bywyd pob dydd. Eu pwrpas yn bennaf yw bwrw hud a chyfaredd i ddiogelu yn erbyn marwolaeth a chlefyd, denu cariadon ac atal niwed. Hefyd mae fformiwlâu hudol a defodol ynddo sy'n gysylltiedig ag arferion priodasau ac angladdau.

Rôl y Ramayana o ran addysgu pwysigrwydd ymddygiad cyfiawn, gofal anhunanol, dewrder, cyfeillgarwch ac ymroddiad.

Y Ramayana

Mae'r **Ramayana** yn un o ddwy arwrgerdd fawr India sy'n sôn am fywyd yn India tua 1000 CCC ac sy'n cynnig modelau dharma. Roedd **Rama**, arwr y gerdd, yn byw ei fywyd cyfan yn ôl rheolau dharma. Dyna pam mae Hindŵiaid yn ei ystyried yn arwr ac yn addysgu eu pobl ifanc i 'fod fel Rama' neu i 'fod fel Sita'.

Rama oedd tywysog rhinweddol, doeth a phwerus Ayodhya, a **Sita** oedd ei wraig brydferth. Fel yr hynaf o bedwar mab, ef oedd etifedd yr orsedd, ond roedd yn rhaid i'w dad ei alltudio am bedair blynedd ar ddeg i'r goedwig oherwydd addewid roedd wedi'i wneud i Kaikeyi, llysfam Rama. Mae Rama yn derbyn ei alltudiaeth ac mae Sita a'i frawd ffyddlon, **Lakshmana**, yn mynd gydag ef i'r goedwig. Mae'r ellyll drwg, **Ravana** yn clywed am brydferthwch Sita ac yn ei chipio. Er iddo geisio ei denu, mae hi'n gwrthod ei ymdrechion. Ac yntau'n anobeithio am ei hennill yn ôl, mae Rama yn gwneud cytundeb â brenin y mwncïod, Sugriva, ac mae Rama, Lakshmana a byddin o fwncïod dan arweiniad Hanuman yn gorchfygu Ravana ac yn ennill Sita yn ôl. Ond mae'n poeni ei bod wedi bod yn anffyddlon iddo yn ystod ei chaethiwed, felly mae Sita yn cael prawf drwy dân i brofi ei bod yn ddieuog. Mae Rama yn ei chymryd yn ôl ac maen nhw'n dychwelyd yn fuddugoliaethus i Ayodhya.

Dysgeidiaeth foesegol y Ramayana

Yn ôl David Frawley, 'Does dim un stori hynafol, hyd yn oed *Iliad* neu *Odyssey* Homer, wedi parhau mor boblogaidd drwy gydol amser. Mae stori Rama yn ymddangos mor hen â gwareiddiad ac mae iddi apêl ffres i bob cenhedlaeth.' Defnyddir y Ramayana yn eang i addysgu gwerthoedd moesol a moeseg. Mae'n dangos y berthynas ddelfrydol rhwng brodyr. Ildiodd Lakshmana ei holl statws fel tywysog i fyw yn alltud o'i wirfodd gyda'i frawd hŷn. Mae hefyd yn dangos dyletswydd brodyr yn cefnogi ei gilydd mewn cyfyngder.

Mae modd ei ddefnyddio hefyd i ddangos pwysigrwydd cadw addewid. Pan ddechreuodd Dashrath wegian o ran cadw ei addewid ac erfyn ar Rama i aros, atgoffodd Rama ei dad o werth addewid.

Buddugoliaeth Rama dros Ravana yn y Ramayana

Gweithgaredd AA1

Gwnewch gyflwyniad newyddion un munud o hyd sy'n crynhoi digwyddiadau allweddol y Ramayana.

Bydd hyn yn eich helpu i allu dewis a chyflwyno'r prif nodweddion perthnasol yn y deunydd rydych wedi ei ddarllen.

Mae Rama yn dweud na allai ac na fyddai'n amharchu ei dad drwy dorri ei addewid i Kaikeyi. Mae taerineb Rama yn mynnu cadw addewid ei dad hefyd yn dangos y cariad a'r ymroddiad dwfn oedd ganddo at ei rieni. Ef yw'r mab 'delfrydol'.

Mae'r Ramayana yn addysgu gwerthoedd bywyd a sut i'w cynnal. Mae Rama a Sita a'r cymeriadau eraill yn y Ramayana yn arwain drwy esiampl ac yn fodelau rôl i ddatblygu rhinweddau dwyfol. Mae cysylltiad agos gan Rama â dharma (cyfiawnder) yn ei holl feddyliau, geiriau a gweithredoedd. Mae Sita yn ymgorffori purdeb, amynedd, ymroddiad a maddeuant – y ferch, y wraig a'r fam ddelfrydol. Cyflwynir Hanuman fel enghraifft o ddewrder, cryfder a gwasanaeth anhunanol. Mae Lakshmana yn enghraifft o ofal anhunanol.

Dyfyniad allweddol

Ers cyn cof mae'r Ramayana wedi bod yn ffynhonnell arweiniad, cyfarwyddyd a chysur i lawer o Hindŵiaid yn India a ledled y byd... Ers canrifoedd mae'r arwrgerdd hon wedi dylanwadu ar grefydd a chymdeithas Hindŵaidd, ac wedi ysbrydoli bywyd teuluol a chymdeithasol. (Esbonio'r dharma Hindŵaidd)

Swyddogaeth y Mahabharata o ran addysgu pwysigrwydd gwneud eich dyletswydd

Cynnwys y fanyleb

Swyddogaeth y Mahabharata o ran addysgu pwysigrwydd gwneud eich dyletswydd.

Y Mahabharata

Y Mahabharata yw'r arwrgerdd hiraf yn llenyddiaeth y byd – 18 o lyfrau a chan mil o benillion. Yn ôl W. J. Johnson, mae'r Mahabharata 'yr un mor bwysig yng nghyd-destun gwareiddiad y byd â'r Beibl, gweithiau Shakespeare, gweithiau Homer, drama Roegaidd neu'r Qur'an'.

Cafodd ei hysgrifennu'n wreiddiol mewn Sanskrit rhwng 400 CCC a 400 OCC. Mae wedi'i gosod mewn cyfnod chwedlonol sydd, mae'n debyg, yn cyfateb i gyfnod diwylliant a hanes India yn y ddegfed ganrif CCC. Vyasa yw'r awdur, ac roedd yn

Termau allweddol

Draupadi: yn ôl yr arwrgerdd, merch Drupada, Brenin Panchala. Hefyd daeth yn wraig i'r pum Pandava ar yr un pryd.

Hastinapura: prifddinas y Kauravas

Kauravas: disgynyddion Kuru

Kurukshetra: brwydr rhwng y Kauravas a'r Pandavas

ceisio adrodd stori'r Rhyfel Mawr rhwng y Pandavas a'r **Kauravas** – cefndryd a oedd yn hawlio bod yn llywodraethwyr cyfiawn yr un deyrnas. Y Kauravas oedd can mab y brenin dall Dhritarashtra, a'r Pandavas oedd pum mab Pandu. Roedd y pum mab, a oedd yn cynnwys Arjuna, bob amser yn ufudd ac yn gydwybodol, ac roedd pawb yn y deyrnas yn eu caru. Oherwydd hyn roedd y Kauravas yn eu casáu. Ymhen amser priododd y Pandavas a rhannu un wraig, **Draupadi**. Heriodd y Kauravas y Pandavas i gêm o ddis. Collodd y Pandavas ac fe gawson nhw eu halltudio am ddeuddeng mlynedd. Pan maen nhw'n dychwelyd, mae brwydr fawr **Kurukshetra** yn digwydd. Un o gymeriadau pwysicaf yr arwrgerdd hon wrth gwrs yw Krishna.

Gweithgaredd AA1

Gwnewch gyflwyniad newyddion un munud o hyd sy'n crynhoi digwyddiadau allweddol y Mahabharata. Bydd hyn yn eich helpu i allu dewis a chyflwyno'r prif nodweddion perthnasol yn y deunydd rydych wedi ei ddarllen.

Y Mahabharata – Krishna ac Arjuna yn mynd i'r gad

Mae Krishna yn ymladd ar ochr y Pandavas ar gerbyd rhyfel Arjuna. Llyfr yn y Mahabharata wrth i'r frwydr ddechrau yw Bhagavad Gita ac mae'n cynnwys geiriau Krishna wrth Arjuna, sy'n ei annog i ymladd. Enillodd y Pandavas y frwydr a llywodraethu yn **Hastinapura** am nifer o flynyddoedd ond cafodd y frwydr effaith fawr ar bawb a welodd y trais.

Dysgeidiaeth foesegol y Mahabharata

Defnyddir y Mahabharata yn helaeth i addysgu gwerthoedd moesol a moesegol. Mae edau dharma yn rhedeg drwy'r arwrgerdd gyfan, sy'n addysgu bod dharma yn dal y cosmos at ei gilydd. Mae Krishna yn rhybuddio Arjuna rhag peidio â dim ond canolbwyntio ar y budd o gyflawni dyletswydd – 'gwna dy ddyletswydd a phaid â meddwl am y budd a ddaw yn ei sgil' – ac i beidio ag ymladd er ei les ei hun ar sail trachwant a dyhead. Rhaid i Arjuna ymladd er mwyn pobl eraill. Mae hyn yn atgoffa pobl eu bod yn fodau cymdeithasol yn ogystal â rhai moesol a bod rhaid ystyried effaith penderfyniadau ar eraill. Yn y cyd-destun hwn mae'r Mahabharata yn trafod ymddygiad priodol arweinwyr fel brenhinoedd a rhyfelwyr.

Mae Arjuna hefyd yn mynegi ei gefnogaeth i werthoedd teuluol ac mae'n amddiffynnwr traddodiad.

Heblaw am ei dysgeidiaeth ar dharma, mae'r Mahabharata yn codi llawer o faterion moesegol a moesol eraill. Un mater yw cyfiawnder a thegwch – roedd Krishna yn benderfynol y dylai daioni drechu drygioni beth bynnag y gost. Gellid dadlau bod hyn yn hybu agwedd iwtilitaraidd – y lles cyffredin. Mae hefyd yn codi'r mater o ddefnyddio trais yn gyfiawn, gonestrwydd a cham-drin menywod (stori Draupadi). Mae hefyd yn addysgu bod canlyniadau difrifol i falchder dall a gweithredoedd anghywir.

Dywedir hefyd bod y Mahabharata yn cynnwys popeth y dylai rhywun ei wybod i gyflawni'r pedwar nod dynol – dharma, **artha**, **kama** a moksha. Mae dwy bennod o blith 18 pennod yr arwrgerdd, Santi ac Anusaasanika Parvas, yn ymdrin ag agweddau defnyddiol ar fywyd dynol – cod ymddygiad, gwerthoedd, moesau ac athroniaeth.

Termau allweddol

Artha: caffael cyfoeth

Kama: pleser y synhwyrau

Gweithgaredd AA1

Dewiswch naill ai'r Ramayana neu'r Mahabharata a gwnewch gyflwyniad PowerPoint 10 munud o hyd i weddill y dosbarth ar eu dysgeidiaeth.

Cynnwys y fanyleb

Swyddogaeth y gymuned o gredinwyr o ran dehongli a gweithredu doethineb ac awdurdod testunau Hindŵaidd.

Swyddogaeth y gymuned o gredinwyr o ran dehongli a gweithredu doethineb ac awdurdod testunau Hindŵaidd

Mae awdurdod yr ysgrythurau Hindŵaidd fwy neu lai'n safonol o fewn Hindŵaeth yn unol ag egwyddor shruti a smriti ac mae'r gymuned Hindŵaidd bob amser wedi dehongli a gweithredu dealltwriaeth o'r fath.

Fodd bynnag, gyda datblygiadau diweddarach mewn Hindŵaeth, ac yn enwedig yng ngoleuni ysgolion a thraddodiadau amrywiol Hindŵaeth, mae llenyddiaeth smriti wedi datblygu arwyddocâd ymhell y tu hwnt i agwedd ddefodol puja Hindŵaidd.

Mae'r Upanishadau wedi llywio damcaniaeth ac ymarfer yogaidd ac mae'r arwrgerddi mawr fel y Mahabharata wedi dylanwadu'n fawr ar y gymuned Hindŵaidd o ran cynnal moeseg a diwylliant Hindŵaidd a'u hyrwyddo, hyd yn oed yn y cyfryngau cenedlaethol drwy ffilm.

Mae credinwyr Hindŵaidd ledled y byd wedi dehongli awdurdod y testunau Hindŵaidd a'u gweithredu yn unol â hynny ac maen nhw'n dal i fod yn berthnasol heddiw.

Dyfyniad allweddol

Mae'r Mahabharata yn stori rhyfel gwaedlyd. Ond rwyf i'n haeru yn wyneb gwrthwynebiad uniongred Hindŵaidd ei fod yn llyfr a ysgrifennwyd i ddangos oferedd rhyfel a thrais. (Gandhi)

Dyfyniad allweddol

Mae'r llyfr mwyaf yn y byd, y Mahabharata, yn dweud ein bod ni i gyd yn gorfod byw a marw drwy ein cylch karmig ein hunain. Dyna sut mae cod perffaith gwobr-a-chosbi, achos-ac-effaith y bydysawd yn gweithio. Rydyn ni'n byw ein bywyd presennol ar sail yr hyn a ddigwyddodd yn y bywyd diwethaf. Ond mae'r antur moesol mawr yn ein gorchymyn ni hefyd i wylltio wrth karma a'i orchmynion unbeniaethol. Mae'n ein haddysgu i'w danseilio. Ei newid. Mae hefyd yn dweud ein bod ni'n dylanwadu ar ein bywydau nesaf wrth fyw ein bywyd presennol. Nid cyfarwyddyd crefyddol yw'r Mahabharata. Mae'n llawer mwy na hynny. Mae'n waith celf. (Tejpal)

Sgiliau allweddol

Mae gwybodaeth yn ymwneud â:

Dewis ystod o wybodaeth (drylwyr) gywir a pherthnasol sydd â chysylltiad uniongyrchol â gofynion penodol y cwestiwn.

Mae hyn yn golygu eich bod yn dewis y wybodaeth gywir sy'n berthnasol i'r cwestiwn a osodwyd NID y maes pwnc. Bydd angen i chi feddwl a chanolbwyntio ar ddewis gwybodaeth allweddol ac NID ysgrifennu popeth yr ydych chi'n ei wybod am y maes pwnc.

Mae dealltwriaeth yn ymwneud ag:

Esboniad helaeth, gan ddangos dyfnder a/neu ehangder gyda defnydd rhagorol o dystiolaeth ac enghreifftiau gan gynnwys (lle y bo'n briodol) defnydd trylwyr a chywir o destunau cysegredig, ffynonellau doethineb a geirfa arbenigol.

Mae hyn yn golygu y gallwch ddangos eich bod yn deall rhywbeth drwy egluro ac ehangu eich pwyntiau gan ddefnyddio enghreifftiau/tystiolaeth gefnogol mewn ffordd bersonol ac NID ailadrodd darnau o werslyfr (sef dysgu ar y cof).

Cymhwyso sgiliau ymhellach:

Beth am archwilio detholiadau pellach o'r Ysgrythurau i'w defnyddio fel enghreifftiau ar gyfer awdurdod a doethineb? Dyma rai enghreifftiau i roi cychwyn arni:
Sama Veda 8:2:5; Rig Veda 10.121.10; Rig Veda 10.32.7; Bhagavad Gita 12:12;

Datblygu sgiliau AA1

Nawr mae'n bryd ystyried y wybodaeth sydd wedi'i chyflwyno hyd yma. Hefyd mae'n bwysig ystyried sut mae'r hyn rydych chi wedi'i ddysgu hyd yma'n gallu cael ei ddefnyddio ar gyfer atebion arholiad drwy ymarfer y sgiliau sy'n gysylltiedig ag AA1.

Mae Amcan Asesu 1 (AA1) yn ymwneud â dangos gwybodaeth a dealltwriaeth. Mae'r termau 'gwybodaeth' a 'dealltwriaeth' yn amlwg ond mae'n hanfodol eich bod yn gyfarwydd â sut mae sgiliau penodol yn dangos y rhain, a hefyd, sut bydd eich perfformiad ym mhob un o'r sgiliau hyn yn cael ei fesur (gweler disgrifyddion band cyffredinol Band 5 ar gyfer AA1 UG).

▶ **Dyma eich tasg newydd:** mae angen i chi ddatblygu pob un o'r pwyntiau allweddol isod drwy ychwanegu tystiolaeth ac enghreifftiau er mwyn esbonio pob pwynt yn llawn. Mae'r un cyntaf wedi'i wneud i chi. Bydd hyn yn eich helpu wrth ateb cwestiynau ar gyfer AA1 drwy allu 'dangos dyfnder a/neu ehangder sylweddol' gyda 'defnydd rhagorol o dystiolaeth ac enghreifftiau' (disgrifydd band 5 AA1).

1. Mae cyfreithiau'r Vedau yn rheoleiddio arferion cymdeithasol, cyfreithiol, domestig a chrefyddol yr Hindŵ hyd at heddiw. Er enghraifft ...

2. Mae'n debyg bod y Ramayana yn apêlio at bob cenhedlaeth. Er enghraifft ...

3. Mae'r Ramayana yn addysgu gwerthoedd moesol a moeseg. Er enghraifft ...

4. Mae'r Mahabharata yn addysgu am werthoedd moesol a moesegol eraill nid dim ond am dharma. Er enghraifft ...

5. Mae'r Vedau yn ysbrydoli ac yn arwain Hindŵiaid mewn nifer o ffyrdd. Er enghraifft ...

6. Yn ôl W. J. Johnson, mae'r Mahabharata 'yr un mor bwysig yng nghyd-destun gwareiddiad y byd â'r Beibl, gweithiau Shakespeare , gweithiau Homer, drama Roegaidd, neu'r Qur'an'. Gallwn weld hyn yn glir o ...

Materion i'w dadansoddi a'u gwerthuso

Pwysigrwydd cymharol testunau Hindŵaidd

Mae llawer yn credu mai'r Vedau yw'r testunau Hindŵaidd pwysicaf oherwydd ystyrir mai'r rhain yw'r ysgrythurau hynaf yn y byd. Credir bod Duw wedi datgelu dysgeidiaeth y Vedau gyntaf ar ddechrau amser er budd y ddynoliaeth a does dim modd eu gwahanu oddi wrth Brahman. Maen nhw'n ymgorffori holl rychwant gwybodaeth, o'r sanctaidd i'r seciwlar. Maen nhw'n arwyddocaol oherwydd mae'r gwirioneddau a'r meddyliau sydd ynddyn nhw yn dragwyddol ac yn ddiamser. Does neb wedi eu dyfeisio na'u creu. Mae'r gwirioneddau wedi bodoli erioed ac mae'r hil ddynol wedi cael y rhain ar ffurf datgeliadau. Testunau shruti yw'r Vedau oherwydd y gred yw bod Brahma, Duw'r Creawdwr wedi'u datgelu, a dydyn nhw ddim yn tarddu o ddyn. Hyd heddiw maen nhw'n sail i seremonïau defodol ac yn ffynhonnell doethineb a gwirionedd mawr.

Mae statws arbennig iawn hefyd i'r Upanishadau oherwydd maen nhw'n esbonio'r Vedau. Felly maen nhw'n datgelu gwirioneddau sanctaidd mewn fformiwlâu athronyddol. Dydyn nhw ddim yn gynnyrch deallusrwydd dynol ond yn sibrydion gan Dduw i ddyn. Daw'r gair Upanishad o'r gair Sanskrit 'shad' – eistedd, ac 'upa' – agos, ac mae'n cyfeirio at fyfyriwr sy'n ceisio gwybodaeth a goleuedigaeth drwy eistedd gydag athro i wrando ar ei gyfarwyddiadau ysbrydol. Dydy'r dysgeidiaethau hyn ddim yn hygyrch i bawb ac mae angen i gurus, sannyasins a swamis eu hesbonio. Maen nhw'n cael eu hystyried yr un mor berthnasol ac ysbrydoledig heddiw, ag yr oedden nhw pan gawson nhw eu hysgrifennu gyntaf. Mae hyn oherwydd byddai rhai'n dadlau nad yw'r Upanishadau yn athroniaeth bur ond yn gyfuniad o athroniaeth ac ymarferoldeb. Dydyn nhw ddim yn condemnio dyheadau bydol yn llwyr ond mae'r Taittriya Upanishad, er enghraifft, yn argymell bod angen ffrwyno dyheadau a'u gwneud yn rhan o weithredoedd sydd er budd cymdeithas. Rhaid gwneud popeth o gariad at Dduw. Dyma'r ddysgeidiaeth sy'n gwneud yr Upanishadau yn bwysig.

Mae'r arwrgerddi Hindŵaidd mawr – y Mahabharata a'r Ramayana – yn ysgrythurau smriti, sy'n golygu cofio'r ddysgeidiaeth yn hytrach na grym dwyfol yn ei datgelu'n uniongyrchol. Byddai rhai'n dadlau bod hyn yn tanseilio eu pwysigrwydd ond y gwir ydy bod pob Hindŵ yn gyfarwydd iawn â nhw. Tarddiad dynol sydd iddyn nhw ac maen nhw'n llywio ymddygiad dyddiol unigolion. Mae'r ddwy arwrgerdd fawr hyn – y Ramayana a'r Mahabharata – yn addysgu'r ffordd ddelfrydol o fyw ac yn trafod cariad, dyletswydd, ymroddiad, anhunanoldeb ac elusengarwch. Mae cymeriadau'r Ramayana a'r Mahabharata yn cynrychioli teimladau Hindŵiaid ac yn fodelau rôl mewn bywyd. Mae'r gwyliau sy'n ymwneud â phrif gymeriadau'r ddwy arwrgerdd – Rama a Krishna – yn arddangos y delfrydau sy'n bwysig i Hindŵiaid. Maen nhw hefyd yn rhestru'r codau a'r rheolau sy'n rheoli gweithredoedd cymunedau Hindŵaidd. Maen nhw'n agored ac yn hygrch i bawb ac yn addysgu delfrydau a gwerthoedd Hindŵaeth i bob Hindŵ, beth bynnag yw ei gefndir cymdeithasol a'i addysg.

Er bod y Bhagavad Gita yn adran o'r Mahabharata, mae llawer o Hindŵiaid yn rhoi statws arbennig iddo. Dyma'r enwocaf o'r holl ysgrythurau Hindŵaidd a'r mwyaf adnabyddus. Mae wedi ysbrydoli llawer o feddylwyr mawr ac yn aml cyfeirir ato fel gem yn noethineb ysbrydol hen India. Mae llawer yn credu ei fod nid yn unig yn rhoi doethineb ond hefyd cyngor ymarferol gwerthfawr iawn ar gyfer bywyd.

Mae'r adran hon yn cwmpasu cynnwys a sgiliau AA2

Cynnwys y fanyleb

Pwysigrwydd cymharol testunau Hindŵaidd.

Gweithgaredd AA2 ***Dadleuon posibl***

Wedi'u rhestru isod mae rhai casgliadau y byddai'n bosibl dod iddyn nhw ar sail rhesymeg AA2 yn y testun cysylltiedig:

1. Mae llawer o fathau gwahanol o ysgrythurau Hindŵaidd sy'n wahanol o ran tarddiad, natur a phwrpas.
2. Y Vedau yw'r ysgrythurau hynaf a'r rhain yw sail Hindŵaeth.
3. Mae rhai ysgrythurau'n ddwyfol eu tarddiad, eraill yn ddynol.
4. Mae rhai o'r ysgrythurau'n ysbrydoli'n ddeallusol ac yn athronyddol, sy'n cyfyngu eu hapêl.
5. Mae rhai ysgrythurau'n boblogaidd, yn adnabyddus ac yn hygyrch i bawb.

Ystyriwch bob un o'r casgliadau sy'n cael eu gwneud uchod a chasglwch dystiolaeth ac enghreifftiau i gefnogi pob dadl o'r deunydd AA1 ac AA2 a astudiwyd yn yr adran hon. Dewiswch un casgliad sy'n argyhoeddi fwyaf yn eich barn chi ac esboniwch pam mae hyn yn wir. Nawr cyferbynnwch hyn â'r casgliad gwannaf ar y rhestr, gan gyfiawnhau eich dadl gyda rhesymu clir a thystiolaeth.

Cynnwys y fanyleb

Perthnasedd testunau Hindŵaidd yn y byd modern.

Gweithgaredd AA2 *Dadleuon posibl*

Wedi'u rhestru isod mae rhai casgliadau y byddai'n bosibl dod iddyn nhw ar sail rhesymeg AA2 yn y testun cysylltiedig:

1. Dylid ystyried testunau Hindŵaidd yn un endid sy'n hyrwyddo Sanatana dharma.
2. Mae testunau Hindŵaidd yn seiliedig ar egwyddorion trefn gosmig sy'n ddiamser.
3. Mae'r Vedau yn cynnwys gwybodaeth athronyddol a gwyddonol berthnasol.
4. Gellid dadlau bod rhai agweddau ar destunau Hindŵaidd yn amherthnasol.
5. Mae testunau Hindŵaidd yn fwy perthnasol na thestunau crefyddol eraill.

Ystyriwch bob un o'r casgliadau sy'n cael eu gwneud uchod a chasglwch dystiolaeth ac enghreifftiau i gefnogi pob dadl o'r deunydd AA1 ac AA2 a astudiwyd yn yr adran hon. Dewiswch un casgliad sy'n argyhoeddi fwyaf yn eich barn chi ac esboniwch pam mae hyn yn wir. Nawr cyferbynnwch hyn â'r casgliad gwannaf ar y rhestr, gan gyfiawnhau eich dadl gyda rhesymu clir a thystiolaeth.

Perthnasedd testunau Hindŵaidd yn y byd modern

Mae perthnasedd testunau Hindŵaidd yn y byd modern yn drafodaeth ddiddorol. Mae llawer wedi holi sut gall system gred sydd wedi'i sefydlu ers miloedd o flynyddoedd, heb ddyddiad dechrau nac un creawdwr, fod yn berthnasol o hyd i gymdeithas fodern. Ffactor arall yn y drafodaeth hon yw'r amrywiaeth o ran y mathau o lenyddiaeth sydd yn yr ysgrythurau Hindŵaidd.

Mae testunau Hindŵaidd yn hyrwyddo Sanatana dharma. Cyfraith dragwyddol ydy hon, sy'n seiliedig ar egwyddor gwirionedd. Mae gostyngeiddrwydd, parch, unplygrwydd ac ymddiriedaeth yn elfennau hanfodol sy'n cael eu pwysleisio'n gryf yn y ffordd Hindŵaidd o fyw. Mae ysgrythurau Hindŵaidd yn pwysleisio pwysigrwydd parch a gostyngeiddrwydd. Dyma'r rhinweddau mae pobl yn chwilio amdanyn nhw mewn unrhyw berthynas, felly mae'r egwyddorion moesol hyn yn berthnasol heddiw. Mae karma yn gysyniad pwysig arall yn y testunau Hindŵaidd sydd wedi effeithio ar fywydau dros filoedd o flynyddoedd am ei fod yn gymwys i bawb ac yn berthnasol o hyd. Gan ei fod yn gofyn i bobl roi parch er mwyn ei ennill, trin eraill yn gyfartal, a gwneud gweithredoedd da i gael gwobr dda, mae'r syniad hwn o weithred–adwaith yn effeithio ar bawb. Mae llawer o gysyniadau eraill Hindŵaeth yn gyd-gysylltiedig â karma, fel y gred mewn ailymgnawdoliad a chyflawni moksha.

Mae'r Vedau, er eu bod yn cynnwys rhai o ffurfiau llenyddol hynaf y byd, yn dal i fod yn berthnasol heddiw. Ynddyn nhw mae gwybodaeth athronyddol a gwyddonol berthnasol. Canmolodd Arthur Schopenhauer, yr athronydd o'r Almaen, y Vedau fel 'cynnyrch y ddoethineb ddynol uchaf'. Mae gwyddoniaeth y Gorllewin hefyd yn cydnabod bod y ddysgeidiaeth ar Hatha yoga yn dda i iechyd. Mae'r term Sanskrit, yoga, yn golygu heddwch â'r hunan, a Hatha yoga yw ymarfer rheoli'r corff yn gorfforol ac yn feddyliol. Dim ond rhan fach iawn yw'r ymarfer hwn o'r hyn sydd gan y Vedau i'w gynnig o ran gwyddoniaeth, ond eto mae wedi cael effaith sylweddol ar fywydau llawer o bobl. Mae llawer o bobl nad ydyn nhw'n Hindŵiaid hefyd wedi gweld llawer o ddoethineb hynafol yn nhestunau sylfaenol Hindŵaeth, y Vedau a'r Upanishadau. Mae'r gwerthoedd mae'r ysgrythurau Hindŵaidd yn eu hyrwyddo, fel cyd-barch, trugaredd, a gostyngeiddrwydd, drwy gydol eu dysgeidiaeth, yn hanfodol i ddyrchafu hunan unigolyn ac yn helpu i osod sylfaen yr hunaniaeth Hindŵaidd. Mae'r rhain yn berthnasol iawn i'n hoes ni.

Mae'r arwrgerddi Hindŵaidd a'u dysgeidiaeth yn dal i fod yn berthnasol i gymdeithas heddiw oherwydd y gwerthoedd maen nhw'n eu haddysgu. Mae gwerthoedd yn dragwyddol ac yn ddiamser a dydyn nhw ddim yn dibynnu ar ffasiwn cymdeithas. Mae cymeriadau'r arwrgerddi hyn yn parhau'n fodelau rôl perthnasol i Hindŵiaid heddiw yng nghyd-destun perthynas deuluol. Serch hynny, byddai rhai'n dadlau bod gosodiad yr arwrgerddi hyn yn eu gwneud yn anodd i bobl heddiw uniaethu â nhw.

Fodd bynnag, byddai rhai'n anghytuno bod yr holl destunau Hindŵaidd yn berthnasol yn y byd modern. Mae llawer yn ystyried bod storïau am dduwiau, duwiesau, ellyllon ac afatarau yn gwbl amherthnasol mewn byd gwyddonol. Byddai eraill yn dadlau dydy'r system varna bellach ddim yn berthnasol mewn cymdeithas sy'n seiliedig ar gyfle cyfartal a'r syniad bod arwyddocâd cosmig i dharma unigol. Byddai rhai'n dweud bod egwyddor ahimsa yn anymarferol mewn byd llawn trais.

I gloi, byddai llawer yn dadlau mai testunau crefydd fawr hynaf y byd mewn gwirionedd yw'r rhai mwyaf perthnasol i fywyd modern gan eu bod yn seiliedig ar y drefn gosmig ei hun.

Datblygu sgiliau AA2

Nawr mae'n bryd ystyried y wybodaeth sydd wedi'i chyflwyno hyd yma. Hefyd mae'n bwysig ystyried sut mae'r hyn rydych chi wedi'i ddysgu hyd yma'n gallu cael ei ddefnyddio ar gyfer atebion arholiad drwy ymarfer y sgiliau sy'n gysylltiedig ag AA2.

Mae Amcan Asesu 2 (AA2) yn ymwneud â 'dadansoddi' a 'gwerthuso'. Efallai fod ystyr y termau'n amlwg ond mae'n hanfodol eich bod yn gyfarwydd â sut mae sgiliau penodol yn dangos y rhain, a hefyd, sut bydd eich perfformiad ym mhob un o'r sgiliau hyn yn cael ei fesur (gweler disgrifyddion band cyffredinol Band 5 ar gyfer AA2 UG).

Yn amlwg mae ateb yn cael ei osod mewn disgrifydd band priodol, yn ôl pa mor dda yw'r ateb, gan amrywio o ragorol, da, boddhaol, sylfaenol/cyfyngedig i gyfyngedig iawn.

▶ **Dyma eich tasg nesaf**: datblygwch bob un o'r pwyntiau allweddol isod drwy ychwanegu tystiolaeth ac enghreifftiau i werthuso'n llawn y ddadl sy'n cael ei chyflwyno yn y gosodiad gwerthuso. Mae'r un cyntaf wedi'i wneud i chi. Bydd hyn yn eich helpu wrth ateb cwestiynau arholiad ar gyfer AA2 drwy allu sicrhau 'safbwyntiau trylwyr, cyson a chlir wedi'u cefnogi gan resymeg a/neu dystiolaeth helaeth, fanwl' (disgrifydd band 5 AA2).

'Y Vedau yw'r ysgrythurau Hindŵaidd pwysicaf'. Aseswch y safbwynt hwn.

Mae rhai'n dadlau heb os mai'r Vedau yw'r ysgrythurau pwysicaf mewn Hindŵaeth oherwydd mai nhw yw'r hynaf.

DATBLYGIAD: *Mae Hindŵiaid yn credu bod Duw wedi datgelu dysgeidiaethau'r Vedau gyntaf ar ddechrau amser er budd y ddynoliaeth a does dim modd eu gwahanu oddi wrth Brahman. Maen nhw'n ymgorffori holl rychwant gwybodaeth, o'r sanctaidd hyd at y seciwlar. Maen nhw'n arwyddocaol oherwydd mae'r gwirioneddau a'r syniadau sydd ynddyn nhw yn dragwyddol ac yn ddiamser.*

1. Mae Hindŵiaid yn credu nad yw'r Vedau yn dod o darddiad dynol.
2. Byddai llawer yn dadlau bod statws arbennig iawn gan yr Upanishadau hefyd oherwydd eu bod yn esbonio'r Vedau.
3. Byddai llawer yn dadlau dros yr arwrgerddi Hindŵaidd 'mawr' oherwydd eu dysgeidiaeth foesol a moesegol a'r modelau rôl maen nhw yn eu cynnig.
4. Byddai Hindŵiaid eraill yn nodi bod y Ramayana a'r Mahabharata yn ysgrythurau smriti.
5. Mae'r ysgrythurau i gyd yr un mor bwysig â'i gilydd.

Sgiliau allweddol

Mae dadansoddi'n ymwneud â nodi materion sy'n cael eu codi gan y deunyddiau yn adran AA1, ynghyd â'r rhai a nodwyd yn adran AA2, ac mae'n cyflwyno safbwyntiau cyson a chlir, naill ai gan ysgolheigion neu safbwyntiau personol, yn barod i'w gwerthuso.

Mae hyn yn golygu ei fod yn nodi pethau allweddol i'w trafod a'r dadleuon sy'n cael eu cyflwyno gan eraill neu o safbwynt personol.

Mae gwerthuso'n ymwneud ag ystyried goblygiadau amrywiol y materion sy'n cael eu codi, yn seiliedig ar y dystiolaeth a gafwyd wrth ddadansoddi ac mae'n rhoi dadl fanwl eang gyda chasgliad clir.

Mae hyn yn golygu bod yr ateb yn pwyso a mesur y dadleuon amrywiol a gwahanol a gafodd eu dadansoddi drwy roi sylwadau ac ymateb unigol, gan ddod i gasgliad drwy broses rhesymu clir.

Th2 Cysyniadau crefyddol

Mae'r adran hon yn cwmpasu cynnwys a sgiliau AA1

Cynnwys y fanyleb

Y berthynas rhwng: Brahman fel sat, chit, ananda (bodolaeth, ymwybyddiaeth a dedwyddwch) ac fel ysbryd macrocosmig (hollgyffredinol), ac atman fel ysbryd microcosmig (personol). Y gwahaniaeth rhwng jiva–atman (enaid unigol) a paramatman (goruwch hunan – Duw).

Dyfyniad allweddol

Ef (Brahman) yw'r alarch (haul), sy'n byw yn y nefoedd ddisglair; ef yw'r vasu (aer), sy'n byw yn y awyr; ef yw'r aberthwr (tân), sy'n byw ar yr aelwyd; ef yw'r gwestai (soma), sy'n byw yn y llestr aberthol; mae'n byw mewn dynion, mewn duwiau (vara), yn yr aberth (rita), yn y nefoedd; caiff ei eni yn y dŵr, ar y ddaear, yn yr aberth (rita), ar y mynyddoedd; ef yw'r Gwirionedd a'r Mawredd. (Katha Upanishad 5:2)

Termau allweddol

Ananda: dedwyddwch pur

Atman: ysbryd microcosmig personol

Brahman: ysbryd macrocosmig hollgyffredinol; Realiti Eithaf

Chit: ymwybyddiaeth bur

Ishvara/Bhagavan: Arglwydd

Nirguna Brahman: Duw heb nodweddion

Saguna Brahman: Duw â nodweddion

Sat: bodolaeth bur

cwestiwn cyflym

2.1 Diffiniwch y termau Brahman ac Atman

A: Brahman ac atman

Yn gyffredinol cyfeirir at y ddau derm hyn fel 'Duw' ac 'enaid'. Mae hyn yn gallu arwain at gamddealltwriaeth gan fod y rheini'n dermau Gorllewinol sy'n dod o athroniaeth grefyddol benodol. I ddeall eu hystyr mewn Hindŵaeth, mae'n well meddwl amdanyn nhw fel 'ysbryd'. **Brahman** yw'r ysbryd hollgyffredinol (macrocosmig) ac **atman** yw'r ysbryd personol (microcosmig). Mae'r ffordd hon o feddwl hefyd yn helpu i ddeall y berthynas ddofn a dirgel rhwng Brahman ac atman.

Brahman

Mae'n ddealltwriaeth sylfaenol mewn Hindŵaeth bod pob realiti wedi'i drwytho â'r dwyfol. Anadl Brahman sy'n creu ac yn cynnal y byd ffisegol. Brahman yw'r enw ar y Realiti Eithaf does dim modd ei esbonio'n ddigonol. Yn ôl Jeaneane Fowler, 'Brahman yw'r enw ar yr Absoliwt hwn ac mae popeth mewn bywyd, byw ai peidio, yn dod o Brahman'. Mae Hindŵiaid yn credu bod modd cael profiad o Brahman mewn llawer o ffurfiau gwahanol. Un tro, gofynnodd rhywun i guru Hindŵaidd enwog sawl duw (deva) oedd, a'i ateb oedd 'tri chant a thri a thair mil a thri'. Yn anfodlon, mae'r holwr yn gofyn y cwestiwn eto. Ateb yr athro yw bod tri deg a thri o dduwiau mewn gwirionedd. Mae'r holwr yn gofyn y cwestiwn eto, ac mae'r athro'n cydnabod bod chwech; bod tri; bod dau. Yn y diwedd, mae'n dweud mai un Duw sydd. Yna mae'r holwr am wybod pa dduw yw'r Un Duw hwnnw, ac ateb y guru yw 'Y prana (anadl, bywyd), y Brahman. Tyat (hynny) yw ei enw'.

Mae Brahman yn dragwyddol, yn ddi-ryw, yn hollalluog, yn ddi-ffurf, a does dim modd ei ddisgrifio. Brahman yw tarddiad pob peth ac mae pob peth yn rhan o Brahman. Mae pob duw yn agwedd ar Brahman neu yn Brahman ei hun.

Wrth ddisgrifio Brahman, mae tair priodwedd iddo: **sat, chit** ac **ananda**. Sat yw bodolaeth bur; chit yw ymwybyddiaeth bur; ac ananda yw dedwyddwch pur. Felly, mae Brahman yn bodoli, mae'n ymwybodol ac yn ddedwydd ond heb geisio unrhyw ddisgrifiad arall.

Mae'r ffordd orau o wireddu Brahman wedi bod yn destun dadl erioed – **Saguna Brahman** (Duw â nodweddion) a **Nirguna Brahman** (Duw heb nodweddion).

Saguna Brahman (Duw â nodweddion)

Weithiau credir bod gan Brahman nodweddion fel y rheini sydd gan y Person Goruchaf ac mae'n cael teitlau fel **Ishvara** neu **Bhagavan** (Arglwydd). Yn y traddodiad bhakti, mae rhywun sy'n addoli ac yn moli Duw yn bersonol fel Arglwydd Vishnu yn enghraifft o rywun sydd yn deall Duw â nodweddion.

Nirguna Brahman (Duw heb nodweddion)

Caiff Duw ei ddisgrifio hefyd heb unrhyw nodweddion nac enwau gan fod pob disgrifiad yn anghyflawn ac yn cyfyngu. Yn ôl rhai ffyddloniaid, gan fod Duw y tu hwnt i'r holl eiriau a meddyliau sydd gan bobl, bydd unrhyw gynrychioliadau o Dduw yn arwain rhywun ar gyfeiliorn ac yn cyfyngu ar wir gwmpas Duw.

Atman

Mae'n bosibl meddwl am yr atman fel yr ysbryd y tu mewn i bob peth byw sy'n darparu 'grym bywyd' y peth byw hwnnw a hefyd ei ymwybyddiaeth o'r byd o'i gwmpas. Yn y pen draw mae'n gysylltiedig â Brahman. Cyfarchiad poblogaidd yn India yw 'Namaste' sy'n golygu 'cyfarchaf y duwdod sydd ynot ti'.

Mae Hindŵaeth yn gwahaniaethu rhwng mater ac ysbryd. Mae'r ysbryd wedi'i rannu'n ddwy brif adran:

- enaid unigol – **jiva-atman**
- goruwch hunan – Duw – **paramatman**

Mae'r rhan fwyaf o Hindŵiaid yn credu bod yr atman yn dragwyddol a heb ei gyfyngu i'r fodolaeth hon. Mae Shankaracharya yn esbonio ymhellach bod 'y gair yn deillio o'r gwraidd ap, ad neu at, a all olygu yn eu tro, caffael neu dreiddio, bwyta neu fwynhau, neu symud yn ddi-ball'. Mae'r term atman yn nodi'r 'Realiti Goruchaf, hollwybodus, hollalluog, yn rhydd rhag pob nodwedd ffenomenaidd fel newyn a syched, tragwyddol, pur, goleuedig, rhydd, heb ei eni, nad yw'n pydru, nad yw'n marw, anfarwol, di-ofn ac nad yw'n ddeuol'. Pan fydd pob peth byw yn marw, bydd yr atman y tu mewn iddo yn symud ymlaen at ffurf arall ar fywyd. Mae'r Hindŵ yn ystyried y **trawsfudo** hwn yn fagl sy'n dal yr atman yn y byd ffisegol. Mae pob enaid yn creu ei ffawd ei hun yn ôl cyfraith karma. Nod y rhan fwyaf o Hindŵiaid yw moksha, rhyddhad o'r cylch parhaus hwn ac ail-uniaethu â'r Brahman Goruchaf, er bod modd deall hyn mewn nifer o ffyrdd gwahanol.

Mae'r atman yn amhersonol a does ganddo ddim o nodweddion y ffurf bywyd mae'n byw ynddo. Pan mae rhywun yn marw, mae popeth sy'n ymwneud â hwnnw yn marw – personoliaeth, uchelgais, emosiynau a meddyliau. Dim ond yr atman sy'n parhau. Mae'n bosibl disgrifio'r atman, ond dim ond mewn termau cyffredinol iawn. Mae'r atman hefyd yn apoffatig sy'n golygu gwybod dim ond beth nad ydyw (ac yn y pen draw beth nad yw Duw), ac nid beth yw'r atman mewn gwirionedd.

Gweithgaredd AA1

Ysgrifennwch bum cwestiwn sy'n ymwneud â'r hyn rydych chi wedi'i astudio yma, y byddech yn eu gofyn i Hindŵ am atman. Nawr ysgrifennwch atebion posibl Hindŵ i'r cwestiynau hyn.

Y berthynas rhwng Brahman ac atman

Mae'r berthynas rhwng Brahman ac atman yn codi drwy'r holl Upanishadau a chaiff ei disgrifio a'i deall mewn sawl ffordd. Mae rhai Hindŵiaid yn gweld y berthynas hon yn un **fonotheistig** gan gredu mai dim ond rhan o Brahman yw atman ac nad yw'n bosibl uniaethu atman yn llwyr â Brahman. Mae eraill yn ei gweld yn **fonistig**, gan gredu bod popeth wedi'i greu o un hanfod craidd a bod Brahman ac atman yn un. Er bod rhai tueddiadau deuolaidd yn yr Upanishadau, mae'r brif neges yn un fonistig, yn seiliedig ar egwyddor Tat tvam asi – 'Hynny wyt ti'. Fel mae Aldous Huxley yn esbonio, 'mae'r atman sy'n bresennol yn barhaol yr un fath â Brahman'.

Dyfyniad allweddol

Mae'r hunan yn guddiedig ym mhob bod ac nid yw'n disgleirio. (Katha Upanishad 3:12)

Termau allweddol

Jiva-atman: enaid unigol

Monistig: yn credu bod popeth yn y cosmos yn undod a'i fod yn cyfateb i'r dwyfol

Monotheistig: yn credu mewn un duw neu dduwies bersonol

Paramatman: goruwch hunan – Duw

Trawsfudo: y gred bod yr atman yn symud ymlaen at gorff arall ar ôl marwolaeth

cwestiwn cyflym

2.2. Enwch dair o nodweddion Brahman a thair o nodweddion atman.

Cynnwys y fanyleb

Monist (un sy'n credu bod Duw a'r enaid yn un) a monotheist (un sy'n credu bod Duw a'r enaid yn wahanol).

Unigolyn allweddol

Shankara (c.700–750 OCC): ganwyd Shankara, neu Shankaracharya, tua 700 OCC ym mhentref Kaladi, India yn ôl pob tebyg. Ef yw'r athronydd a'r diwinydd Hindŵaidd enwocaf yn ôl pob tebyg ac yn fwyaf enwog am greu ysgol athroniaeth Advaita Vedanta. Mae'r prif syniadau Indiaidd modern yn deillio o ddysgeidiaeth yr ysgol hon. Roedd ei brif ddysgeidiaethau'n ymwneud ag un realiti tragwyddol digyfnewid (brahman) a thwyll plwraliaeth a gwahaniaethu.

Syniad allweddol

Tat tvam asi – 'Ti yw hwnnw'.

Termau allweddol

Advaita Vedanta: Vedanta nad yw'n ddeuol ac sy'n addysgu bod atman a Brahman yn union yr un fath

Sannyasin: ymwadwr; rhywun sy'n ymwadu â chymdeithas a'i hunaniaeth i fynd ar drywydd elw ysbrydol

Shankara: prif feddyliwr yr Advaita Vedanta

Mae llawer o gymariaethau wedi'u defnyddio i esbonio'r berthynas rhwng Brahman ac atman. Mae'r Chandogya Upanishad yn esbonio'r berthynas hon drwy'r ddeialog rhwng tad o'r enw Uddalaka a'i fab Svetaketu, lle mae'r tad yn defnyddio nifer o ddelweddau i helpu ei fab i ddeall natur atman a'i berthynas â Brahman,

'Fel mae gwenyn, fy annwyl Svetaketu, yn gwneud mêl drwy gasglu sudd gan blanhigion o bell a chrynhoi'r sudd mewn un ffurf, a gan nad oes unrhyw wahaniaeth rhwng y suddau hyn, fel y gallen nhw ddweud mai fi yw sudd y goeden hon neu honno, yn yr un modd, fy mab, pan fydd yr holl greaduriaid hyn yn uno mewn Bod, ni wyddant eu bod yn uno mewn Bod. Beth bynnag yw'r creaduriaid hyn yma, boed yn llew neu'n flaidd neu'n faedd neu'n fwydyn neu'n wybedyn neu'n bryfyn neu'n fosgito, mae pob un yr un ffunud â'r Bod hwnnw sy'n hanfod cynnil. Mae'r holl fydysawd yn union yr un fath â'r hanfod cynnil hwnnw, sy'n ddim arall ond yr hunan [atman]. A ti yw Hwnnw, Svetaketu. Rho'r halen hwn mewn dŵr a thyrd yn ôl ataf i yn y bore.'

Y bore canlynol dywedodd ei dad wrtho: 'Tyrd â'r halen ataf i a roddaist ti yn y dŵr neithiwr.' Chwiliodd y mab amdano ond heb ddod o hyd iddo am ei fod wedi hydoddi'n llwyr.

Yna dywedodd ei dad wrtho am sipian dŵr o'r arwyneb. 'Sut mae'r dŵr?' 'Mae'n hallt.' Wedyn dywedodd ei dad wrtho am sipian dŵr o'r canol. 'Sut mae'r dŵr?' 'Mae'n hallt.' Yna dywedodd wrtho am sipian dŵr o'r gwaelod. 'Sut mae'r dŵr?' 'Mae'n hallt.' Mae ei dad yn esbonio wedyn 'Yn yr un modd, fy mab, dwyt ti ddim yn gweld Bod. Ond mae yno. Hwn yw'r hanfod cynnil. Mae'r holl fydysawd yn uniaethu ag ef, sy'n ddim arall ond yr hunan. A ti yw Hwnnw, Svetaketu.'

Gweithgaredd AA1

Meddyliwch am dair ffordd/cymhariaeth arall i esbonio'r berthynas rhwng Brahman ac atman a rhannwch nhw â gweddill y dosbarth.

Awgrym astudio

Wrth ateb cwestiwn ar Brahman ac atman a'r berthynas rhyngddyn nhw, cofiwch bob tro eich bod yn canolbwyntio ar y meysydd sydd wedi'u hamlinellu yn y fanyleb: Brahman fel sat, chit, ananda (bodolaeth, ymwybyddiaeth a dedwyddwch) ac fel ysbryd macrocosmig (hollgyffredinol), ac atman fel ysbryd microcosmig (personol). Y gwahaniaeth rhwng jiva-atman (enaid unigol) a paramatman (goruwch hunan – Duw); monist (un sy'n credu bod Duw a'r enaid yn un) a monotheist (un sy'n credu bod Duw a'r enaid yn wahanol). Ceisiwch gyfeirio at ddyfyniadau allweddol i ddangos eich bod yn gallu darparu 'tystiolaeth ac enghreifftiau' a 'defnydd cywir o iaith arbenigol' drwy gyfeirio at ddysgeidiaeth Hindŵaidd (disgrifydd band 5 AA1).

Cynnwys y fanyleb

Shankara (a fu'n hyrwyddo Advaita Vedanta sy'n pwysleisio safbwynt amhersonol ar ddwyfoldeb).

Shankara (a fu'n hyrwyddo Advaita Vedanta sy'n pwysleisio safbwynt amhersonol ar ddwyfoldeb)

Ganwyd yr athronydd **Shankara** yn Kerala yn 788 OCC ac mae wedi cyfrannu'n sylweddol iawn at athroniaeth India ac athroniaeth y byd. Daeth yn **sannyasin** yn wyth oed a threuliodd weddill ei fywyd yn datblygu ei athroniaeth. Teithiodd yn helaeth drwy India, sefydlodd urdd o fynachod ac ysgrifennodd nifer o lyfrau. Bu farw'n 32 oed.

Roedd Shankara yn hyrwyddwr **Advaita Vedanta** sy'n honni bod Brahman yn union yr un fath â hunan mewnol (atman) pawb. Does dim un atman ar wahân mewn pethau byw, dim ond Brahman yn treiddio ac yn cynnal yr holl fydysawd.

Mae'r Hindŵ yn cyflawni moksha drwy ddeall a phrofi hyn. Mae popeth arall yn rhith (maya). Fodd bynnag, aeth Shankara ag athroniaeth Advaita i gyfeiriad newydd. Shankara oedd yr athronydd cyntaf i nodi gwahaniaeth manwl rhwng y syniad o Nirguna Brahman a Saguna Brahman. Awgrymodd Shankara fod bodau dynol yn canfod Brahman ar un o'r ddwy lefel hyn, gan ddadlau bod Nirguna Brahman yn lefel ysbrydol uwch.

Mae Shankara hefyd yn honni bod tair lefel o realiti:

- realiti rhithiol – sy'n cynnwys pethau fel rhithwelediadau a ffantasïau, y pethau rydyn ni'n gwybod nad ydyn nhw'n wir oherwydd ein profiad gwrthrychol arferol;
- realiti bydol – y byd ffisegol mae'r synhwyrau yn ei brofi ac mae'r meddwl yn gallu ei archwilio. Mae hyn yn cynnwys llawer o syniadau crefyddol confensiynol fel Ishvara (Duw) a jiva (enaid); a
- realiti Goruchaf neu Absoliwt – Brahman. Yn ôl Shankara, 'Brahman yw'r unig wirionedd, mae'r byd yn afreal, ac yn y pen draw does dim gwahaniaeth rhwng Brahman ac Atman, yr hunan unigol'.

O ganlyniad, tasg bod dynol yw cyrraedd undod a realiti absoliwt Brahman, hynny yw, cyrraedd yr hunan dyfnaf o fewn ei fodolaeth neu ei bodolaeth ei hun, gan ollwng pob nodwedd a phriodwedd dros dro ar ei daith.

Dyfyniad allweddol

Mae'r hwn sy'n adnabod y Brahman hwn, ynghudd yn ogof y galon, hyd yn oed yma yn datod cwlwm anwybodaeth. (Mundaka Upanishad)

cwestiwn cyflym

2.3 Diffiniwch Advaita Vedanta.

Gweithgaredd AA1

Dewiswch rhwng pump a deg gair allweddol o athroniaeth Advaita Vedanta. Nawr meddyliwch am acronym i bob un i'ch helpu chi eu cofio. Profwch eich hun gyda phartner. Bydd hyn yn eich helpu i ddewis a chofio set graidd o bwyntiau i ddatblygu ateb i esbonio'r athroniaeth hon.

Dyfyniad allweddol

Mae'r hwn sy'n adnabod y Bod anfeidrol, disglair hwnnw sydd heb gysgod, heb gorff, heb liw, yn wir yn darganfod y Goruchaf. (Prasna Upanishad)

Awgrym astudio

Gwnewch yn siŵr eich bod yn gyfarwydd â'r holl dermau allweddol a'u diffiniadau cywir. Mae hyn yn arbennig o berthnasol i'r adran hon. Bydd hyn yn sicrhau eich bod yn gwneud 'defnydd trylwyr a chywir o iaith a geirfa arbenigol mewn cyd-destun' (disgrifydd band 5 AA1)

Madhva

Cynnwys y fanyleb

Madhva (a fu'n hyrwyddo Dvaita Vedanta).

Ganwyd **Madhva**, athronydd Hindŵaidd, i deulu Brahman yn 1199 neu 1238 OCC. Yn llanc ifanc, aeth ar goll am bedwar diwrnod a daeth ei rieni o hyd iddo'n trafod ag offeiriaid Vishnu. Dywedir hefyd, yn ystod pererindod i Varanasi, iddo gerdded ar ddŵr.

Roedd Madhva yn ddehonglwr **Dvaita Vedanta**, yr enw ar hwn yn aml yw Vedanta 'deuol'. Yn ôl y gred hon mae dau beth yn bodoli, ar wahân ac yn neilltuol oddi wrth ei gilydd – un yw'r atman (y cyfeirir ato fel arfer fel jiva), sy'n bodoli'n annibynnol o fewn popeth byw, a Saguna Brahman, y duw personol sy'n sylfaen i realiti (y cyfeirir ato fel arfer fel Ishvara). Aeth Madhva ati i wrthbrofi athroniaeth Advaita 'nad yw'n ddeuolaidd' Shankara. Gwrthododd y syniad bod y byd materol yn maya, yn rhith ac felly'n dwyllodrus. Ei ddadl oedd, er bod pethau'n bodoli dros dro ac yn newid yn barhaus, dydy hynny ddim yn golygu nad ydyn nhw'n real. Cyfeiriai at hyn fel Prakriti – dros dro ond real. Yn ôl Valerie Stoker, 'mae'n fwyaf enwog o bosib am ei fersiwn hynod o ddatganiad Chandogya Upanishad *tat tvam asi* neu 'ti (yr *atman*) yw hwnnw (*Brahman*)'. Drwy gario'r 'a' o'r gair blaenorol, fersiwn Madhva o'r ymadrodd oedd *atat tvam asi* neu 'nid hwnnw wyt ti'.

Termau allweddol

Dvaita Vedanta: Vedanta deuol, sy'n addysgu bod atman a Brahman yn annhebyg ac ar wahân, er eu bod o'r un natur

Madhva: prif feddyliwr Dvaita Vedanta

Roedd Madhva yn anghytuno â Shankara bod popeth yn Brahman a nododd bum gwahaniaeth sylfaenol a real:

- rhwng Ishvara a jiva
- rhwng Ishvara a Prakriti (mater)
- rhwng jiva a Prakriti
- rhwng jivas unigol
- rhwng mathau amrywiol o fater.

Roedd Madhva yn credu bod pob jiva yn ddelwedd o Ishvara – maen nhw'n neilltuol ac ar wahân, mae nodweddion tebyg ganddyn nhw ond does dim perthynas o gwbl rhyngddyn nhw. Roedd Madhva hefyd yn credu yng nghysyniad damnedigaeth dragwyddol gan rannu'r enaid yn dri dosbarth – y mukti-yogya sy'n gymwys i'w ryddhau, y nitya-samsarin sy'n cael ailenedigaeth dragwyddol neu drawsfudo tragwyddol a'r tamo-yogaya a gaiff ei gondemnio i uffern tragwyddol.

cwestiwn cyflym

2.4 Diffiniwch Dvaita Vedanta.

Unigolyn allweddol

Madhva (c.1238–1314 OCC): Roedd Madhva yn athronydd/gŵr doeth Indiaidd a sefydlodd ysgol athroniaeth Hindŵaidd (ddeuolaidd) Dvaita. Heriodd Madhva yn fwriadol y testun nad yw'n ddeuol, a oedd yn uniaethu'r atman â Brahman. Roedd Madhva yn dadlau na allai'r ysgrythurau addysgu hunaniaeth pob bod oherwydd byddai hyn yn gwrthddweud canfyddiad cyffredin, sy'n dweud wrthyn ni ein bod yn wahanol i'n gilydd ac i Dduw.

Gweithgaredd AA1

Dewiswch rhwng pump a deg gair allweddol o athroniaeth Advaita Vedanta. Nawr meddyliwch am acronym i bob un i'ch helpu chi eu cofio. Profwch eich hun gyda phartner. Bydd hyn yn eich helpu i ddewis a chofio set graidd o bwyntiau i ddatblygu ateb i esbonio'r athroniaeth hon.

Awgrym astudio

Mae ymgeiswyr yn aml yn dda am gofio pwyntiau allweddol ond weithiau dydyn nhw ddim yn eu hesbonio'n llawn. I ddatblygu pwynt, defnyddiwch amrywiaeth o ffyrdd sy'n dangos sut caiff y pwynt hwn ei ddefnyddio ac os yw'n bosibl, cyflwynwch rai safbwyntiau ysgolheigaidd cyferbyniol i ategu eich ateb. Mae hyn yn dangos bod yr ateb yn 'dangos dyfnder a/neu ehangder helaeth. Defnydd rhagorol o dystiolaeth ac enghreifftiau' (disgrifydd band 5 AA1) yn hytrach na bod y wybodaeth yn 'gyfyngedig o ran dyfnder a/neu ehangder, gan gynnwys defnydd cyfyngedig o dystiolaeth ac enghreifftiau' (disgrifydd band 2 AA1).

Rhith: a yw'r ddwy ddelwedd yn bodoli ar wahân (Madhva) neu ai dim ond rhith yw hynny (Shankara)?

Datblygu sgiliau AA1

Nawr mae'n bryd ystyried y wybodaeth sydd wedi'i chyflwyno hyd yma. Hefyd mae'n bwysig ystyried sut mae'r hyn rydych chi wedi'i ddysgu hyd yma'n gallu cael ei ddefnyddio ar gyfer atebion arholiad drwy ymarfer y sgiliau sy'n gysylltiedig ag AA1.

Mae Amcan Asesu 1 (AA1) yn ymwneud â dangos gwybodaeth a dealltwriaeth. Mae'r termau 'gwybodaeth' a 'dealltwriaeth' yn amlwg ond mae'n hanfodol eich bod yn gyfarwydd â sut mae sgiliau penodol yn dangos y rhain, a hefyd, sut bydd eich perfformiad ym mhob un o'r sgiliau hyn yn cael ei fesur (gweler disgrifyddion band cyffredinol Band 5 ar gyfer AA1 UG).

▶ **Dyma eich tasg newydd:** isod mae ateb gwan a gafodd ei ysgrifennu'n ymateb i gwestiwn sy'n gofyn am archwilio'r cysyniad o Brahman mewn Hindŵaeth. Gan ddefnyddio'r disgrifyddion band, rhowch yr ateb hwn mewn band perthnasol sy'n cyfateb i'r disgrifiad yn y band hwnnw. Yn amlwg mae'n ateb gwan ac felly nid yw'n perthyn i fandiau 3–5. Er mwyn gwneud hyn, bydd yn ddefnyddiol i chi ystyried beth sydd ar goll o'r ateb a beth sy'n anghywir. Bydd y dadansoddiad sy'n cydfynd â'r ateb yn eich helpu chi. Wrth ddadansoddi gwendidau'r ateb, gweithiwch mewn grŵp a meddyliwch am bum ffordd o wella'r ateb er mwyn ei gryfhau. Efallai fod gennych fwy na phum awgrym ond ceisiwch drafod fel grŵp a blaenoriaethu'r pum peth pwysicaf sydd ar goll.

Ateb

Mae Brahman yn golygu Duw mewn Hindŵaeth [1] a chredir ei fod ym mhob man ac ym mhob peth. Mae'n ysbryd. [2] Maen nhw'n credu mai dim ond un Duw sydd, Brahman, a bod yr holl dduwiau eraill yn ffurfiau o Brahman. Mae Hindŵiaid yn credu ei bod yn bosibl cael profiad ohono mewn ffyrdd gwahanol. [3] Mae Brahman yn gyfrifol am bob peth ac mae ganddo lawer o nodweddion. [4]

Credir bod tair priodwedd ganddo – sat, chit ac ananda. [5] Enw arall arno weithiau yw Saguna Brahman a Nirguna Brahman. [6] Weithiau cyfeirir ato fel Ishvara neu Bhagavan. Mae rhai Hindŵiaid yn credu bod Brahman y tu hwnt i bob gair a meddwl.

Mae llawer o Hindŵiaid yn credu bod yr atman yn rhan o Brahman a phan fydd yr atman yn llwyddo i ennill rhyddhad o gylch samsara, mae'n ailymuno â Brahman. Dydy eraill o blith yr Hindŵiaid ddim yn credu hyn. [7]

Mae llawer o Hindŵiaid yn credu mai dim ond un Realiti Eithaf sy'n bodoli, ac mai Brahman yw hwnnw. Mae popeth arall yn maya – rhith. [8]

Sylwadau

1 Ai dyma'r ffordd orau i ddeall Brahman mewn Hindŵaeth?
2 Mae angen esbonio hyn yn fanylach.
3 Byddai'n ddefnyddiol cynnig enghraifft yma neu gynnig dyfyniad ategol.
4 Gallai esbonio'r nodweddion.
5 Diffiniwch y termau hyn gydag enghreifftiau.
6 Unwaith eto, mae angen diffinio'r termau ac esbonio naill ai gydag enghreifftiau eraill neu ddyfyniadau ategol.
7 Honiad ar ei ben ei hun. Beth mae Hindŵiaid eraill yn ei gredu yn lle hynny felly? Pwy yw'r Hindŵiaid hyn?
8 Mae'r term 'maya' heb ei esbonio'n llawn.

Sgiliau allweddol

Mae gwybodaeth yn ymwneud â:

Dewis ystod o wybodaeth (drylwyr) gywir a pherthnasol sydd â chysylltiad uniongyrchol â gofynion penodol y cwestiwn.

Mae hyn yn golygu eich bod yn dewis y wybodaeth gywir sy'n berthnasol i'r cwestiwn a osodwyd NID y maes pwnc. Bydd angen i chi feddwl a chanolbwyntio ar ddewis gwybodaeth allweddol ac NID ysgrifennu popeth yr ydych chi'n ei wybod am y maes pwnc.

Mae dealltwriaeth yn ymwneud ag:

Esboniad helaeth, gan ddangos dyfnder a/neu ehangder gyda defnydd rhagorol o dystiolaeth ac enghreifftiau gan gynnwys (lle y bo'n briodol) defnydd trylwyr a chywir o destunau cysegredig, ffynonellau doethineb a geirfa arbenigol.

Mae hyn yn golygu y gallwch ddangos eich bod yn deall rhywbeth drwy egluro ac ehangu eich pwyntiau gan ddefnyddio enghreifftiau/tystiolaeth gefnogol mewn ffordd bersonol ac NID ailadrodd darnau o werslyfr (sef dysgu ar y cof).

Cymhwyso sgiliau ymhellach:

Ewch drwy'r meysydd pwnc yn yr adran hon a lluniwch rai rhestri bwled o bwyntiau allweddol o feysydd allweddol. Ar gyfer pob un, rhowch fwy o fanylion ac esboniwch fwy drwy ddefnyddio tystiolaeth ac enghreifftiau.

Mae'r adran hon yn cwmpasu cynnwys a sgiliau AA2

Cynnwys y fanyleb

Natur y berthynas rhwng Brahman ac atman

Materion i'w dadansoddi a'u gwerthuso

Natur y berthynas rhwng Brahman ac atman

Prif ffocws yr Upanishadau yw natur Brahman ac atman a'r berthynas rhyngddyn nhw. Yn aml cyfeirir atyn nhw fel Duw a'r enaid ond mae'r termau Gorllewinol hyn yn gamarweiniol. Gellid dadlau mai dealltwriaeth well o'r ddau fyddai ysbryd.

Yn aml cyfeirir at yr atman fel yr hanfod tragwyddol amhosibl ei ddinistrio sydd ym mhob bod byw; yr hunan mewnol anfeidrol anghorfforol. Mae'r atman heb ei gyfyngu i'r fodolaeth hon oherwydd mae'n gadael y corff ar ôl marwolaeth ac yn symud i gorff arall. Mae'n dragwyddol. Mae'r atman hefyd yn amhersonol a does ganddo ddim o nodweddion y ffurf bywyd mae'n byw ynddo. Yn ei lyfr *Hinduism*, mae Ian Jamison yn cymharu atman â gyrrwr car. Pan na fydd y car yn gweithio bellach, mae'r gyrrwr yn mynd allan ohono ac i mewn i gar newydd. Dydy'r gyrrwr ddim ar unrhyw adeg yn rhan o'r car. I raddau, mae'n amhosibl disgrifio atman. Mae hi ddim ond yn bosibl dweud beth nad ydyw ac felly mae y tu hwnt i ddisgrifiad.

Mae hefyd yn fwy defnyddiol o lawer i gyfeirio at Brahman fel ysbryd, nid yn yr ystyr unigol ond mewn ffordd hollgyffredinol. Brahman yw'r rheswm dros fodolaeth y bydysawd a pham mae'n parhau. Mae Brahman hefyd y tu hwnt i ddisgrifiad a does dim nodweddion iddo. Yn ei lyfr *Hinduism* mae Ian Jamison yn esbonio ymhellach, 'Un cydweddiad posibl yw cap iâ'r Arctig. Ym Mhegwn y Gogledd, does dim tir, dim ond cap trwchus o iâ yn gorwedd ar y môr. Pe baech chi'n sefyll yno ac yn edrych o'ch cwmpas, byddai popeth rydych chi'n ei weld wedi'i wneud o ddŵr rhewedig, â mwy o ddŵr yn ei gynnal, yn mynd i lawr i ddyfnderoedd nad oes modd eu dirnad. Mae Brahman fel hyn, yn anesboniadwy a dwfn. Nid yn unig mae'n cynnal y bydysawd ffisegol, ond mae'n treiddio iddo, gan redeg drwy bopeth sy'n bodoli'.

Beth felly yw'r berthynas rhwng Brahman ac atman? Mae'n amlwg nad yw'n bosibl ei disgrifio'n gywir fel 'Duw' ac 'enaid' a bod y berthynas yn ddyfnach ac yn fwy cyfriniol o lawer. Mae wedi'i disgrifio mewn ffyrdd gwahanol. Mae dilynwyr Advaita Vedanta yn credu bod Brahman ac atman yn union yr un fath ond mae hyrwyddwyr Dvaita Vedanta yn dadlau eu bod yn annhebyg, ar wahân ac yn wahanol i'w gilydd. Fodd bynnag does dim amheuaeth ei bod yn berthynas agos a gaiff ei disgrifio'n fanwl yn yr Upanishadau. Yn ôl Ian Jamison, 'mae'r sicrwydd bod perthynas agos rhwng y ddau yn seiliedig ar jnana yr ymwadwyr, a oedd yn gwybod mai fel hyn yr oedd hi oherwydd eu bod wedi'i phrofi.'

Mae rhannau yn yr Upanishadau sydd fel pe baen nhw'n cefnogi'r syniad bod y berthynas rhwng Brahman ac atman yn un ddeuol. Fodd bynnag, mae prif neges yr Upanishadau yn un fonistig, bod Brahman ac atman yn un ac mai nod bodolaeth Hindŵ yw profi'r undod wrth i'r hunan fod yr Hunan. Dyna ystyr geiriau adnabyddus yr Upanishad Chandogya – 'Tat tvam asi' – 'Ti yw hwnnw'. Mae cymharu gwagle mewn jar a'r gwagle y tu allan iddo yn aml yn esbonio hyn. Mae'r gwagle yn y jar wedi'i gyfyngu dros dro fel mae'r atman wedi'i gyfyngu yn y corff. Fodd bynnag mae'r gwagle yn y jar a'r gwagle y tu allan iddo yr un fath. Pan fydd y jar yn torri maen nhw'n dod yn un fel mae atman a Brahman yn un mewn gwirionedd.

Gweithgaredd AA2 ***Dadleuon posibl***

Wedi'u rhestru isod mae rhai casgliadau y byddai'n bosibl dod iddyn nhw ar sail rhesymeg AA2 yn y testun cysylltiedig:

1. Dydy'r termau 'Duw' ac 'enaid' ddim yn ddefnyddiol wrth esbonio'r berthynas rhwng Brahman ac atman.
2. Mae'n anodd diffinio Brahman ac atman.
3. Mae Hindŵiaid yn credu pethau gwahanol ynghylch y berthynas honno.
4. Mae barn ddeuolaidd gan lawer o Hindŵiaid am y berthynas.
5. Mae barn fonistig gan Hindŵiaid eraill.

Ystyriwch bob un o'r casgliadau sy'n cael eu gwneud uchod a chasglwch dystiolaeth ac enghreifftiau i gefnogi pob dadl o'r deunydd AA1 ac AA2 a astudiwyd yn yr adran hon. Dewiswch un casgliad sy'n argyhoeddi fwyaf yn eich barn chi ac esboniwch pam mae hyn yn wir. Nawr cyferbynnwch hyn â'r casgliad gwannaf ar y rhestr, gan gyfiawnhau eich dadl gyda rhesymu clir a thystiolaeth.

A yw'n bosibl addoli Duw amhersonol

Gallwn ddeall Brahman fel rhywbeth personol (Saguna) ac amhersonol (Nirguna) mewn Hindŵaeth. Mae pwyslais gwahanol gan y ddwy ffurf hyn ar Brahman. Mae'r Upanishadau cynharach a rhai ysgolion athroniaeth yn pwysleisio'r ffurfiau personol, ond mae syniadaeth ddiweddarach yn pwysleisio'r ffurf amhersonol.

Saguna Brahman yw'r Brahman mae'n bosibl ei nodweddu. Hwn yw hanfod sylfaenol y byd materol yn ogystal â'r atman, yr hunan dyfnaf. Mae'r Trimurti yn amlygu hwn, ac yn dangos y tri egni dwyfol – creadigol (Brahma), cynhaliwr (Vishnu) a dinistriwr ac ail-grëwr (Shiva). Brahman hefyd yw 'bod' popeth sy'n bodoli – yr haul, cefnforoedd, planhigion a phob creadur. Mae pob un yn tarddu o Brahman a Brahman yw eu hanfod.

Brahman y tu hwnt i bob priodwedd yw Nirguna Brahman – anweladwy, annirnadwy, tragwyddol a heb nodweddion. Mae'n ddiamod heb na dechrau na diwedd iddo. Mae Brahman hefyd yn drosgynnol a thu hwnt i'r bydysawd sydd wedi'i greu. Mae'n rym holl-dreiddiol hunanfodol.

Byddai llawer o Hindŵiaid yn dadlau nad yw'n bosibl addoli Duw amhersonol. Dyna pam mae duwdodau personol yn fwy amlwg o lawer yn niwylliant poblogaidd India ac i'w gweld ym mhob agwedd ar fywyd mewn cartrefi, swyddfeydd ac mewn cysegrau ar strydoedd ac mewn temlau. Mae dau brif draddodiad Hindŵaeth, Vaishnaviaeth a Shaiviaeth, yn seiliedig ar ymroddiad i amlygiadau personol o Brahman, Vishnu a Shiva. Yn ôl Jeaneane Fowler, wrth drafod Vishnu yn *Hinduism – Beliefs and Practices*, 'Yn y pen draw mae Vishnu yn pwyntio y tu hwnt i'w hunan sydd wedi'i amlygu at y Brahman nad yw wedi'i amlygu... Mae llawer o bobl yn cefnogi'r farn bod angen cysyniad diriaethol, amlwg ac anthropomorffig o Dduw ar y ddynoliaeth er mwyn addoli. Mae'n anodd, os nad yn amhosibl, addoli 'Peth' heb unrhyw ffurf iddo, a dyna pam mae agweddau ar Brahman sydd wedi'u hamlygu mor bwysig mewn Hindŵaeth'. Dyna pam mae duwdodau personol fel Krishna a Rama mor bwysig i Hindŵiaid.

Mae uniaethu â grymoedd haniaethol amhersonol yn anodd iawn gan fod pob perthynas ddynol ystyrlon yn seiliedig ar y personol ac felly mae adnabod Duw drwy dduwdodau personol yn fwy posibl ac ystyrlon i lawer o Hindŵiaid. Mae llawer o ffurfiau poblogaidd o addoli, fel bhakti a puja dyddiol, yn seiliedig ar y berthynas bersonol hon â duwdodau penodol. Mae'r duwdodau hyn yn cynrychioli grymoedd ac egni uwch a nhw yw cyfryngau gras a bendithion.

Byddai llawer o Hindŵiaid yn dadlau ei bod yn gamganfyddiad cyffredin bod y cysyniad Hindŵaidd o Dduw yn amhersonol a bod unrhyw bersonoli'n anthropomorffig. Camganfyddiad arall yw nad yw'r duwiau a'r duwiesau amrywiol a'r storïau amdanyn nhw yn ddim mwy na ffyrdd i'r Hindŵiaid uniaethu â'r Goruchaf Amhersonol. Bydden nhw'n dadlau bod sawl ysgol o fewn Hindŵaeth, Vaishnaviaid yn bennaf, ond hefyd o fewn Shaiviaeth a Shaktiaeth, sy'n credu bod personoliaeth gan Dduw.

Fodd bynnag mae ysgolion athroniaeth eraill o fewn Hindŵaeth, fel Vedanta, yn honni bod adnabod Duw mewn ffurfiau personol yn lefel is o wirionedd nag adnabod Duw yn ei ffurf amhersonol. Mae'r gred mai jnana yoga yw'r math uchaf o yoga yn adlewyrchu hyn, oherwydd mae'n galluogi Hindŵiaid i adnabod Duw yn y ffurfiau amhersonol. Dyma nod eithaf yr Hindŵiaid, hunan-sylweddoliad neu sylweddoli bod y bod dyfnaf, atman, yn un â Brahman. Mae'r rhan fwyaf o Hindŵiaid yn credu yng ngrym haniaethol amhersonol Brahman. Y symbol OM sy'n ei nodweddu ac mae hwn yr un mor amlwg â duwdodau personol.

Cynnwys y fanyleb

A yw'n bosibl addoli Duw amhersonol.

Gweithgaredd AA2 ***Dadleuon posibl***

Wedi'u rhestru isod mae rhai casgliadau y byddai'n bosibl dod iddyn nhw ar sail rhesymeg AA2 yn y testun cysylltiedig:

1. Mae'n bosibl deall Brahman fel bod personol ac amhersonol – ydy hyn yn wrthddywediad?
2. Mae poblogrwydd duwdodau personol yn dangos pwysigrwydd duw personol.
3. Mae'r ddau brif draddodiad mewn Hindŵaeth yn seiliedig ar ymroddiad i dduwiau personol.
4. Brahman yn ei amlygu ei hun yw pob duwdod personol.
5. Mae adnabod Duw mewn ffurf amhersonol yn lefel uwch o wirionedd na'i adnabod mewn ffurf bersonol.

Ystyriwch bob un o'r casgliadau sy'n cael eu gwneud uchod a chasglwch dystiolaeth ac enghreifftiau i gefnogi pob dadl o'r deunydd AA1 ac AA2 a astudiwyd yn yr adran hon. Dewiswch un casgliad sy'n argyhoeddi fwyaf yn eich barn chi ac esboniwch pam mae hyn yn wir. Nawr cyferbynnwch hyn â'r casgliad gwannaf ar y rhestr, gan gyfiawnhau eich dadl gyda rhesymu clir a thystiolaeth.

Sgiliau allweddol

Mae dadansoddi'n ymwneud â nodi materion sy'n cael eu codi gan y deunyddiau yn adran AA1, ynghyd â'r rhai a nodwyd yn adran AA2, ac mae'n cyflwyno safbwyntiau cyson a chlir, naill ai gan ysgolheigion neu safbwyntiau personol, yn barod i'w gwerthuso.

Mae hyn yn golygu ei fod yn nodi pethau allweddol i'w trafod a'r dadleuon sy'n cael eu cyflwyno gan eraill neu o safbwynt personol.

Mae gwerthuso'n ymwneud ag ystyried goblygiadau amrywiol y materion sy'n cael eu codi, yn seiliedig ar y dystiolaeth a gafwyd wrth ddadansoddi ac mae'n rhoi dadl fanwl eang gyda chasgliad clir.

Mae hyn yn golygu bod yr ateb yn pwyso a mesur y dadleuon amrywiol a gwahanol a gafodd eu dadansoddi drwy roi sylwadau ac ymateb unigol, gan ddod i gasgliad drwy broses rhesymu clir.

Datblygu sgiliau AA2

Nawr mae'n bryd ystyried y wybodaeth sydd wedi'i chyflwyno hyd yma. Hefyd mae'n bwysig ystyried sut mae'r hyn rydych chi wedi'i ddysgu hyd yma'n gallu cael ei ddefnyddio ar gyfer atebion arholiad drwy ymarfer y sgiliau sy'n gysylltiedig ag AA2.

Mae Amcan Asesu 2 (AA2) yn ymwneud â 'dadansoddi' a 'gwerthuso'. Efallai fod ystyr y termau'n amlwg ond mae'n hanfodol eich bod yn gyfarwydd â sut mae sgiliau penodol yn dangos y rhain, a hefyd, sut bydd eich perfformiad ym mhob un o'r sgiliau hyn yn cael ei fesur (gweler disgrifyddion band cyffredinol Band 5 ar gyfer AA2 UG).

Yn amlwg mae ateb yn cael ei osod mewn disgrifydd band priodol, yn ôl pa mor dda yw'r ateb, gan amrywio o ragorol, da, boddhaol, sylfaenol/cyfyngedig i gyfyngedig iawn.

▶ **Dyma eich tasg:** isod mae ateb gwan a gafodd ei ysgrifennu'n ymateb i gwestiwn sy'n gofyn am werthuso ei bod hi'n amhosibl addoli duw amhersonol. Gan ddefnyddio'r disgrifyddion band, rhowch yr ateb hwn mewn band perthnasol sy'n cyfateb i'r disgrifiad yn y band hwnnw. Yn amlwg mae'n ateb gwan ac felly nid yw'n perthyn i fandiau 3–5. Er mwyn gwneud hyn, bydd yn ddefnyddiol i chi ystyried beth sydd ar goll o'r ateb a beth sy'n anghywir. Bydd y dadansoddiad sy'n cydfynd â'r ateb yn eich helpu chi. Wrth ddadansoddi gwendidau'r ateb, gweithiwch mewn grŵp a meddyliwch am bum ffordd o wella'r ateb er mwyn ei gryfhau. Efallai fod gennych fwy na phum awgrym ond ceisiwch drafod fel grŵp a blaenoriaethu'r pum peth pwysicaf sydd ar goll.

Ateb

Byddai rhai pobl yn dadlau ein bod ni fel bodau dynol yn methu meddwl am unrhyw beth mewn ffordd amhersonol. [1] Mae'n rhaid i bopeth gael rhyw fath o gorff. Dyma'r math o berthynas mae pobl yn ei chael â'i gilydd. [2]

Mae addoli duw amhersonol yn beth anodd iawn. [3] Mae hefyd yn anodd ffurfio perthynas mewn unrhyw fodd â duw amhersonol. Does dim byd i ganolbwyntio arno yn y berthynas. [4] Mae duwdodau personol gan y rhan fwyaf o Hindŵiaid maen nhw yn eu haddoli. Oherwydd eu bod yn bersonol maen nhw'n bwysig ym mywydau pob dydd Hindŵiaid. [5]

Mae'r rhan fwyaf o addoli Hindŵaidd yn seiliedig ar ffurfiau personol o dduw, yn debyg i lawer o arferion. [6] Mae hyn yn boblogaidd iawn yn India, mewn cartrefi ac yn y temlau.

Gallai Hindŵiaid eraill ddweud bod meddwl am dduwiau mewn ffurf ddynol yn broblem oherwydd mae'n cyfyngu ar eu grym. Mae Brahman ym mhob peth ac mae'r Duwiau eraill yn Brahman. Felly, mae addoli unrhyw dduw mewn gwirionedd yn golygu addoli Brahman. [7]

Sylwadau

1. Mae angen rhagarweiniad i gyflwyno'r materion yn y cwestiwn a rhoi ychydig o ganllawiau i'r ateb.
2. Mae hwn yn bwynt dilys ond mae angen ei ddatblygu.
3. Pam? Rhowch resymau/enghreifftiau neu ddyfyniad efallai i gefnogi'r datganiad.
4. Esboniwch pam. Rhowch dystiolaeth ategol.
5. Mae hwn yn bwynt da ond heb ei ddatblygu.
6. Beth yw'r 'ffurfiau' a'r 'arferion' a sut mae hyn yn effeitho ar ddadl?
7. Mae'r pwynt olaf yn amherthnasol i'r gwerthusiad ac heb fod mewn gwirionedd yn gasgliad i'r ddadl.

B: Trimurti

Perthynas a phwysigrwydd i ddealltwriaeth Hindŵaidd o Saguna Brahman (Duw sydd â nodweddion)

Mae llawer o Hindŵiaid yn deall y cysyniad o Saguna Brahman drwy'r **Trimurti**. Tri duw'r Trimurti yw **Brahma**, **Vishnu** a **Shiva** ac maen nhw'n cael eu hystyried yn agweddau gwahanol ar Dduw – Brahma'r creawdwr, Vishnu y cynhaliwr a Shiva'r dinistriwr. Mae hyn i'w weld mewn cynrychioliadau o'r Trimurti fel un Duw â thri phen. Yn hyn o beth, maen nhw'n cynrychioli daear, dŵr a thân. Mae Hindŵiaid yn gweld amser yn gylchol, ac mae'r Trimurti'n mynegi'r ddealltwriaeth hon. Nid diwedd yw marwolaeth ond cyfle i ddychwelyd i fywyd ar ffurf newydd a symud yn nes at ryddhad o gylch **samsara**. Maen nhw hefyd yn cynrychioli'r **tri guna**, tair edau bywyd – Vishnu'r satta guna, Shiva y tamas guna a Brahma y rajas guna. Mae H. P. Blavatsky yn esbonio 'y gwir yw mai tri "pherson" y Trimurti yw'r tri *guna* disgrifiadol neu nodweddion bydysawd yr Ysbryd-Mater gwahaniaethol, hunan-ffurfiannol, hunan-amddiffynnol a hunan-ddinistriol, at bwrpasau adfywio a pherffeithioldeb'.

Mae llawer yn credu eu bod hefyd yn cynrychioli cyfnodau amrywiol ym mywyd rhywun. Mae Brahma yn cynrychioli **ashrama** y myfyriwr, Vishnu yw ashrama'r penteulu a Shiva yw'r cyfnod ymddeol mewn bywyd. Er eu bod yn wrywaidd eu natur maen nhw'n gysylltiedig â **Shakti** (egni benywaidd) oherwydd mae cydymaith benywaidd gan bob un. Saraswati, duwies gwybodaeth a dysg yw Shakti Brahma; Lakshmi, duwies prydferthwch a chyfoeth yw Shakti Vishnu a Parvati, merch Himavat, duw mynyddoedd yr Himalaya yw Shakti Shiva. Vishnu a Shiva yw'r pwysicaf o lawer, ac anaml mae ffyddloniaid yn addoli Brahma yn annibynnol.

Brahma – creawdwr, Vishnu – cynhaliwr, Shiva – dinistriwr a'r weledigaeth Hindŵaidd bod amser yn gylchol drwy greu, cadw a dinistrio

Brahma

Brahma yw creawdwr y bydysawd a'r portread arferol ohono yw dyn â phedwar pen, pedwar wyneb a phedair braich. Yn ôl y chwedl roedd ganddo bedwar pen oherwydd iddo ffoli ar dduwies, Shatarupa, yr oedd wedi'i chreu wrth greu'r bydysawd. I osgoi ei drem, byddai hi'n symud i gyfeiriadau gwahanol ond pa gyfeiriad bynnag a ddewisai, byddai Brahman yn datblygu pen. Mewn gwirionedd, datblygodd bum pen ond torrodd Shiva yr un uchaf i ffwrdd er mwyn rheoli Brahma gan gredu nad oedd yn iawn bod Brahma yn gwirioni ar dduwies a grëwyd ganddo. Felly gorchmynodd na ddylai Brahma gael ei addoli'n iawn yn India. Yn ôl A. L. Basham, 'Rhaid bod rhywfaint o amheuaeth a yw'r traddodiad Hindŵaidd erioed wedi cydnabod Brahma fel y Duwdod Goruchaf fel mae Vishnu a Shiva wedi'u canfod a'u haddoli'.

Awgrym astudio

Gwnewch yn siŵr eich bod yn gyfarwydd â'r holl dermau allweddol a'u diffiniadau cywir. Mae hyn yn arbennig o berthnasol i'r adran hon. Bydd hyn yn sicrhau eich bod yn gwneud 'defnydd trylwyr a chywir o iaith a geirfa arbenigol mewn cyd-destun' (disgrifydd band 5 AA1)

Mae'r adran hon yn cwmpasu cynnwys a sgiliau AA1

Cynnwys y fanyleb

Perthynas a phwysigrwydd i ddealltwriaeth Hindŵaidd o Saguna Brahman (Duw â nodweddion) – Brahma – creawdwr, Vishnu – cynhaliwr, Shiva – dinistriwr, a'r weledigaeth Hindŵaidd bod amser yn gylchol – dychwelyd i fywyd ar ffurf newydd; cysylltiad â rhyddhad – torri cylch tragwyddol samsara – creu, cadw a dinistrio.

Termau allweddol

Ashrama: cyfnod bywyd Hindŵaidd

Brahma: agwedd creawdwr y Trimurti

Samsara: cylch parhaol marwolaeth ac ailenedigaeth

Shakti: enw ar egni'r duwiesau sydd hefyd yn bresennol ym mhob benyw ddynol

Shiva: agwedd dinistriwr ac ailgreawdwr y Trimurti

Tri guna: tair edau sy'n gwneud y Prakriti – y bydysawd empirig

Trimurti: y drindod Hindŵaidd o dri duwdod sy'n cynrychioli tair priodwedd pob bodolaeth

Vishnu: agwedd cynhaliwr y Trimurti

Y Trimurti

cwestiwn cyflym

2.5 Beth yw tri duw'r Trimurti a'u swyddogaethau?

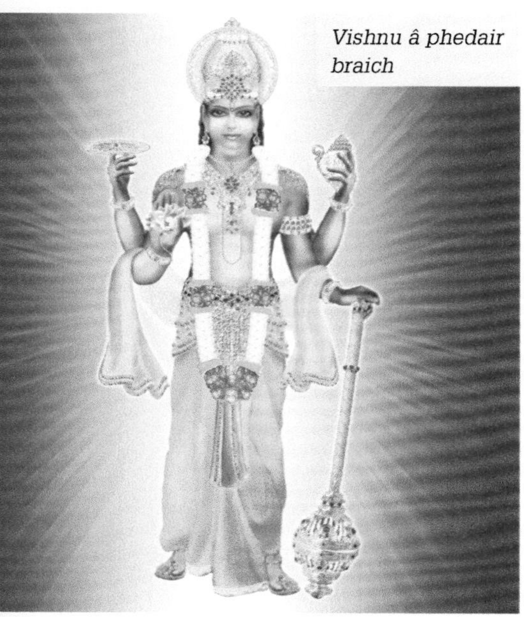
Vishnu â phedair braich

Termau allweddol

Afatar: 'disgyniad' – credu bod duwiau unigol yn gallu dod i lawr i'r ddaear er budd y ddynoliaeth – fel arfer wedi'i gysylltu â Vishnu

Aum neu Om: y prif sillaf ddwyfol – yn llythrennol mae'n golygu Duw fel sain

Murti: delwedd o dduwdod a ddefnyddir i addoli

Rta: y drefn gosmig

Vaishnaviaeth: traddodiad Hindŵaidd sy'n seiliedig ar ymroddiad i'r duwdod Vishnu

Dyfyniad allweddol

Pan fydd cyfiawnder yn wan ac yn pylu ac anghyfiawnder yn gorfoleddu mewn balchder, mae fy Ysbryd yn codi ar y ddaear. I achub y rheini sy'n dda, i ddinistrio drygioni mewn dynion, i gyflawni teyrnas cyfiawnder, rwyf yn dod i'r byd hwn yn yr oesoedd a ddaw. (Bhagavad Gita 4:7–8)

Ar ddiwedd pob bydysawd mae Hindŵiaid yn credu bod Brahma yn myfyrio cyn creu'r nesaf a bod y symbolau mae'n eu dal yn cynrychioli'r gred hon. Mewn un llaw mae'n dal copi o'r Vedau, sy'n symbol o'r wybodaeth grefyddol sy'n ei alluogi i greu; mewn llaw arall mae'n dal pot dŵr. Mae sannyasins yn defnyddio hwn i ymolchi cyn myfyrio. Weithiau dangosir hwn fel cragen cneuen goco a'r dŵr ynddi yn cynrychioli dechrau'r greadigaeth. Mewn trydedd llaw mae'n dal mala, llinyn o 108 o gleiniau llaswyr mae'n eu defnyddio i fyfyrio a chadw golwg ar amser y bydysawd. Yn aml mae i'w weld yn dal blodyn lotws neu'n eistedd yn un o'r ystumiau lotws yoga. Blodyn prydferth yw'r lotws sy'n tyfu yn y rhannau mwyaf brwnt mewn llynnoedd a phyllau ac mae'n cynrychioli'r prydferthwch ysbrydol sy'n gallu tyfu o'r natur ddynol.

Vishnu

Y cynhaliwr ydy'r enw ar Vishnu, yn yr ystyr gosmig o gadw'r bydysawd fel y dylai fod ac mewn ystyr bersonol drwy gadw dharma. Yn ôl Mark Cartwright, mae Vishnu yn 'gymeriad cymhleth, Vishnu yw cynhaliwr a gwarchodwr dynion (Narayana), mae'n amddiffyn trefn pethau (**rta**) a phan mae angen, mae'n ymddangos ar y ddaear mewn ymgnawdoliadau amrywiol neu **afatarau** i ymladd ellyllon a chreaduriaid ffyrnig. Felly mae'n cadw cytgord cosmig'. I ddilynwyr **Vaishnaviaeth**, ef yw'r Goruchaf Dduw ac nid un agwedd yn unig arno. Yn aml mae Vishnu yn las i gynrychioli ei natur hollbresennol. Daw'r enw Vishnu o'r gwraidd 'vis' sy'n golygu 'ymledu i bob cyfeiriad' a Vishnu yw'r craidd neu'r niwclews mae pob peth arall yn bodoli drwyddo.

Fel arfer mae Vishnu naill ai'n lledorwedd dros donnau'r cefnfor ar y duwdod sarff cordeddog, Shesh Nag, neu'n sefyll ar flodyn lotws â phedair braich, a phob un yn dal symbol penodol. Mae'r ddwy fraich flaen yn cynrychioli ei fodolaeth gorfforol ac mae'r ddwy fraich yn y cefn yn cynrychioli ei bresenoldeb yn y byd ysbrydol. Yn ei law dde isaf mae'n dal blodyn lotws sy'n cynrychioli ei ofal am burdeb a hefyd y purdeb y mae dharma a gwybodaeth yn deillio ohono.

Gweithgaredd AA1

Ysgrifennwch bortread o Brahma. Gwnewch yn siŵr eich bod yn cyfeirio at ei nodweddion ond cofiwch hefyd esbonio eu hystyr.

Yn ei law chwith isaf mae'n dal byrllysg, sy'n symbol o'i rym brenhinol a'r grym mae'r holl bwerau corfforol a meddyliol yn deillio ohono. Mae ei law chwith uchaf yn dal cragen dro ac mae'n cynrychioli'r pum elfen, sy'n symbol o greadigrwydd. Mae'r sain a glywir yn y gragen yn cynrychioli cerddoriaeth y cosmos – y sain **'Aum'** y datblygodd y greadigaeth ohoni. Mae'r llaw dde uchaf yn dal disgen neu olwyn â chwe braich sy'n cynrychioli'r grym sy'n rheoli chwe thymor y calendr Hindŵaidd. Dylai coron addurno ei ben fel symbol o'i awdurdod goruchaf. Mae hefyd yn gwisgo dau glustdlws sy'n cynrychioli pethau sy'n groes yn y greadigaeth – gwybodaeth ac anwybodaeth, hapusrwydd ac anhapusrwydd, pleser a phoen.

Mae dilynwyr Vishnu yn ei addoli mewn sawl ffurf gan gynnwys y tulsi neu'r planhigyn basil. Maen nhw'n tyfu hwn ac yn ei ddefnyddio fel **Murtis**. Fodd bynnag, maen nhw'n cysylltu Vishna yn bennaf â'i afatarau – y ffurfiau y mae'n eu defnyddio i ddisgyn i'r byd i amddiffyn dharma ac adfer a hybu daioni a dinistrio drygioni. Mae'r rhan fwyaf o Hindŵiaid yn credu ei fod yn ymgnawdoli fel bod dynol mewn deg afatar, a'r mwyaf poblogaidd ac adnabyddus yw Krishna a Rama.

Shiva

Trydydd aelod y Trimurti yw Shiva sef duw dinistr. Rhaid deall hyn yng nghyd-destun dealltwriaeth gylchol Hindŵaeth o fywyd – i symud drwy'r ailenedigaethau dilynol rhaid i'r atman farw, ac mae marwolaeth yr un mor bwysig yng nghylch bywyd â genedigaeth. Fodd bynnag, mae Hindŵaeth hefyd yn ystyried Shiva yn greawdwr ar ôl dinistr.

Shiva yw un o dduwiau 'hynaf' Hindŵaeth. Mae rhai'n awgrymu bod gwareiddiad Dyffryn Indus yn ei addoli ar ffurf hynafol. Enw arall arno yw Mahadeva – Arglwydd yr Asgetigion, Rudra – Duw Stormydd, a Nataraja – Arglwydd y Ddawns sy'n rheoli symudiad y bydysawd. Ef yw duw atgenhedlu a chaiff ei addoli yn ffurf y linga, yr organ rhyw gwrywaidd.

Duw pethau croes yw Shiva – creawdwr a dinistriwr, hen ac ifanc, ffyrnig a mwyn ac fel Ardhanarishwara, yn ddyn ac yn fenyw.

Er bod Shiva i'w weld fwyaf aml fel y **lingam**, mae cynrychioliadau eiconograffig ar gael sy'n helpu'r ffyddloniaid i ddod yn nes at Dduw. Yr enwocaf o'r rhain yw Shiva Nataraja – Arglwydd y Ddawns sy'n ei ddangos yn dawnsio ar ben ellyll fel symbol ei fod wedi gorchfygu drygioni, wedi'i amgylchynu â phethau sy'n cynrychioli ei rym dinistriol – y neidr, y tryfer a'r fflam. Cynrychioliad cyffredin arall o Shiva yw Shiva Mahayogi sy'n ei ddangos fel sannyasin yn ymroi i fywyd o fyfyrio. Mae hefyd i'w weld fel Shiva Bhairava – agwedd gythreulig Shiva.

Cydymaith Shiva yw Devi, y fam dduwies, a'i gerbyd yw'r tarw gwyn fel yr eira – Nandi. Mae'r tarw yn symbol o ysfa rywiol mae Shiva yn ei rheoli. Mae nifer o nodweddion trawiadol gan Shiva – mae'n eistedd ar groen teigr, i ddangos ei fod uwchlaw a thu hwnt i unrhyw fath o rym; mae'n gwisgo mwclis cobra i ddangos ei fod y tu hwnt i rym marwolaeth; ar ei ben mae'n gwisgo cilgant lleuad y pumed diwrnod i ddangos grym aberthu; mae ganddo wallt hir matiog sy'n dangos ei fod yn Dduw'r Gwynt, Vayu; mae'r **Ganga** (Ganges) sanctaidd yn llifo o'i wallt; mae ei drydedd llygad yn dangos ei natur hollwybodus; mae ei dryfer yn cynrychioli tair agwedd y Trimurti.

Shiva â thryfer/asgetig

cwestiwn cyflym

2.6 Nodwch ddwy ffordd o addoli Vishnu.

Nodweddion allweddol Vaishnaviaeth a Shaiviaeth fel traddodiadau crefyddol

Cynnwys y fanyleb

Nodweddion allweddol Vaishnaviaeth a Shaiviaeth fel traddodiadau crefyddol.

Vaishnaviaeth

Cangen o Hindŵaeth sy'n addoli Vishnu neu un o'i afatarau fel Goruchaf Dduw yw Vaishnaviaeth. Mae'r weithred o addoli Vishnu yn mynd yn ôl i'r cyfnod Vedaidd ac mae'n fonotheistig yn bennaf ag agweddau a allai fod yn rhai pantheistig. Mae Vaishnaviaid yn credu bod pob duw arall yn gwasanaethu Vishnu.

Mae sawl nodwedd i Vaishnaviaeth. Mae'n ddefosiynol iawn ei natur ac yn pwysleisio pwysigrwydd ymroddiad llwyr i Vishnu neu ei afatarau a hefyd agweddau personol Duw. Yn ôl Emily Baker 'Agwedd bwysig ar Vaishnaviaeth yw ei bod yn pwysleisio Duw fel rhywun y gallwch gael perthynas bersonol ag ef'. Maen nhw'n credu bod Duw a'r enaid ar wahân i'w gilydd.

Eu prif nod yw cyflawni moksha, sydd ddim ond yn bosibl ar ôl marwolaeth pan fydd yr enaid yn ymuno â chorff Vishnu, fel rhan ohono ond gan gadw ei bersonoliaeth unigol. Vishnu yw enaid y bydysawd. I Vaishnaviaid, y llwybr uchaf at gyflawni moksha yw llwybr bhakti sy'n caniatáu i ffyddloniaid gyfathrebu â Vishnu a chael ei ras. Yr ysgrythurau Vaishnavaidd pwysicaf yw'r Vedau a'r Puranau ac mae addoli Vaishnavaidd yn llawn dawnsio llesmeiriol a llafarganu.

Termau allweddol

Ganga: afon Ganges yn ogystal â duwies Ganges

Lingam: Cynrychioliad mwyaf cyffredin Shiva – y symbol ffalig

Shaiviaeth

Shaiviaeth yw'r gangen o Hindŵaeth sy'n addoli Shiva fel Goruchaf Dduw. Yn ôl Gavin Flood, 'mae ffurfio traddodiadau Shaiviaeth fel rydyn ni'n eu deall yn dechrau digwydd yn ystod y cyfnod rhwng 200 CCC a 100 OCC'. Mae Shaiviaid yn cydnabod bodolaeth duwiau eraill ond dim ond fel mynegiant o'r Goruchaf Dduw. Gelwir hyn yn Theistiaeth Fonistig. Mae Shaiviaid yn credu ei bod yn amhosibl cyfyngu Duw i unrhyw ffurf neu gorff. Dyna pam maen nhw'n addoli Shiva yn aml ar ffurf linga sy'n symbol o'r bydysawd cyfan.

Dyfyniad allweddol

Er ei fod yn dduwdod cymhleth iawn i'w ddeall, Shiva yw un o'r rhai mwyaf diddorol. Mae ei ffyddloniaid yn ei weld fel Brahman, yr Absoliwt. Dydy hi ddim yn anodd gweld pam, oherwydd fel mae pob peth dirgroes wedi'u huno yn yr Absoliwt sydd heb ei amlygu ei hun, felly hefyd maen nhw wedi'u huno yn y Shiva sydd wedi'i amlygu ei hun. (Fowler)

cwestiwn cyflym

2.7 Nodwch bum nodwedd Shiva.

cwestiwn cyflym

2.8 Nodwch dri gwahaniaeth rhwng Vaishnaviaeth a Shaiviaeth.

Mae Shaiviaeth yn ei natur yn ddwfn, yn ddefosiynol ac yn gyfriniol. Mae hefyd yn draddodiad amrywiol iawn. Nod Shaiviaid yw torri cylch genedigaeth, marwolaeth ac ailenedigaeth i gyflawni moksha. Yn y gorffennol roedd gwrthdaro rhwng Shaiviaeth a Vaishnaviaeth ond heddiw mae mwy o drafod a deialog rhyngddyn nhw.

Mae sawl nodwedd i Shaiviaeth. Mae Shaiviaeth yn gosod pwyslais mawr ar rannau o'r Vedau fel Rudram a Chamakam, rhannau sy'n canmol Shiva yn benodol. Mae Shaiviaid yn addoli Shiva mewn dwy ffurf – fel linga ac ar ffurf ddynol. Rhan bwysig arall o addoli Shiva yw lludw sanctaidd – mae Shaiviaid yn trochi Shiva ynddo ac yn gwisgo'r lludw ar eu talcen a rhannau eraill o'r corff fel nod o barch a pharchedigaeth. Rhan bwysig arall o addoli Shaivaidd yw'r sill sanctaidd 'Aum' a'r gair pum sill Na-ma-si-va-ya. Mae'r Shaiviaid yn ystyried bod hwn yn sanctaidd a'i bod yn ddyletswydd arnyn nhw ei ailadrodd sawl gwaith.

Dyfyniadau allweddol

Rydyn ni ar ddiwedd y cylch. Rydych chi i gyd yn gwybod hynny ers eich plentyndod. Yn rhaniad Hindŵaidd yr oesoedd, dyma Kali Yuga, yr oes dywyll. Ar ddiwedd cylch, mae Vishnu yn ymgnawdoli fel person. Vishnu yw'r agwedd honno ar Dduw sy'n cadw ac yn diogelu bywyd. Pan mae Vishnu yn gadael, mae Shiva yn dod. (Frederick Lenz)

Mewn Hindŵaeth, Shiva y Dawnsiwr Cosmig yw, efallai, personoliad mwyaf perffaith y bydysawd dynamig. Drwy ei ddawns, mae Shiva yn cynnal y ffenomenâu niferus yn y byd, gan uno pob peth drwy eu trochi yn ei rythm a gwneud iddyn nhw gymryd rhan yn y ddawns – delwedd ysblennydd o undod dynamig y Bydysawd. (Fritjof Capra)

Shiva lingam

Shiva nataraja

Gweithgaredd AA1

Ar gardiau adolygu bach gwnewch grynodebau o gredoau ac arferion allweddol Vaishnaviaeth a Shaiviaeth. Bydd hyn yn eich helpu i ddewis a chofio set graidd o bwyntiau i ddatblygu ateb i esbonio prif nodweddion a gwahaniaethau pob traddodiad. Bydd hyn hefyd yn sicrhau eich bod yn gwneud 'defnydd cywir o iaith a geirfa arbenigol yn eu cyd-destun' (disgrifydd band 5 AA1).

Awgrym astudio

Gwnewch yn siŵr eich bod bob amser yn ateb y cwestiwn a osodwyd, gan roi sylw arbennig i eiriau allweddol. Bydd hyn yn sicrhau bod gennych y siawns orau o roi 'ateb helaeth a pherthnasol sy'n bodloni gofynion penodol y cwestiwn a osodwyd' (disgrifydd band 5 AA1).

Datblygu sgiliau AA1

Nawr mae'n bryd ystyried y wybodaeth sydd wedi'i chyflwyno hyd yma. Hefyd mae'n bwysig ystyried sut mae'r hyn rydych chi wedi'i ddysgu hyd yma'n gallu cael ei ddefnyddio ar gyfer atebion arholiad drwy ymarfer y sgiliau sy'n gysylltiedig ag AA1.

Mae Amcan Asesu 1 (AA1) yn ymwneud â dangos gwybodaeth a dealltwriaeth. Mae'r termau 'gwybodaeth' a 'dealltwriaeth' yn amlwg ond mae'n hanfodol eich bod yn gyfarwydd â sut mae sgiliau penodol yn dangos y rhain, a hefyd, sut bydd eich perfformiad ym mhob un o'r sgiliau hyn yn cael ei fesur (gweler disgrifyddion band cyffredinol Band 5 ar gyfer AA1 UG).

▶ **Dyma eich tasg newydd:** isod mae ateb cryf a gafodd ei ysgrifennu'n ymateb i gwestiwn sy'n gofyn am archwilio nodweddion allweddol Vaishnaviaeth a Shaiviaeth. Gan ddefnyddio'r disgrifyddion band, gallwch ei gymharu â'r bandiau uwch perthnasol a disgrifyddion y bandiau hynny. Yn amlwg, mae'n ateb cryf ac felly nid yw'n perthyn i fandiau 1–3. Er mwyn gwneud hyn, bydd yn ddefnyddiol i chi ystyried beth sy'n dda am yr ateb a beth sy'n gywir. Mae'r dadansoddiad sy'n cydfynd â'r ateb yn rhoi cliwiau ac awgrymiadau i'ch helpu chi. Wrth ddadansoddi cryfderau'r ateb, gweithiwch mewn grŵp a meddyliwch am bum peth sy'n gwneud yr ateb hwn yn un da. Efallai fod gennych fwy na phum sylw ac yn wir awgrymiadau i wneud iddo fod yn ateb perffaith!

Ateb

Vaishnaviaeth yw un o ddau brif enwad Hindŵaeth ac mae ei dilynwyr yn addoli Vishnu neu un o'i afatarau fel Goruchaf Dduw. Maen nhw'n credu bod pob duw arall yn gwasanaethu Vishnu. Mae Vaishnaviaeth yn draddodiad fonotheistig yn bennaf ond mae iddi agweddau a allai fod yn bantheistig. Mae tua hanner Hindŵiaid y byd yn Vaishnaviaid. 1

Mae sawl nodwedd allweddol i Vaishnaviaeth. Yr ysgrythurau Vaishnavaidd pwysicaf yw'r Vedau a'r Puranau. Mae'n draddodiad defosiynol iawn, yn pwysleisio agweddau personol Duw ac ymroddiad llwyr i Vishnu neu ei afatarau. Mae Vaishnaviaid yn credu bod Duw a'r enaid ar wahân i'w gilydd a'u prif nod yw moksha, sef rhyddhad o gylch samsara. Dim ond ar ôl marwolaeth mae'n bosibl cyflawni hyn pan fydd yr enaid yn uno â chorff Vishnu fel rhan ohono ond gan gadw ei bersonoliaeth unigol. Mae Vaishnaviaid yn credu mai'r llwybr uchaf at gyflawni moksha yw llwybr bhakti. Mae cynnal bhakti yn bwysig iawn i Vaishnaviaid oherwydd mae'n fodd o gael gras Vishnu. 2

Mae addoli Vaishnavaidd yn llawn dawnsio llesmeiriol a llafarganu enwau sanctaidd fel Rama a Krishna. Mae addoli mewn temlau a gwyliau yn bwysig iawn ac yn cael eu cyflawni'n rhodresgar iawn. 3

Shaiviaeth yw'r prif enwad arall mewn Hindŵaeth. Mae dilynwyr Shaiviaeth yn addoli Shiva fel Goruchaf Dduw. Mae'n bosibl eu disgrifio fel Theistiaid Monistig am eu bod yn cydnabod bodolaeth duwiau eraill ond fel mynegiannau o'r Goruchaf Dduw. Maen nhw'n credu does dim modd cyfyngu Duw mewn un ffurf neu gorff. Mae'n enwad dwfn, defosiynol a chyfriniol mewn Hindŵaeth sy'n cynnwys llawer o amrywiaeth o ran syniadau, defodau, chwedlau a thraddodiadau. 4

Mae Shaiviaid yn credu mai Shiva yw Goruchaf Dduw y Trimurti. Felly maen nhw'n rhoi pwyslais mawr ar rannau penodol o'r Vedau fel Rudram a Chamakam, rhannau sy'n canmol Shiva. 5

Yn gyffredinol mae dilynwyr Shiva yn ei addoli ar ddwy ffurf – fel linga ac ar ffurf ddynol. Maen nhw'n addoli cydymaith Shiva, Parvati a'i feibion Ganapathi a Murugan hefyd. Mae addoli'n gallu digwydd yn y cartref neu yn y temlau niferus sydd wedi'u cysegru i Shiva, a'r mwyaf sanctaidd yw teml Nataraja yn

Sgiliau allweddol

Mae gwybodaeth yn ymwneud â:

Dewis ystod o wybodaeth (drylwyr) gywir a pherthnasol sydd â chysylltiad uniongyrchol â gofynion penodol y cwestiwn.

Mae hyn yn golygu eich bod yn dewis y wybodaeth gywir sy'n berthnasol i'r cwestiwn a osodwyd NID y maes pwnc. Bydd angen i chi feddwl a chanolbwyntio ar ddewis gwybodaeth allweddol ac NID ysgrifennu popeth yr ydych chi'n ei wybod am y maes pwnc.

Mae dealltwriaeth yn ymwneud ag:

Esboniad helaeth, gan ddangos dyfnder a/neu ehangder gyda defnydd rhagorol o dystiolaeth ac enghreifftiau gan gynnwys (lle y bo'n briodol) defnydd trylwyr a chywir o destunau cysegredig, ffynonellau doethineb a geirfa arbenigol.

Mae hyn yn golygu y gallwch ddangos eich bod yn deall rhywbeth drwy egluro ac ehangu eich pwyntiau gan ddefnyddio enghreifftiau/tystiolaeth gefnogol mewn ffordd bersonol ac NID ailadrodd darnau o werslyfr (sef dysgu ar y cof).

Cymhwyso sgiliau ymhellach:

Ewch drwy'r meysydd pwnc yn yr adran hon a lluniwch rai rhestri bwled o bwyntiau allweddol o feysydd allweddol. Ar gyfer pob un, rhowch fwy o fanylion ac esboniwch fwy drwy ddefnyddio tystiolaeth ac enghreifftiau.

Tamilnadu. Mae gan Shaiviaid eilunod o gerrig Salagramam naturiol ar siâp linga ac maen nhw'n cynnig blodau a bwyd i'r rhain wrth iddyn nhw addoli. Mae lludw sanctaidd hefyd yn rhan bwysig o addoli Shiva. Mae Shaiviaid yn trochi Shiva yn y lludw ac yn gwisgo'r lludw ar eu talcen a rhannau eraill o'r corff fel nod o barch a pharchedigaeth. **6**

Rhan bwysig arall o addoli Shiva yw'r sill sanctaidd 'Aum', a hefyd y gair pum sill Na-ma-si-va-ya. Mae hwn yn sanctaidd i Shaiviaid. Mae'r rhain yn credu ei bod yn ddyletswydd arnyn nhw i'w ailadrodd sawl tro. **7**

Mae gwrthdaro wedi bod rhwng Vaishnaviaeth a Shaiviaeth ond erbyn heddiw mae mwy o drafod a deialog rhynddyn nhw. **8**

Awgrymiadau

1. Rhagarweiniad? Diffiniad?
2. Credoau.
3. Arferion.
4. Diffiniad a chredoau.
5. Cyfeiriad at destunau sanctaidd.
6. Gwybodaeth? Enghreifftiau? Datblygiad?
7. Defnyddio geirfa arbenigol.
8. Crynodeb.

Awgrymiadau a gwblhawyd

1. Cyflwyniad da i Vaishnaviaeth a Shaiviaeth gyda diffiniadau cryno.
2. Yn amlinellu prif nodweddion Vaishnaviaeth a'r prif gredoau yn glir.
3. Esboniad byr o nodweddion allweddol arferion Vaishnaviaeth.
4. Gwybodaeth a dealltwriaeth dda o gredoau allweddol Shaiviaeth.
5. Cyfeirio'n gryno at gredoau Shaiviaeth o ran testunau sanctaidd.
6. Datblygu'r ateb yn dda gydag enghreifftiau ac esboniad o'r berthynas rhwng cred ac arferion mewn Shaiviaeth.
7. Yn defnyddio termau a geirfa allweddol yn hyderus.
8. Crynodeb da, os byr, i orffen yr ateb.

Materion i'w dadansoddi a'u gwerthuso

Mae'r adran hon yn cwmpasu cynnwys a sgiliau AA2

Cynnwys y fanyleb

Pwysigrwydd cymharol Trimurti mewn Hindŵaeth o'i gymharu â'r cysyniadau eraill a astudiwyd.

Pwysigrwydd cymharol Trimurti mewn Hindŵaeth o'i gymharu â'r cysyniadau eraill a astudiwyd

Mae llawer o gysyniadau mewn Hindŵaeth, a phob un yn gysylltiedig â'i gilydd rywsut. Mae'n anodd gwerthuso yng nghyd-destun crefydd pa gysyniadau, os o gwbl, sy'n bwysicach nag eraill.

Mae cysyniad Trimurti yn gysyniad pwysig iawn mewn Hindŵaeth a dyma'r sail i ddeall llawer o'r cysyniadau eraill yn y grefydd. Mae'r Trimurti'n mynegi'r cysyniad o Dduw mewn Hindŵaeth. Duwiau'r Trimurti yw'r tair agwedd ar ynni Brahman sy'n rhoi bywyd. Dyma'r tri amlygiad gwahanol ar Realiti Goruchaf ac Eithaf Brahman, yr absoliwt amhersonol. Byddai llawer yn dadlau ei bod yn anodd ffurfio perthynas â duw amhersonol a'i addoli a bod y cysyniad o'r Trimurti yn helpu i orchfygu'r problemau hyn. Mae'r cysyniad hefyd yn cynrychioli egnïon creadigaeth, cynnal cytgord a threfn, dinistrio ac ail-greu pob agwedd ar y bydysawd materol – Brahma'r creawdwr, Vishnu y cynhaliwr a Shiva'r dinistriwr a'r ail-grëwr. Mae cysyniad y Trimurti hefyd yn helpu Hindŵiaid i ddeall cylch genedigaeth, marwolaeth ac aileni nid dim ond yng nghyd-destun bodolaeth ddynol ond hefyd yn nhermau'r bydysawd ei hun.

Mae nodweddion penodol pob un o'r duwdodau yn y Trimurti hefyd yn mynegi'r cysyniad o Dduw. Mae hyn yn helpu Hindŵiaid i ddeall cysyniad Saguna Brahman – Brahman â nodweddion neu rinweddau.

Mae Brahma yn dangos pwerau creadigol Brahman. Dangosir Brahma fel duwdod â phedwar pen yn wynebu'r pedwar pwynt prifol i ddangos ei fod yn greawdwr ym mhob cyfeiriad. Symbol o bwerau ei wybodaeth oruchaf yw'r ddelwedd ohono â phedair llaw yn dal yr ysgrythurau sanctaidd, lletwad a phot o ddŵr.

Mae Vishnu yn mynegi cynhaliaeth a chadwraeth cytgord a threfn gosmig a grymoedd daioni ar y ddaear. Yn aml mae i'w weld yn lledorwedd ar gefn sarff â mil o bennau, sy'n cynrychioli amser cosmig diddiwedd neu annherfynol. Mae'n treiddio i bopeth ac ef yw'r grym sy'n achosi popeth i fodoli. Mae'n mynegi ystyr cysyniad yr afatar – duwdod yn disgyn i'r ddaear mewn ffurfiau gwahanol o anifeiliaid neu fodau dynol i adfer daioni, dinistrio drygioni a sefydlu cytgord.

Mae Shiva yn cynrychioli pwerau dinistr a chreadigaeth. Mae'r drwm yn cynrychioli rhythm bywyd. Mae tân yn ei amgylchynu ac mae'n rheoli grymoedd dinistr.

Mae llawer hefyd yn credu bod y Trimurti hefyd yn cynrychioli gwahanol gyfnodau mewn bywyd rhywun ac felly'n helpu i esbonio'r ashramas. Mae Brahma yn cynrychioli cyfnod y myfyriwr, Vishnu yw cyfnod y penteulu a Shiva yw'r cyfnod ymddeol mewn bywyd. Mae'r Trimurti, er eu bod yn wrywaidd ei natur, hefyd yn mynegi cysyniad egni Shakti – Saraswati yw cydymaith Brahma, Lakshmi yw cydymaith Vishnu a Parvati yw cydymaith Shiva.

Fodd bynnag, er bod cysyniad y Trimurti'n bwysig iawn, byddai llawer yn dadlau bod cysyniadau eraill o fewn Hindŵaeth sydd yr un mor bwysig os nad yn bwysicach. Byddai rhai'n cyfeirio at gysyniad yr atman a phwysigrwydd ei berthynas â Brahman. Byddai eraill yn awgrymu cysyniadau karma ac ailymgnawdoliad oherwydd eu dylanwad ar ymddygiad Hindŵiaid yn y bywyd presennol. Cysyniad y byddai llawer yn ei ystyried yn sylfaenol bwysig mewn Hindŵaeth yw Varnashramadharma (dyletswydd yn ôl eich grŵp cymdeithasol a chrefyddol) oherwydd ei ddylanwad ar bob agwedd ar fywyd Hindŵ. Mewn gwirionedd, mae llawer wedi dadlau mai Varnashramadharma yw Hindŵaeth.

Mae'n anodd iawn rhannu crefydd yn flychau bach taclus oherwydd mae pob cysyniad yn gysylltiedig â'i gilydd rywsut. Felly mae'n dasg anodd os nad yn amhosibl penderfynu a yw'r cysyniadau hyn yn fwy neu'n llai pwysig na'i gilydd.

Gweithgaredd AA2 ***Dadleuon posibl***

Wedi'u rhestru isod mae rhai casgliadau y byddai'n bosibl dod iddyn nhw ar sail rhesymeg AA2 yn y testun cysylltiedig:

1. Mae'n anodd gwerthuso'r naill gysyniad yn erbyn y llall o ran pwysigrwydd.
2. Mae cysyniad y Trimurti yn bwysig iawn mewn mynegi credoau Hindŵaidd am Brahman.
3. Mae cysyniad y Trimurti yn mynegi credoau pwysig am gyfnodau bywyd ac egni Shakti.
4. Gellid dadlau bod cysyniad karma ac ailymgnawdoliad yn fwy pwysig.
5. Byddai llawer yn dadlau mai Varnashramadharma yw cysyniad pwysicaf Hindŵaeth.

Ystyriwch bob un o'r casgliadau sy'n cael eu gwneud uchod a chasglwch dystiolaeth ac enghreifftiau i gefnogi pob dadl o'r deunydd AA1 ac AA2 a astudiwyd yn yr adran hon. Dewiswch un casgliad sy'n argyhoeddi fwyaf yn eich barn chi ac esboniwch pam mae hyn yn wir. Nawr cyferbynnwch hyn â'r casgliad gwannaf ar y rhestr, gan gyfiawnhau eich dadl gyda rhesymu clir a thystiolaeth.

Cynnwys y fanyleb

A ellir ystyried Vaishnaviaeth a Shaiviaeth yn grefyddau ynddyn nhw eu hunain.

A ellir ystyried Vaishnaviaeth a Shaiviaeth yn grefyddau ynddyn nhw eu hunain

Dywedodd Vivekananda 'Nid nad yw Shiva yn well na Vishnu, na Vishnu yn bopeth a Shiva yn ddim byd, ond mai'r un yw â'r un rydych chi'n ei alw naill ai'n Shiva neu'n Vishnu, neu'n gannoedd o enwau eraill.' Aeth yn ei flaen i ddisgrifio'r sefyllfa ganlynol – 'Ar un adeg, yn India, daeth cynrychiolwyr sectau gwahanol at ei gilydd a dechrau dadlau. Dywedodd un mai'r unig Dduw oedd Shiva; dywedodd un arall mai'r unig Dduw oedd Vishnu, ac yn y blaen; a doedd dim diwedd i'w trafodaeth. Roedd gŵr doeth yn teithio'r ffordd honno a chafodd wahoddiad gan y rhai a oedd yn dadlau i benderfynu ar y mater. Yn gyntaf gofynnodd i'r dyn a oedd yn honni mai Shiva oedd y Duw mwyaf, "Wyt ti wedi gweld Shiva? Wyt ti'n Ei adnabod? Os nad wyt ti, sut wyt ti'n gwybod mai Ef yw'r Duw mwyaf?" Gan droi at yr un a addolai Vishnu, holodd "Wyt ti wedi gweld Vishnu?" Ac ar ôl gofyn y cwestiwn hwn i bawb, canfu nad oedd neb yn gwybod dim byd am Dduw. Dyna pam roedden nhw'n dadlau cymaint, oherwydd pe bydden nhw'n gwybod go iawn, fydden nhw ddim yn dadlau. Wrth lenwi jar â dŵr, mae'n gwneud sŵn, ond pan mae'n llawn, does dim sŵn. Felly mae'r dadlau a'r ymladd hwn ymhlith y sectau'n dangos dydyn nhw ddim yn gwybod dim am grefydd. Iddyn nhw, dydy crefydd yn ddim mwy na chasgliad o eiriau gwag, i'w hysgrifennu mewn llyfrau. Mae pawb yn brysio i ysgrifennu llyfr mawr, a'i wneud mor fawr â phosibl, gan ddwyn ei ddeunydd o bob llyfr y gall ddod o hyd iddo, heb fyth gydnabod ei ddyled. Yna mae'n cyflwyno'i lyfr i'r byd, gan ychwanegu at yr aflonyddwch sydd yno eisoes.'

Mae Hindŵaeth yn grefydd amrywiol iawn o ran cred ac arferion ac yn amrywio o'r naill ranbarth i'r llall. Mae'n amhosibl cynnwys Hindŵaeth yn unrhyw system o gredoau – monotheistig, pantheistig, henotheistig neu fonistig. Mae'n bosibl disgrifio Hindŵaeth fel pob un o'r rhain neu ddim un o'r rhain. Monotheistiaeth yw'r gred mewn un Duw hollgyffredinol. Mae Duw'n bersonol, mae'n dangos nodweddion a ffurf ac yn gweithredu. O fewn Hindŵaeth, gellid dadlau bod Vaishnaviaeth sy'n ystyried Vishnu yn Dduw a Shaiviaeth sy'n ystyried Shiva yn Dduw, yn fonotheistig. Monotheistiaeth yw'r gred bod popeth wedi'i wneud o un hanfod angenrheidiol – atman. Mae'r enaid yn un â Duw ym mhob ystyr ac mae'r duwdodau niferus yn agweddau ar y byd-enaid di-ffurf, holldreiddiol, Brahman. Henotheistiaeth yw ymroddiad i un Duw ond derbyn bodolaeth duwiau eraill. Polytheistiaeth yw credu mewn duwiau niferus neu eu haddoli.

Mae llawer o bobl wedi dadlau does dim modd ystyried Hindŵaeth fel un grefydd ac y byddai'n fwy cywir cyfeirio at Hindŵaethau. Yn y cyd-destun hwn mae llawer yn dadlau nad yw Vaishnaviaeth na Shaiviaeth yn enwadau nac yn draddodiadau o fewn Hindŵaeth ond yn grefyddau yn eu hawl eu hunain. Fel y nodwyd uchod gallwn eu hystyried yn fonotheistig – maen nhw'n ymroi'n llwyr i un duw a chaiff dilynwyr Vishnu a Shiva eu hadnabod wrth enw eu duw perthnasol. Mewn gwirionedd, mae llawer nad ydyn nhw'n cydnabod unrhyw dduwiau eraill. Maen nhw'n cyfeirio atyn nhw eu hunain fel Vaishnaviaid a Shaiviaid yn hytrach na Hindŵiaid.

O ran defodau, gwyliau ac arferion, mae Vaishnaviaeth a Shaiviaeth yn wahanol iawn i'w gilydd, â'u traddodiadau penodol eu hunain. Mae ganddyn nhw eu temlau eu hunain hefyd, wedi'u cysegru i Vishnu a Shiva yn eu tro. Mae tensiwn wedi bod rhyngddyn nhw, tensiwn oedd yn debycach i'r tensiwn rhwng crefyddau gwahanol na rhwng traddodiadau o fewn yr un grefydd.

Fodd bynnag byddai llawer yn cyfeirio at Hindŵaeth fel traddodiad hollgynhwysol ag amrywiaeth eang o ran credoau, arferion a defodau. Bydden nhw'n cyfeirio at y ffaith bod Hindŵiaid yn credu mewn un Goruchaf Dduw, Brahman, a bod Shiva a Vishnu yn amlygiadau o Brahman fel mae pob duwdod arall o fewn Hindŵaeth. Bydden nhw'n dadlau mai addoli Brahman yw addoli Vishnu a Shiva yn y pen draw a bod Shaiviaeth a Vaishnaviaeth yn llwybrau gwahanol at Brahman. Yn yr ystyr hwn felly, mae holl ddilynwyr Vishnu a Shiva yn Hindŵiaid.

Gweithgaredd AA2 ***Dadleuon posibl***

Wedi'u rhestru isod mae rhai casgliadau y byddai'n bosibl dod iddyn nhw ar sail rhesymeg AA2 yn y testun cysylltiedig:

1. Mae Hindŵaeth yn grefydd amrywiol iawn.
2. Mae'n amhosibl cynnwys Hindŵaeth yn unrhyw system o gredoau.
3. Mae'n bosibl dweud bod Vaishnaviaeth a Shaiviaeth yn fonotheistig.
4. Mae gan Vaishnaviaeth a Shaiviaeth eu goruchaf dduw, a'u defodau a'u harferion penodol eu hunain.
5. Amlygiadau o Brahman yw Vishnu a Shiva ac felly mae Vaishnaviaeth a Shaiviaeth yn llwybrau gwahanol at Brahman.

Ystyriwch bob un o'r casgliadau sy'n cael eu gwneud uchod a chasglwch dystiolaeth ac enghreifftiau i gefnogi pob dadl o'r deunydd AA1 ac AA2 a astudiwyd yn yr adran hon. Dewiswch un casgliad sy'n argyhoeddi fwyaf yn eich barn chi ac esboniwch pam mae hyn yn wir. Nawr cyferbynnwch hyn â'r casgliad gwannaf ar y rhestr, gan gyfiawnhau eich dadl gyda rhesymu clir a thystiolaeth.

Datblygu sgiliau AA2

Nawr mae'n bryd ystyried y wybodaeth sydd wedi'i chyflwyno hyd yma. Hefyd mae'n bwysig ystyried sut mae'r hyn rydych chi wedi'i ddysgu hyd yma'n gallu cael ei ddefnyddio ar gyfer atebion arholiad drwy ymarfer y sgiliau sy'n gysylltiedig ag AA2.

Mae Amcan Asesu 2 (AA2) yn ymwneud â 'dadansoddi' a 'gwerthuso'. Efallai fod ystyr y termau'n amlwg ond mae'n hanfodol eich bod yn gyfarwydd â sut mae sgiliau penodol yn dangos y rhain, a hefyd, sut bydd eich perfformiad ym mhob un o'r sgiliau hyn yn cael ei fesur (gweler disgrifyddion band cyffredinol Band 5 ar gyfer AA2 UG).

Yn amlwg mae ateb yn cael ei osod mewn disgrifydd band priodol, yn ôl pa mor dda yw'r ateb, gan amrywio o ragorol, da, boddhaol, sylfaenol/cyfyngedig i gyfyngedig iawn.

▶ **Dyma eich tasg:** isod mae ateb cryf a gafodd ei ysgrifennu'n ymateb i gwestiwn sy'n gofyn am werthusiad o bwysigrwydd cymharol cysyniad y Trimurti mewn Hindŵaeth. Gan ddefnyddio'r disgrifyddion band, gallwch ei gymharu â'r bandiau uwch perthnasol a disgrifyddion y bandiau hynny. Yn amlwg, mae'n ateb cryf ac felly nid yw'n perthyn i fandiau 1–3. Er mwyn gwneud hyn, bydd yn ddefnyddiol i chi ystyried beth sy'n dda am yr ateb a beth sy'n gywir. Mae'r dadansoddiad sy'n cydfynd â'r ateb yn rhoi cliwiau ac awgrymiadau i'ch helpu chi. Wrth ddadansoddi cryfderau'r ateb, gweithiwch mewn grŵp a meddyliwch am bum peth sy'n gwneud yr ateb hwn yn un da. Efallai fod gennych fwy na phum sylw ac yn wir awgrymiadau i wneud iddo fod yn ateb perffaith!

Ateb

Mae llawer o gysyniadau pwysig mewn Hindŵaeth sy'n dylanwadu ar fywydau Hindŵiaid, cysyniadau fel karma ac ailymgnawdoliad a Varnashramadharma. Fodd bynnag byddai llawer yn dadlau mai'r cysyniad pwysicaf yw'r Trimurti. 1

Mae'r Trimurti yn gysyniad sy'n mynegi'r gred mewn Duw personol – Saguna Brahman. Mae'r gred mewn Duw personol yn arwyddocaol iawn i Hindŵiaid oherwydd maen nhw'n rhoi pwyslais mawr ar dduwdodau personol a'u swyddogaeth yn eu bywydau pob dydd. Mae'r mathau mwyaf poblogaidd o addoli fel puja dyddiol yn y cartref yn seiliedig ar dduwdod personol. 2

Rheswm arall dros bwysigrwydd cysyniad y Trimurti yw ei fod yn mynegi'r gred bod perthynas bersonol â Duw yn bosibl. Y berthynas bersonol hon yw sail puja dyddiol ac addoli bhakti. 3

Y cysyniad hwn hefyd yw sail dau brif draddodiad Hindŵaeth, Vaishnaviaeth a Shaiviaeth. Mae Vaishnaviaeth yn seiliedig ar gredoau am Vishnu fel Goruchaf Dduw y Trimurti a Shaiviaeth ar y credoau am Shiva fel Goruchaf Dduw y Trimurti. Mae'r cysyniad hefyd yn cynrychioli cred Hindŵaidd am natur bywyd, cylch samsara a'r llwybr i ryddhad. 4

Byddai llawer yn dadlau bod cysyniad y Trimurti yn cynnwys sail holl gredoau Hindŵaeth oherwydd mae'n golygu credu yn Brahman fel creawdwr a chynhaliwr y cosmos a holl fywyd.

Fodd bynnag, byddai eraill yn dadlau bod cysyniadau a chredoau pwysig eraill mewn Hindŵaeth. Un cysyniad o'r fath yw cyflawni undod â Brahman, sef nod eithaf Hindŵ. Byddai rhai'n dadlau dros gysyniad karma ac ailymgnawdoliad sy'n dylanwadu'n gryf ar ymddygiad moesol. 5

Sgiliau allweddol

Mae dadansoddi'n ymwneud â nodi materion sy'n cael eu codi gan y deunyddiau yn adran AA1, ynghyd â'r rhai a nodwyd yn adran AA2, ac mae'n cyflwyno safbwyntiau cyson a chlir, naill ai gan ysgolheigion neu safbwyntiau personol, yn barod i'w gwerthuso.

Mae hyn yn golygu ei fod yn nodi pethau allweddol i'w trafod a'r dadleuon sy'n cael eu cyflwyno gan eraill neu o safbwynt personol.

Mae gwerthuso'n ymwneud ag ystyried goblygiadau amrywiol y materion sy'n cael eu codi, yn seiliedig ar y dystiolaeth a gafwyd wrth ddadansoddi ac mae'n rhoi dadl fanwl eang gyda chasgliad clir.

Mae hyn yn golygu bod yr ateb yn pwyso a mesur y dadleuon amrywiol a gwahanol a gafodd eu dadansoddi drwy roi sylwadau ac ymateb unigol, gan ddod i gasgliad drwy broses rhesymu clir.

Mae llawer o Hindŵiaid yn ystyried mai Varnashramadharma yw'r gred bwysicaf, a llawer yn ystyried y gred hon yn ddiffiniad o Hindŵaeth. Gallai Hindŵiaid eraill ystyried bod y credoau am y berthynas rhwng Brahman ac atman yn arbennig o bwysig, ond mae eraill yn dadlau bod cysyniad ahimsa yn dylanwadu'n fawr ar ffordd Hindŵ o fyw. Byddai llawer yn dadlau bod pob cred yn bwysig ac na ddylid ystyried un gred ar ei phen ei hun, ond yng nghyd-destun y grefydd gyfan. **6**

Awgrymiadau

1. Rhagarweiniad.
2. Tystiolaeth.
3. Tystiolaeth.
4. Ehangu/datblygu
5. Dewis amgen ac ehangu.
6. Casgliad cytbwys.

Awgrymiadau a gwblhawyd

1. Gosod dull i drafod y mater.
2. Nodi rheswm dros gefnogi gyda thystiolaeth ac yna'n cysylltu â'r paragraff cyntaf.
3. Ymdrin â phwysigrwydd y Trimurti.
4. Ehangiad arall ar y ddadl uchod yn defnyddio tystiolaeth o ffynhonnell wahanol eto.
5. Cyflwyno gwrth-ddadl gyda rhesymu da.
6. Casgliad da sy'n gryno ond yn annibynnol o ran barn ac sy'n ymateb yn glir i'r dystiolaeth uchod. Er ei fod ychydig yn anghytbwys o ran y ddadl a'r dystiolaeth mae'n dal i fod yn ateb da er y gellid gwneud mwy â'r casgliad byr iawn.

C: Egwyddorion moesol allweddol – karma ac ailymgnawdoliad

Karma yng nghyd-destun samsara a phwysigrwydd trefn dragwyddol a hollgyffredinol

Ym meddwl yr Hindŵ mae karma yn golygu gweithredu a ffrwyth gweithredu, a dyma'r grym sy'n sbarduno **ailymgnawdoliad**. Dyma egwyddor achos ac effaith ac mae'n adlewyrchu natur y bydysawd – rhaid talu unrhyw weithgaredd yn ôl. Yn ôl Subhamoy Das, mae damcaniaeth karma yn cymharu ag egwyddor Newton bod pob gweithred yn cynhyrchu adwaith hafal a dirgroes. Bob tro y byddwn ni'n meddwl neu'n gwneud rhywbeth, rydyn ni'n creu achos, a fydd yn ei dro yn achosi effeithiau cyfatebol. Ac mae'r achos ac effaith cylchol yn cynhyrchu cysyniadau samsara (neu'r byd) a genedigaeth ac ailymgnawdoliad. Mae'n gweithredu ar sail foesegol – mae gweithred dda, yn feddyliol neu'n gorfforol, yn arwain at effaith dda a gall gweithred ddrwg arwain at effaith ddrwg.

Yn y grefydd Vedaidd, credir bod sefyllfa rhywun yn y bywyd hwn yn ganlyniad i karma mewn bywyd neu fywydau blaenorol, gan fod karma yn cronni drwy gydol bywydau ailymgnawdoledig rhywun. 'Yn ôl maint gweithredoedd crefyddol neu anghrefyddol rhywun yn y bywyd hwn, rhaid i rywun ddioddef ymatebion cyfatebol ei karma yn y bywyd nesaf.' (Bhagavat Purana 6.1.45). Dyna pam mae ailenedigaeth yn angenrheidiol – i waredu'r karma a gasglwyd mewn bywydau blaenorol. Fodd bynnag, cyn gynted ag y mae rhywun wedi'i aileni, mae gweithredoedd yn dilyn ac mae rhagor o karma yn cronni. Mae'r **ddyled karmig** yn cynyddu drwy gydol bywyd rhywun. Dyna pam mae karma yn aml yn cael ei ddisgrifio fel y gadwyn sy'n clymu pob atman wrth olwyn samsara. Mae ailymgnawdoliad yn broses negyddol oherwydd mae'r atman, â phob ymgnawdoliad, yn mynd yn ôl i sefyllfa o ddioddef. Felly mae samsara yn gylch mae'n rhaid dianc rhagddo.

Mae'n bosibl puro karma felly a'i wneud yn dda, gan arwain at alluogi'r atman i ddychwelyd i moksha i'w uno â Duw. Yn ôl James Shirley, 'dim ond gweithredoedd y cyfiawn sy'n perarogli ac yn blodeuo yn y llwch'.

Agweddau gwahanol ar karma (cronedig, ffrwythlon a karma ar y gweill) a'u dylanwad ar fathau o ailymgnawdoliad

Mae agweddau gwahanol ar karma sydd yn adweithiau a gaiff eu storio. Mae'r rhain yn pennu tynged pob enaid:

Sanchita karma – karma cronedig – yw'r croniad o karma o bob bywyd blaenorol a gaiff ei ddwyn ymlaen i'r bywyd presennol. Mae'n cronni dros gannoedd o enedigaethau ac mae fel mynydd, a phob bywyd yn ychwanegu at y storfa. Dyma'r ddyled karmig y mae angen ei dileu ar ryw adeg yn ystod bodolaeth i gyflawni rhyddhad.

Moksha Patamu (neu Moksha Chitram) yw'r gêm Indiaidd hynafol rydyn ni'n ei hadnabod fel 'nadroedd ac ysgolion'. Roedd moeseg y gêm yn apelio at bobl oes Fictoria, a gymerodd at y gêm pan gafodd ei chyhoeddi yn 1892 yn Lloegr. Yn y bôn, mae'n gêm o karma sy'n seiliedig ar foesoldeb. Mae ysgolion ar sgwariau sy'n cynrychioli gwahanol fathau o ymddygiad karmig cadarnhaol ac mae'r enillion cyfatebol ar frig yr ysgolion o ran ailymgnawdoliad. Yn amlwg, mae'r nadroedd yn dod o sgwariau sy'n cynrychioli gwahanol fathau o ymddygiad karmig negyddol a'r canlyniadau cyfatebol.

Y sgwariau ymddygiad karmig cadarnhaol yn y gêm wreiddiol yw Ffydd (12), Dibynadwyedd (51), Haelioni (57), Gwybodaeth (76), Asgetigiaeth (78); mae'r

Mae'r adran hon yn cwmpasu cynnwys a sgiliau AA1

Cynnwys y fanyleb

Karma yng nghyd-destun samsara a phwysigrwydd trefn dragwyddol a hollgyffredinol; agweddau gwahanol ar karma (cronedig, ffrwythlon a karma ar y gweill) a'u dylanwad ar fathau o ailymgnawdoliad.

Termau allweddol

Ailymgnawdoliad: yr enaid yn trawsfudo o'r naill gorff i'r llall ar ôl marwolaeth

Dyled karmig: karma sy'n cronni drwy gydol bywyd rhywun, sy'n cadwyno'r atman wrth olwyn samsara

Dyfyniad allweddol

Mae karma yn brofiad, ac mae profiad yn creu cof, ac mae cof yn creu dychymyg a dyhead, ac mae dyhead yn creu karma unwaith eto. Os wyf i'n prynu cwpanaid o goffi, mae hynny'n karma. Nawr mae'r atgof gen i a allai arwain at ddyheu am cappucino, ac rwy'n cerdded i mewn i Starbucks a dyna'r karma unwaith eto. **(Deepak Chopra)**

Moksha Patamu neu Nadroedd ac Ysgolion

Syniad allweddol

Karma

- Egwyddor achos ac effaith.
- Yn adlewyrchu natur y bydysawd.
- Rhaid ad-dalu unrhyw weithgaredd.
- Mae gweithredu da yn arwain at effaith dda.
- Mae gweithredu drwg yn arwain at effaith ddrwg.
- Mae sefyllfa rhywun mewn bywyd yn ganlyniad i karma mewn bywydau blaenorol.
- Mae ailenedigaeth yn hanfodol i gael gwared ar karma.
- Mae'n bosibl puro karma a gadael yr atman i gyflawni moksha.

Dyfyniad allweddol

Dydy pethau ddim yn digwydd ar hap yn y byd hwn o godi a marw. Dydyn ni ddim yn byw mewn bydysawd gwallgof, damweiniol. Mae pethau'n digwydd yn ôl cyfreithiau penodol, cyfreithiau natur. Cyfreithiau fel cyfraith karma sy'n ein haddysgu, wrth blannu hedyn penodol, dyna sut bydd y ffrwyth hwnnw. (Salzberg)

cwestiwn cyflym

2.9 Beth yw samsara?

Termau allweddol

Punya: teilyngdod

Varnashramadharma: dyletswydd yn ôl eich varna a'ch ashrama

sgwariau ymddygiad karmig negyddol yn cynnwys Anufudd-dod (41), Coegfalchder (44), Afledneisrwydd (49), Dwyn (52), Dweud celwydd (58), Meddwdod (62), Dyled (69), Llid (84), Trachwant (92), Balchder (95), Llofruddiaeth (73) a Chwant (99). Dyfeisiwyd y gêm fel cyfle da i addysgu plant sut mae karma yn gweithio. Ar y sgwariau da, mae chwaraewr yn cael esgyn i ffurfiau uwch o ailymgnawdoliad, ond mae'r sgwariau drwg yn anfon y chwaraewr yn ôl drwy ailymgnawdoliad i haenau is bywyd. Mae'r sgwâr olaf, 100, yn cynrychioli 'moksha', neu 'ddianc' rhag cylch ailymgnawdoliad. Yn Lloegr roedd y gêm yn dilyn yr egwyddorion gwreiddiol ond ailenwyd rhai o'r ymddygiadau cadarnhaol a negyddol yn ôl delfrydau oes Fictoria.

Mae'n bosibl cyrraedd moksha drwy arferion ysbrydol fel myfyrdod a'i ddileu drwy wybodaeth am Brahman a'i addasu drwy wneud gweithredoedd da.

Prarabdha karma – karma sy'n dwyn ffrwyth – dyma'r gyfran o karma cronedig sydd wedi aeddfedu ac sy'n ymddangos fel problem benodol yn y bywyd presennol. Dyma'r gyfran o karma a gaiff ei neilltuo i weithio arni yn y bywyd presennol. Mae'n ddyled sydd yn orddyledus a rhaid ei had-dalu. Dyma'r karma sy'n gyfrifol am bopeth mewn sefyllfa rhywun yn y bywyd presennol – corff, teulu, hil, cenedl a rhyw. Dywedodd Tulsidas, sant Hindŵaidd, 'Ffurfiwyd ein tynged ymhell cyn i'r corff ddod i fodolaeth'. Does dim modd ei osgoi na'i newid oherwydd mae eisoes yn digwydd – mae'n dwyn ffrwyth.

Agami karma – karma ar waith – mae agami yn llythrennol yn golygu 'heb ddod'. Dyma'r karma a fydd yn weithredol yn y dyfodol. Wrth i rywun geisio datrys karma'r gorffennol, mae'n anochel ei fod yn creu karma newydd mae'n bosibl neu amhosibl ei ddatrys yn y bywyd presennol. Os nad yw'n ei ddatrys, bydd yn ei storio i'w ddatrys mewn bywyd yn y dyfodol.

Mewn llenyddiaeth Vedaidd, mae cydweddiad sy'n ceisio esbonio'r tri math o karma a'u perthynas. Un cydweddiad yw saethwr sydd eisoes wedi anfon saeth ac mae wedi gadael ei ddwylo. Mae'n methu ei alw'n ôl. Mae ar fin saethu saeth arall. Y gawell saethau ar ei gefn yw sanchita karma. Y saeth mae wedi'i hanfon yw prarabdha karma a'r saeth mae ar fin ei saethu yw agami karma. Mae ganddo reolaeth berffaith dros y sanchita a'r agami ond mae'n rhaid iddo weithio ar ei prarabdha.

Mae cydweddiad arall. Caiff sanchita karma ei bortreadu fel granar. Mae'r gyfran a dynnir o'r granar i'w rhoi yn y siop a'i gwerthu yn ddyddiol yn y dyfodol yn cyfateb i agami. Mae'r hyn sy'n cael ei werthu'n ddyddiol yn cynrychioli prarabdha.

Gweithgaredd AA1

Ar gardiau adolygu bach gwnewch grynodebau o nodweddion allweddol y mathau gwahanol o karma. Cefnogwch yr esboniadau â dyfyniadau lle mae'n bosibl. Bydd hyn yn eich galluogi i ddangos 'cyfeiriad trylwyr a chywir at ffynonellau o ddoethineb, lle bo'n briodol' (disgrifydd band 5 AA1). Mae hyn yn sicrhau eich bod yn dewis y nodweddion pwysicaf ar gyfer pwyslais ac eglurder ac yn cefnogi hyn â thystiolaeth, yn hytrach na dim ond cyflwyno strwythur disgrifiadol, neu syml, i'ch ateb.

Defnyddir cyfraith karma mewn Hindŵaeth i esbonio problem drygioni sy'n parhau er gwaethaf Duw hollbwerus. Dydy karma ddim yn ffawd, oherwydd mae pob enaid yn pennu ei ffawd ei hun drwy ewyllys rydd. Fodd bynnag, dim ond ar ffurf ddynol mae hyn yn digwydd. Mewn rhywogaethau is dydy'r atman ddim yn gwneud unrhyw benderfyniadau moesol ac mae'n gorfod dibynnu ar ei reddf. Dydy'r atman ddim yn cynhyrchu unrhyw karma newydd, dim ond llosgi karma drwg a chodi'n raddol at enedigaeth ddynol. Dim ond bywyd dynol sy'n cynhyrchu karma. Egwyddor karma yw y bydd y rheini sy'n hau daioni yn medi daioni a bydd y rhai sy'n hau drygioni yn medi drygioni. Felly, dywedir bod rhywun yn cael ei gosbi gan ei weithredoedd drwg ac nid o'u herwydd. Mae rhai gweithredoedd yn cymryd amser hir i ddod i ffrwyth a gallan nhw ymddangos mewn bodolaeth ddiweddarach.

Punya (teilyngdod) yw'r enw ar weithredoedd sy'n arwain at karma da ac maen nhw'n cynnwys gweithgareddau fel dilyn egwyddor Varnashramadharma, rhoi at elusen a mynd ar bererindod. Papa (pechod) yw'r enw ar weithredoedd sy'n arwain at karma drwg ac maen nhw'n cynnwys gweithgareddau fel osgoi dyletswydd ac esgeuluso a cham-drin pum adran o gymdeithas – menywod, plant, anifeiliaid (yn enwedig gwartheg), pobl sanctaidd a'r henoed. Yn ôl Joseph Castro, 'Mae karma yn ymwneud nid yn unig â'r berthynas rhwng gweithgareddau a chanlyniadau, ond hefyd â'r rhesymau neu'r bwriadau moesol y tu ôl i weithredoedd, yn ôl erthygl yn 1988 yn y cyfnodolyn *Philosophy East and West*. Felly os oes rhywun yn gwneud gweithred dda am y rhesymau anghywir – cyfrannu at elusen i wneud argraff dda ar ddarpar gariad, er enghraifft – gellid cyfrif y weithred yn un anfoesol sy'n cynhyrchu karma drwg'.

Mae pobl yn camddeall cyfraith karma yn aml. Un gamddealltwriaeth boblogaidd yw bod Hindŵiaid yn beio karma am ddioddefaint. Dydy hyn ddim o reidrwydd yn wir, oherwydd mae bai a chyfrifoldeb yn wahanol. Mae karma yn golygu deall bod pawb yn gyfrifol am ei fywyd ei hun. Fodd bynnag dydy hynny ddim yn golygu bod yn anystyriol o ddioddefaint, naill ai dioddefaint personol neu ddioddefaint pobl eraill. Mae'n pwysleisio egwyddor helpu pobl eraill i'w helpu eu hunain.

cwestiwn cyflym

2.10 Esboniwch beth yw ystyr dweud bod rhywun yn cael ei gosbi gan ei weithredoedd ac nid o'u herwydd.

Y berthynas rhwng samsara a moksha ac arwyddocâd ailenedigaeth ddynol o fewn samsara yn ôl Bhagavad Gita 2:13

Cynnwys y fanyleb

Y berthynas rhwng samsara a moksha ac arwyddocâd ailenedigaeth ddynol o fewn samsara. Bhagavad Gita 2:13.

Ailymgnawdoliad yw'r enw ar y broses o'r enaid yn trawsfudo i mewn i gorff newydd. Mae pob Hindŵ yn credu bod yr enaid unigol (atman) yn bodoli mewn cylch o'i eni mewn corff, wedyn yn marw a'i aileni mewn corff arall, er nid mewn corff dynol o raid.

Samsara yw'r enw ar y cylch hwn. Nod yr enaid yn y pen draw yw dod yn rhydd o'r cylch hwn yn llwyr, drwy gyrraedd rhyddhad (moksha), 'Fel y bydd dyn yn diosg ei ddillad treuliedig, ac yn gwisgo rhai newydd, felly mae'r enaid yn y corff yn diosg ei gorff treuliedig ac yn mynd i mewn i un newydd'. (Bhagavad Gita 2:12).

Dyfyniad allweddol

Fel mae'r enaid yn symud yn barhaus yn y corff hwn o fachgendod i ieuenctid i henaint, felly hefyd mae'r enaid yn mynd i mewn i gorff newydd adeg marwolaeth. (Bhagavad Gita 2:13)

Awgrym astudio

Mae'r adran hon yn llawn o gysyniadau newydd. Wrth adolygu, yn hytrach na dim ond gwneud rhestr o eiriau allweddol, ceisiwch newid y rhestr yn siart llif sy'n cysylltu pob agwedd ar ddysgeidiaeth Hindŵiaeth â'i gilydd.

Ailymgnawdoliad

Mae Brihadaranyaka Upanishad 4:4. 3–6 hefyd yn cynnig delweddau defnyddiol ar gyfer y broses pan fydd yr enaid yn trawsfudo i mewn i gorff newydd,

'Pan fydd lindys yn dod i ddiwedd blewyn o laswellt, mae'n estyn allan at flewyn arall, ac yn ei dynnu ei hun ato. Yn yr un modd, mae'r enaid, pan fydd wedi dod i ddiwedd un bywyd, yn ymestyn at gorff arall, ac yn ei dynnu ei hun ato.

'Mae gof aur yn cymryd hen addurn ac yn creu un newydd prydferth allan ohono. Yn yr un modd, mae'r enaid, wrth adael un corff, yn chwilio am gorff arall sy'n fwy prydferth.

'Os yw gweithredoedd pobl yn dda, byddan nhw yn dda; os yw gweithredoedd pobl yn ddrwg, byddan nhw yn ddrwg. Mae gweithredoedd da yn puro'r sawl sy'n eu cyflawni; mae gweithredoedd drwg yn llygru'r sawl sy'n eu cyflawni.'

cwestiwn cyflym

2.11 Esboniwch ystyr ailymgnawdoliad.

Gweithgaredd AA1

Meddyliwch am dair cymhariaeth newydd i esbonio cysyniad ailymgnawdoliad mewn Hindŵaeth. Rhannwch nhw â gweddill y grŵp a thrafodwch pa mor effeithiol maen nhw. Beth yw eu cryfderau a'u gwendidau o ran y cysyniad Hindŵaidd?

Cynnwys y fanyleb

Arwyddocâd karma ac ailymgnawdoliad yng nghyd-destun ystyr a phwrpas bywyd mewn Hindŵaeth – cyflawni moksha.

Arwyddocâd karma ac ailymgnawdoliad yng nghyd-destun ystyr a phwrpas bywyd mewn Hindŵaeth – cyflawni moksha

Karma y bywyd blaenorol sy'n pennu ansawdd ffurf gorfforol yr enaid wrth ei aileni. Fel yr esbonia Joseph Castro, 'Yn bwysig, mae karma yn ymwneud â chysyniad ailymgnawdoliad neu ailenedigaeth, pan gaiff rhywun ei aileni mewn corff dynol (neu gorff nad yw'n ddynol) newydd ar ôl marwolaeth. Felly gall canlyniadau gweithred effeithio ar rywun yn y dyfodol, a gall y lwc neu'r anlwc mae rhywun yn ei brofi fod yn ganlyniad gweithredoedd y gorffennol. Dydy karma ddim yr un peth â beirniadaeth mewn crefyddau eraill fel Cristnogaeth. Mae'n awtomatig ac yn amhersonol. Mae Hindŵiaid felly yn ceisio byw eu bywydau mewn ffordd a fydd yn ennill karma da iddyn nhw ac yn y pen draw yn eu rhyddhau o ailenedigaeth yn llwyr. Mae ganddyn nhw bedwar nod dilys mewn bywyd:

- **Kama** – pleser y synhwyrau. Mae hwn hefyd yn rhan o'r ail ashrama, ac fe'i anogir ar gyfer y penteulu. Credir bod y profiad iawn o bleser yn creu cymeriad sydd wedi'i ddatblygu'n dda. Mae hefyd yn baratoad da ar gyfer ymroddiad yr enaid i Dduw. Mae dyheu ac ymroddiad cariadus wedi bod yn arwydd o ddyheadau crefyddol erioed.
- **Artha** – ceisio cyfoeth drwy ddulliau cyfreithiol. Yn hytrach na chondemnio agweddau materol bywyd, mae diwylliant Indiaidd wedi rhoi lle penodol iddo fel rhan o'i nodau crefyddol. I'r brenin Indiaidd clasurol (y raja), roedd ennill cyfoeth a chynnal heddwch a ffyniant yn rhan o'i dharma tuag at ei bobl. Roedd yn gyfrifol am ddatblygu polisïau cadarn ac yn gorfod bod yn rheolwr medrus. Ar lefel ehangach roedd disgwyl i'r penteulu weithio i sicrhau enillion materol i ddarparu ar gyfer ei deulu. Roedd ceisio artha, fodd bynnag, hefyd yn amodol ar strwythur moesol dharma rhywun. Byddai gweithredoedd anfoesol i ennill cyfoeth yn arwain at karma drwg.
- **Dharma** – byw mewn modd priodol. Mae hyn yn golygu gwneud beth sy'n iawn i'r unigolyn, y teulu a'r cast. Mae Hindŵiaid yn credu bod dilyn dharma yn angenrheidiol i gynnal trefn gosmig ac felly mae mynd yn erbyn dharma yn arwain at karma drwg. Mae'r Bhagavad Gita yn nodi ei bod yn well cyflawni eich dyletswyddau eich hun yn wael na rhai rhywun arall yn dda.

Awgrym astudio

Rhaid i chi beidio â drysu rhwng kama (dyhead neu uchelgais) a karma (egwyddor gweithredoedd a chanlyniadau). O dro i dro bydd myfyrwyr yn dadlau bod karma yn un o bedwar nod bywyd yr Hindŵ, sy'n anghywir.

Dyfyniad allweddol

Artha (Sanskrit: 'cyfoeth' neu 'eiddo') mewn Hindŵaeth, ar drywydd cyfoeth a mantais faterol, un o bedwar nod traddodiadol bywyd. Mae awdurdod artha yn deillio o'r rhagdybiaeth bod – ac eithrio'r ychydig prin a all fynd yn syth at nod eithaf moksha, neu ddod yn rhydd yn ysbrydol o fywyd – llesiant materol yn anghenraid sylfaenol i ddynoliaeth ac yn orchwyl priodol yn ystod cyfnod y penteulu, hynny yw, yn ystod yr ail gyfnod bywyd o blith y pedwar. (Encyclopaedia Britannica)

- **Moksha** – rhyddhau o ailenedigaeth. Dyma nod uchaf pob Hindŵ. Bob tro mae enaid yn cael ei eni i fywyd gwell, mae'n cael cyfle i'w wella ei hun eto, a mynd yn nes at ryddhad. Pan fydd enaid yn cyflawni moksha, mae'n colli ei hunaniaeth ei hun ac yn dod yn rhan o Brahman. Yn aml rydyn ni'n cymharu'r enaid â diferyn o ddŵr sydd, pan fydd yn cyrraedd rhyddhad, yn syrthio i'r cefnfor. Mae hwn yn cynrychioli'r Enaid Goruchaf, Brahman. Mae'n gyflwr o fodolaeth lle nad yw'r enaid bellach yn dyheu am ddim byd o gwbl. Fodd bynnag, mae Hindŵiaid eraill yn credu bod yr enaid a Duw ar wahân yn dragwyddol a bod unrhyw uno ddim ond yn ymddangosiadol. Gallwn gymharu'r enaid unigol ag aderyn gwyrdd sy'n mynd at goeden werdd (Duw). Mae'n ymddangos fel pe bai wedi uno ond mae'n cynnal ei hunaniaeth ar wahân. Mae rhyddhad yn golygu mynd i mewn i bresenoldeb Duw.

Mae pedair dyletswydd ddyddiol gan bob Hindŵ – dangos parch i'r duwdodau, hynafiaid, pob bod ac anrhydeddu'r ddynoliaeth gyfan.

Awgrym astudio

Pan ddefnyddiwch chi gyfeiriadau at ysgolheigion a thestunau, neu ddyfyniadau uniongyrchol o ysgrythurau, ceisiwch eu cadw i faint hawdd eu trin. Weithiau mae darnau byr yr un mor effeithiol. Hefyd, peidiwch ag ysgrifennu dyfyniad ddim ond er mwyn 'dangos eich hun' heb feddwl am sut mae'n cyd-fynd â'r pwynt rydych yn ei wneud.

Gweithgaredd AA1

Ar gardiau adolygu, gwnewch grynodeb o brif nodweddion pedwar nod bywyd Hindŵ. Ceisiwch feddwl am symbol i bob un a fydd yn eich helpu i gofio eu hystyr.

cwestiwn cyflym

2.12 Disgrifiwch bedwar nod bywyd Hindŵ.

Dyfyniad allweddol

Mae pechaduriaid yn byw mewn math o uffern, ac mae saint yn eu dychmygu eu hunain mewn math o nefoedd. A'r gŵr doeth? – Iddo ef, moksha, iddo ef dyna yw rhyddhad diamod. Mae'n dod yn rhydd o bob deuoliaeth. Yr allwedd gyfrinachol, yr unig allwedd, yw ymwybyddiaeth. (Rajneesh)

Mae gŵr sanctaidd Hindŵaidd nodweddiadol (Sadhu) yn byw bywyd disgybledig iawn yn y gobaith o gyflawni moksha

Sgiliau allweddol

Mae gwybodaeth yn ymwneud â:

Dewis ystod o wybodaeth (drylwyr) gywir a pherthnasol sydd â chysylltiad uniongyrchol â gofynion penodol y cwestiwn.

Mae hyn yn golygu eich bod yn dewis y wybodaeth gywir sy'n berthnasol i'r cwestiwn a osodwyd NID y maes pwnc. Bydd angen i chi feddwl a chanolbwyntio ar ddewis gwybodaeth allweddol ac NID ysgrifennu popeth yr ydych chi'n ei wybod am y maes pwnc.

Mae dealltwriaeth yn ymwneud ag:

Esboniad helaeth, gan ddangos dyfnder a/neu ehangder gyda defnydd rhagorol o dystiolaeth ac enghreifftiau gan gynnwys (lle y bo'n briodol) defnydd trylwyr a chywir o destunau cysegredig, ffynonellau doethineb a geirfa arbenigol.

Mae hyn yn golygu y gallwch ddangos eich bod yn deall rhywbeth drwy egluro ac ehangu eich pwyntiau gan ddefnyddio enghreifftiau/tystiolaeth gefnogol mewn ffordd bersonol ac NID ailadrodd darnau o werslyfr (sef dysgu ar y cof).

Cymhwyso sgiliau ymhellach:

Ewch drwy'r meysydd pwnc yn yr adran hon a lluniwch rai rhestri bwled o bwyntiau allweddol o feysydd allweddol. Ar gyfer pob un, rhowch fwy o fanylion ac esboniwch fwy drwy ddefnyddio tystiolaeth ac enghreifftiau.

Datblygu sgiliau AA1

Nawr mae'n bryd ystyried y wybodaeth sydd wedi'i chyflwyno hyd yma. Hefyd mae'n bwysig ystyried sut mae'r hyn rydych chi wedi'i ddysgu hyd yma'n gallu cael ei ddefnyddio ar gyfer atebion arholiad drwy ymarfer y sgiliau sy'n gysylltiedig ag AA1.

Mae Amcan Asesu 1 (AA1) yn ymwneud â dangos gwybodaeth a dealltwriaeth. Mae'r termau 'gwybodaeth' a 'dealltwriaeth' yn amlwg ond mae'n hanfodol eich bod yn gyfarwydd â sut mae sgiliau penodol yn dangos y rhain, a hefyd, sut bydd eich perfformiad ym mhob un o'r sgiliau hyn yn cael ei fesur (gweler disgrifyddion band cyffredinol Band 5 ar gyfer AA1 UG).

▶ Dyma eich tasg newydd: isod mae ateb eithaf cryf, er nad yw'n berffaith, a gafodd ei ysgrifennu'n ymateb i gwestiwn sy'n gofyn am archwilio cysyniad karma mewn Hindŵaeth. Gan ddefnyddio'r disgrifyddion band, gallwch ei gymharu â'r bandiau uwch perthnasol a disgrifyddion y bandiau hynny. Yn amlwg, mae'n ateb eithaf cryf ac felly nid yw'n perthyn i fandiau 5, 1 na 2. Er mwyn gwneud hyn bydd yn ddefnyddiol i chi ystyried beth sy'n gryf ac yn wan am yr ateb ac felly beth mae angen ei ddatblygu.

Wrth ddadansoddi'r ateb, gweithiwch mewn grŵp a nodwch dair ffordd o wella'r ateb hwn. Efallai fod gennych fwy na thri sylw ac yn wir awgrymiadau i wneud iddo fod yn ateb perffaith!

Ateb

Mae karma yn gysyniad pwysig iawn mewn Hindŵaeth ac mae'n dylanwadu ar fywyd pob dydd Hindŵ. Mae karma hefyd yn gyfrifol am safle Hindŵ yn y bywyd hwn ac yn y nesaf. Karma yw'r grym sy'n gyrru olwyn samsara.

Karma yw egwyddor achos ac effaith a chyfraith y bydysawd. Mae popeth a wneir yn gorfod cael effaith. Mae Hindŵiaid yn credu bod gweithred dda yn arwain at effaith dda a bod gweithred ddrwg yn arwain at effaith ddrwg. Pan fydd rhywun yn marw bydd ei safle yn y bywyd nesaf yn dibynnu ar ei karma yn y bywyd presennol. Mae pobl yn casglu karma yn ystod eu bywydau. Yn ôl y Bhagavat Purana, 'Yn ôl maint gweithredoedd crefyddol neu anghrefyddol rhywun yn y bywyd hwn, rhaid i rywun ddioddef ymatebion cyfatebol ei karma yn y bywyd nesaf'. Weithiau gallwn ddisgrifio karma fel cadwyn sy'n cadw'r atman yn gaeth wrth olwyn samsara.

Felly, mae'n bwysig iawn i Hindŵ gasglu karma da er mwyn torri cylch samsara a chaniatáu i'r atman ddychwelyd i moksha i'w uno â Duw. Mae agweddau gwahanol ar karma a'r rhain sy'n penderfynu beth sy'n digwydd i'r atman. Mae sanchita karma yn cronni o bob bywyd blaenorol ac mae'n rhaid ei ddileu i gyflawni moksha. Mae modd gwneud hyn drwy fyfyrdod. Agwedd arall yw prarabdha karma sef karma yn y bywyd presennol a rhaid ei weithio yn y bywyd hwn. Y drydedd agwedd yw agami karma, sef karma a fydd yn cael effaith yn y dyfodol oni chaiff ei ddatrys yn y bywyd presennol. Mae cydweddiad sy'n esbonio'r agweddau gwahanol hyn. Caiff sanchita karma ei bortreadu fel granar. Mae'r gyfran a dynnir o'r granar i'w rhoi yn y siop a'i gwerthu yn ddyddiol yn y dyfodol yn cyfateb i agami. Mae'r hyn sy'n cael ei werthu'n ddyddiol yn cynrychioli prarabdha.

Mae Hindŵaeth hefyd yn defnyddio cyfraith karma i esbonio problem drygioni. Mae drygioni'n bod oherwydd gweithredoedd drwg. Mae gweithredoedd mewn bywyd yn arwain at karma da. Yr enw ar y rhain yw punya – teilyngdod, a papa – pechod yw'r enw ar weithredoedd sy'n arwain at karma drwg.

Mae llawer o bobl yn camddeall karma. Un gamddealltwriaeth gyffredin yw mai karma sydd ar fai am ddioddefaint. Dydy hyn ddim yn wir, oherwydd mae bai a chyfrifoldeb yn ddau beth gwahanol.

Materion i'w dadansoddi a'u gwerthuso

Effaith dysgeidiaeth am karma ac ailymgnawdoliad ar ffordd o fyw'r Hindŵiaid

Mewn Hindŵaeth, karma yw egwyddor achos ac effaith. Mae'n gweithredu ar sail foesol. Mae Hindŵiaid yn credu mai ffrwyth karma mewn bywyd blaenorol yw sefyllfa rhywun yn y bywyd hwn. Mae karma yn cronni drwy fywydau sydd wedi'u hailymgnawdoli a'r karma hwn sy'n penderfynu tynged yr atman. Yr atman yw gwreichionyn bywyd ym mhob bod ymwybodol, yn ôl cred yr Hindŵ. Mae'n gaeth yn y cylch genedigaeth, marwolaeth ac ailenedigaeth mae karma yn ei yrru, nes iddo gyflawni moksha neu ryddhad. Mae'r atman yn trawsfudo rhwng bywydau ac yn gallu cael ei aileni nifer di-rif o weithiau mewn bodolaethau amrywiol corfforol neu eraill, yn ôl ei karma. Mewn Hindŵaeth, mae karma yn gweithredu yn ystod y bywyd hwn yn ogystal ag ar draws nifer o fywydau: efallai bydd canlyniadau gweithred yn cael eu profi ar ôl y bywyd presennol, mewn bywyd newydd. Cred Hindŵiaid yw bod bodau dynol yn gallu creu canlyniadau da neu ddrwg i'w gweithredoedd. Hefyd y gallen nhw elwa o weithred yn y byd hwn, mewn ailenedigaeth ddynol neu drwy fedi canlyniadau gweithred mewn teyrnas nefolaidd neu yn uffern lle caiff yr hunan ei aileni am gyfnod.

Gall y credoau hyn ddylanwadu'n uniongyrchol ar fywyd Hindŵ mewn sawl ffordd. Nod bywyd Hindŵ yw cyflawni moksha ac felly mae ennill karma da yn sylfaenol bwysig i gyflawni'r nod hwn. Felly, bydd llawer o Hindŵiaid yn byw bywyd a fydd yn sicrhau karma da iddyn nhw, ffordd o fyw sy'n dilyn prif egwyddorion y grefydd. Un egwyddor o'r fath fyddai Varnashramadharma lle byddai Hindŵ yn cael ei wobrwyo am ddilyn ei ddyletswydd yn ôl ei varna a'i gyfnod mewn bywyd. Dyna un rheswm pam mae'r egwyddorion hyn yn dal i fod yn bwysig mewn cymdeithas Hindŵaidd heddiw. Agwedd bwysig arall ar y ffordd o fyw a fyddai'n sicrhau karma da yw dilyn pedwar nod bywyd – dharma, artha, kama a moksha.

Mae cysyniadau karma ac ailymgnawdoliad a chredu ynddyn nhw yn dylanwadu ar lawer o benderfyniadau moesol Hindŵiaid. Un enghraifft fyddai dilyn egwyddor ahimsa sydd, yn gyffredinol, yn golygu didreisedd at fodau byw neu beidio â'u hanafu. Mae torri'r egwyddor hon yn cynhyrchu karma drwg. Felly, mewn materion moesegol fel hunanladdiad, ewthanasia ac erthylu, byddai cysyniadau karma ac ailymgnawdoliad yn ffactorau a fyddai'n dylanwadu ar unrhyw benderfyniad.

Fel y nodwyd eisoes, mae Hindŵiaid yn derbyn eu statws yn y bywyd hwn fel canlyniad i karma sydd wedi cronni mewn bywyd blaenorol. Maen nhw hefyd yn credu bod y bywyd nesaf yn dibynnu ar karma sy'n cronni yn y bywyd hwn. Felly, byw bywyd da yn ôl egwyddorion arweiniol Hindŵaeth yw'r unig ffordd i sicrhau ailymgnawdoliad gwell yn y bywyd nesaf.

Fodd bynnag, mae'n amhosibl honni bod pob Hindŵ yn ymddwyn ar bob achlysur mewn modd sy'n ystyried cysyniad karma ac ailymgnawdoliad. Pe bai'r haeriad hwnnw'n wir, byddai cymdeithas Hindŵaidd yn gymdeithas ddelfrydol heb unrhyw drosedd. Nid dyna fel mae hi ac felly mae llawer o Hindŵiaid yn ymddwyn heb ystyried canlyniadau karmig eu gweithredoedd.

Mae rhai Hindŵiaid yn credu mai eu hegwyddor arweiniol mewn bywyd yw eu perthynas bersonol â Duw a fynegir drwy puja ac addoli bhakti dyddiol. Dyma'r dylanwad sy'n arwain eu bywydau a'r prif ddylanwad ar eu ffordd o fyw. Mae eraill yn credu mai dim ond ar y bywyd presennol y dylen nhw ganolbwyntio. Eu dyletswydd yw dilyn a gweithredu eu dyletswydd fel Hindŵiaid yn y bywyd hwn heb ystyried unrhyw ailymgnawdoliad yn y dyfodol.

Mae'r adran hon yn cwmpasu cynnwys a sgiliau AA2

Cynnwys y fanyleb

Effaith dysgeidiaeth am karma ac ailymgnawdoliad ar ffordd o fyw'r Hindŵiaid.

Gweithgaredd AA2 ***Dadleuon posibl***

Wedi'u rhestru isod mae rhai casgliadau y byddai'n bosibl dod iddyn nhw ar sail rhesymeg AA2 yn y testun cysylltiedig:

1. Mae karma ac ailymgnawdoliad yn gysyniadau pwysig iawn mewn Hindŵaeth, ac mae ganddyn nhw oblygiadau ymarferol.
2. Mae karma yn dylanwadu'n gryf ar ffordd Hindŵ o fyw.
3. Mae dylanwad karmig yn amlwg ar lawer o benderfyniadau moesol Hindŵiaid.
4. Ansawdd yr ailymgnawdoliad nesaf yw ffocws bywydau llawer o Hindŵiaid.
5. Dydy cymdeithas Hindŵaidd ddim yn adlewyrchu'r ffaith bod pob Hindŵ yn ystyried canlyniadau karmig cyn gweithredu.

Ystyriwch bob un o'r casgliadau sy'n cael eu gwneud uchod a chasglwch dystiolaeth ac enghreifftiau i gefnogi pob dadl o'r deunydd AA1 ac AA2 a astudiwyd yn yr adran hon. Dewiswch un casgliad sy'n argyhoeddi fwyaf yn eich barn chi ac esboniwch pam mae hyn yn wir. Nawr cyferbynnwch hyn â'r casgliad gwannaf ar y rhestr, gan gyfiawnhau eich dadl gyda rhesymu clir a thystiolaeth.

Cynnwys y fanyleb

Pwysigrwydd cymharol y bywyd presennol a'r bywyd nesaf mewn Hindŵaeth.

Gweithgaredd AA2 ***Dadleuon posibl***

Wedi'u rhestru isod mae rhai casgliadau y byddai'n bosibl dod iddyn nhw ar sail rhesymeg AA2 yn y testun cysylltiedig:

1. Mae'n anodd gwahanu bywydau'r presennol a'r dyfodol oherwydd maen nhw'n gysylltiedig, yn y bôn.
2. Pwysigrwydd y bywyd presennol yw'r cyfle i ddilyn ffordd Hindŵaidd o fyw.
3. Mae'r cyfle i gronni karma yn gwneud y bywyd presennol yn bwysig.
4. Cyflawni moksha yw nod eithaf bywyd Hindŵ.
5. Y prif fater i'w ystyried yw a yw'r bywyd presennol yn bwysig ynddo'i hun, neu ddim ond i baratoi ar gyfer bywyd yn y dyfodol.

Ystyriwch bob un o'r casgliadau sy'n cael eu gwneud uchod a chasglwch dystiolaeth ac enghreifftiau i gefnogi pob dadl o'r deunydd AA1 ac AA2 a astudiwyd yn yr adran hon. Dewiswch un casgliad sy'n argyhoeddi fwyaf yn eich barn chi ac esboniwch pam mae hyn yn wir. Nawr cyferbynnwch hyn â'r casgliad gwannaf ar y rhestr, gan gyfiawnhau eich dadl gyda rhesymu clir a thystiolaeth.

Pwysigrwydd cymharol y bywyd presennol a'r bywyd nesaf mewn Hindŵaeth

Mae Hindŵaeth yn grefydd amrywiol iawn ac mae pwysigrwydd cymharol y bywyd presennol a bywyd yn y dyfodol yn fater difyr i'w drafod. Mae cyswllt sylfaenol rhwng y ddau wrth gwrs gan fod Hindŵaeth yn grefydd gylchol sy'n dilyn patrwm genedigaeth, marwolaeth ac ailenedigaeth. Mae Hindŵiaid yn credu bod dau realiti mewn bod dynol: realiti'r corff a realiti'r enaid anfeidrol, sef yr atman. Mae'r ddau realiti hyn yn cynrychioli'r bywyd presennol a bywyd yn y dyfodol. Mae'r bywyd presennol a'r bywyd yn y dyfodol a'u pwysigrwydd yn cyfuno wrth geisio cyflawni nod bywyd yr Hindŵ – cyflawni moksha.

Byddai llawer o Hindŵiaid yn pwysleisio pwysigrwydd y bywyd presennol oherwydd yn y cyfnod hwn gall Hindŵiaid fyw yn ôl credoau ac egwyddorion Hindŵaidd. Mae hefyd yn bwysig oherwydd mae'n gyfle i adeiladu karma da. Mae Hindŵiaid yn credu bod tair ffordd yn arwain at gronni karma da. Un ffordd yw cyflawni'r dyletswyddau sy'n gysylltiedig â Varnashramadharma – y dharma personol sy'n gysylltiedig â varna rhywun, a chyflawni'r ddyletswydd sy'n gysylltiedig â chyfnod bywyd. Drwy fynd ati i gyflawni'r dharma cywir mae rhywun yn adeiladu karma da. Ffordd arall o gyflawni karma da yw drwy yoga. Mae tri phrif fath o yoga, a phwrpas gwahanol i bob un. Jnana yoga yw'r llwybr at wybodaeth, lle mae rhywun yn ceisio dealltwriaeth ddyfnach; bhakti yoga yw yoga ymroddiad i Dduw (Brahman), lle mae disgwyl i rywun ei gysegru ei hun (ei feddwl) yn llwyr i Dduw. Yn olaf, karma yoga yw yoga gweithredoedd da, lle mae rhywun yn mynd ati'n bwrpasol i geisio cyflawni gweithredoedd da, anhunanol. Mae'r Hindŵ yn cyflawni'r holl lwybrau hyn at karma da yn ei fywyd presennol.

Mae rhai Hindŵiaid yn credu y bydd rhai defodau angladdol yn y bywyd hwn yn helpu eu bywyd nesaf ac felly mae'n bwysig eu cyflawni yn y bywyd hwn; er enghraifft, goleuo cannwyll i arwain yr atman, cracio'r penglog i sicrhau nad yw'r atman yn cael ei ddal yn gaeth, amlosgi'r corff a thaenu'r lludw mewn afon sanctaidd fel afon Ganga (Ganges).

Mae'n bosibl dadlau bod moksha (rhyddhad) yn gweithredu fel cymhelliad cadarnhaol ar gyfer ymarfer crefyddol yr Hindŵ. Fodd bynnag, samsara yw'r cymhelliad negyddol mae Hindŵiaid yn ceisio cael eu rhyddhau ohono. Mae natur annymunol samsara yn deillio o'r ffaith does dim modd ei ragweld – dydy pobl ddim yn gwybod sut bydd gweithredoedd neu karma eu bywyd presennol yn effeithio ar eu dyfodol. Gan fod bywydau'r gorffennol yn effeithio ar fywydau'r dyfodol, dydy rhywun byth yn siŵr am ei ailymgnawdoliad a'r dioddefaint a allai fod yn rhan ohono oherwydd gweithredoedd y gorffennol. Felly efallai mai'r bywyd presennol yw'r pwysicaf oherwydd bydd sicrhau karma da yn y bywyd presennol yn sicrhau bywyd da yn y dyfodol.

Fodd bynnag, gan fod bywydau'r dyfodol yn sail i lawer o'r arferion hyn yn y bywyd presennol ac yn rheswm dros eu cyflawni, mae'n anodd penderfynu pa un yw'r pwysicaf – y gweithredoedd eu hunain neu'r rheswm dros y gweithredoedd hynny. Mae samsara yn brofiad amhleserus, wrth gwrs, a'r nod yw torri'r cylch. Gallai hyn gymryd llawer iawn o ailymgnawdoliadau. Felly, y nod yw sicrhau bod pob ailymgnawdoliad mor ddymunol â phosibl. Mae hyn, fel rydyn ni wedi gweld, yn dylanwadu'n fawr ar ffordd o fyw yn y bywyd presennol.

I gloi, yn y mater hwn mae'n anodd gwahanu'r ddwy brif elfen. Y prif fater i'w ystyried yw a yw'r bywyd presennol yn bwysig ynddo'i hun, neu ddim ond i baratoi at fywyd yn y dyfodol.

Datblygu sgiliau AA2

Nawr mae'n bryd ystyried y wybodaeth sydd wedi'i chyflwyno hyd yma. Hefyd mae'n bwysig ystyried sut mae'r hyn rydych chi wedi'i ddysgu hyd yma'n gallu cael ei ddefnyddio ar gyfer atebion arholiad drwy ymarfer y sgiliau sy'n gysylltiedig ag AA2.

Mae Amcan Asesu 2 (AA2) yn ymwneud â 'dadansoddi' a 'gwerthuso'. Efallai fod ystyr y termau'n amlwg ond mae'n hanfodol eich bod yn gyfarwydd â sut mae sgiliau penodol yn dangos y rhain, a hefyd, sut bydd eich perfformiad ym mhob un o'r sgiliau hyn yn cael ei fesur (gweler disgrifyddion band cyffredinol Band 5 ar gyfer AA2 UG).

Yn amlwg mae ateb yn cael ei osod mewn disgrifydd band priodol, yn ôl pa mor dda yw'r ateb, gan amrywio o ragorol, da, boddhaol, sylfaenol/cyfyngedig i gyfyngedig iawn.

▶ Dyma eich tasg : isod mae ateb rhesymol, er nad yw'n berffaith, a gafodd ei ysgrifennu'n ymateb i gwestiwn sy'n gofyn am werthuso'r cwestiwn a yw credu mewn karma yn golygu eich bod chi'n methu osgoi eich tynged. Gan ddefnyddio'r disgrifyddion band, gallwch ei gymharu â'r bandiau uwch perthnasol a disgrifyddion y bandiau hynny. Yn amlwg, mae'n ateb rhesymol ac felly nid yw'n perthyn i fandiau 5, 1 na 2. Er mwyn gwneud hyn bydd yn ddefnyddiol i chi ystyried beth sy'n gryf ac yn wan am yr ateb ac felly beth mae angen ei ddatblygu.

Wrth ddadansoddi'r ateb, gweithiwch mewn grŵp a nodwch dair ffordd o wella'r ateb hwn. Efallai fod gennych fwy na thri sylw ac yn wir awgrymiadau i wneud iddo fod yn ateb perffaith!

Ateb

Mewn Hindŵaeth, karma yw egwyddor achos ac effaith ac mae'n adlewyrchu natur y bydysawd – rhaid talu unrhyw weithgaredd yn ôl. Weithiau mae 'yr hyn a heuir a fedir' yn mynegi hyn. Mae'n gweithredu ar sail foesegol – mae gweithred dda, yn feddyliol neu'n gorfforol, yn arwain at effaith dda a gall gweithred ddrwg arwain at effaith ddrwg. Felly, mae llawer wedi disgrifio karma fel cysyniad tyngedfenyddol.

Byddai llawer yn dadlau ei bod hi'n amhosibl dianc rhag ffawd, oherwydd mae'r karma o fywydau blaenorol yn gyfrifol am ein sefyllfa yn y bywyd hwn, a bod unrhyw ailymgnawdoliad yn y dyfodol yn dibynnu ar karma o'r bywyd presennol. Byddai eraill yn dadlau ei bod hefyd yn wir yng nghyd-destun y system varna. Karma o fywydau blaenorol sy'n pennu varna pobl ac mae statws eu varna yn y dyfodol yn seiliedig ar karma yn eu bywydau presennol. Gallech ddadlau ei bod yn amhosibl dianc rhag ffawd, gan ei bod yn amhosibl dianc rhag dylanwad karmig.

Dadl arall yw bod nod eithaf bywyd Hindŵ, sef cyflawni moksha, yn dibynnu ar karma sydd wedi cronni dros nifer o fywydau ac felly yn y cyd-destun hwn mae'n gysyniad tyngedfenyddol.

Fodd bynnag, mae llawer o bobl yn camddeall cyfraith karma. Un gamddealltwriaeth boblogaidd yw bod Hindŵiaid yn beio karma am ddioddefaint. Dydy hyn ddim o reidrwydd yn wir, oherwydd mae bai a chyfrifoldeb yn wahanol. Mae karma yn golygu deall bod pawb yn gyfrifol am ei fywyd ei hun. Yn hyn o beth, mae'r karma sy'n cronni yn dibynnu ar eu gweithredoedd eu hunain mewn bywydau blaenorol neu yn y bywyd presennol. Eu gweithredoedd nhw sy'n penderfynu a yw'r karma yn dda neu'n ddrwg. Felly, mae statws mewn bywyd, ailymgnawdoliad a moksha yn eu dwylo nhw eu hunain. Mae Hindŵiaid yn credu mewn ewyllys rydd, nad yw'n gyson â chred mewn cysyniad tyngedfenyddol. Byddai llawer yn dadlau bod cysyniad karma yn pwysleisio egwyddor helpu eraill i'w helpu eu hunain.

I gloi, er bod cysyniad karma yn ymddangos yn dyngedfenyddol, mae'r karma sy'n cronni drwy gydol ei fywyd yn nwylo pawb.

Sgiliau allweddol

Mae dadansoddi'n ymwneud â nodi materion sy'n cael eu codi gan y deunyddiau yn adran AA1, ynghyd â'r rhai a nodwyd yn adran AA2, ac mae'n cyflwyno safbwyntiau cyson a chlir, naill ai gan ysgolheigion neu safbwyntiau personol, yn barod i'w gwerthuso.

Mae hyn yn golygu ei fod yn nodi pethau allweddol i'w trafod a'r dadleuon sy'n cael eu cyflwyno gan eraill neu o safbwynt personol.

Mae gwerthuso'n ymwneud ag ystyried goblygiadau amrywiol y materion sy'n cael eu codi, yn seiliedig ar y dystiolaeth a gafwyd wrth ddadansoddi ac mae'n rhoi dadl fanwl eang gyda chasgliad clir.

Mae hyn yn golygu bod yr ateb yn pwyso a mesur y dadleuon amrywiol a gwahanol a gafodd eu dadansoddi drwy roi sylwadau ac ymateb unigol, gan ddod i gasgliad drwy broses rhesymu clir.

Th3 Bywyd crefyddol

Mae'r adran hon yn cwmpasu cynnwys a sgiliau AA1

Cynnwys y fanyleb

Tarddiadau mytholegol y system yn y Purusha Sukta – Rig Veda 10:90 11–12.

Termau allweddol

Brahmin: offeiriad, y varna uchaf

Kshatriya: varna rhyfela/llywodraethu

Sudra: y varna sy'n gyfrifol am grefft a chynhyrchu

Vaishya: y varna sy'n gyfrifol am fusnes a masnach

cwestiwn cyflym

3.1 Beth yw'r pedwar varna?

A: Egwyddorion moesol allweddol y Varnashramadharma

Tarddiad mytholegol y system yn y Purusha Sukta – Rig Veda 10:90 11–12

Mae'r gair 'varna' yn llythrennol yn golygu 'math', ond weithiau y cyfieithiad yw 'lliw', neu 'cast'. Mae'r term cast yn dod o'r Bortwgaleg ac mae'n golygu 'brid neu hil'. Hwn yw'r term sy'n cyfeirio at drefn cymdeithas dan ddylanwad crefyddol Hindŵaidd. Mae'r ysgolhaig Jeaneane Fowler yn dadlau, 'Mae angen ailddiffinio sut mae defnyddio'r gair cast'; ac os nad ei ailddiffinio, yn sicr mae angen diffinio'r term varna yn ofalus.

Mae'r system varna yn tarddu yng ngoresgyniad yr Ariaid yn India yn yr ail fileniwm CCC. Gwnaethon nhw ddyfeisio system ddosbarth i drefnu'r gymdeithas newydd ar ôl iddyn nhw gyrraedd. I ddechrau, fe wnaethon nhw greu system o dri varna, ac ehangu'r system wedyn i gynnwys pedwerydd. Byddai Hindŵiaid hefyd yn tynnu sylw at darddiad crefyddol y system varna sy'n ei chyfiawnhau yn ddwyfol. Dydy hi ddim yn hierarchaeth ddynol ond yn system a ordeiniwyd yn ddwyfol. Yn y Rig Veda, mae emyn Purusha Sukta yn cyfeirio at aberthu dyn cynoesol enfawr neu gawr o'r enw Purusha. O hwn y deilliodd y pedwar varna, 'Pan rannwyd y dyn ganddyn nhw, i sawl rhan y cafodd ei wasgaru? Beth ddigwyddodd i'w geg, i'w freichiau, beth oedd yr enw am ei ddwy forddwyd a'i ddwy droed? Ei geg oedd y **Brahminiaid**, trowyd ei freichiau yn **Kshatriyaid**, ei ddwy forddwyd oedd y **Vaishyaid**, a ganwyd y **Sudraid** o'i draed.' (Rig Veda 10:90: 11–12)

Ar adegau prin, mewn trawslythrennu Saesneg, cyfeirir at yr offeiriaid fel 'Brahmanas', sy'n golygu 'yn perthyn i Brahman'. Yn Sanskrit, mae'r ddau derm 'Brahmin' a 'Brahmana' yn cael eu defnyddio fel termau am yr hyn y gallwn ni eu galw yn 'offeiriaid'. Fodd bynnag, mae testunau sanctaidd hefyd o'r enw 'Brahmanas' neu 'Brahmana Granthas' (esboniadau ar y Vedau), mae duwdod o'r enw 'Brahma' a Bod Goruchaf o'r enw 'Brahman'. Felly yn aml, mewn llyfrau Saesneg o leiaf, defnyddir y term mwy cyffredin Brahmin am y varna hwn i osgoi dryswch.

Gan fod y Brahminiaid, yr offeiriaid, wedi dod o geg y creawdwr, y rhain yw'r puraf. Mae angen y geg hefyd i lafarganu'r ysgrythurau sanctaidd ac i arwain pobl eraill mewn defodau crefyddol pwysig. Daeth y Kshatriyaid o'i freichiau; maen nhw'n gryf a'u bwriad yw bod yn filwyr ac amddiffyn pobl eraill. Gan fod y Vaishyaid wedi dod o'i abdomen/morddwydydd, maen nhw wedi'u bwriadu ar gyfer crefft. Nhw sy'n gyfrifol am gadw stumog cymdeithas yn llawn a darparu'r pethau angenrheidiol i weddill y gymdeithas. Gan fod y Sudraid wedi dod o'i draed, maen nhw'n cael eu hystyried yn amhur neu'n rhan fudr o gorff rhywun. Felly maen nhw i fod yn weithwyr gwasaidd sy'n cynnal gweddill y gymdeithas.

Dyn cysefin fel ffynhonnell y pedwar varna

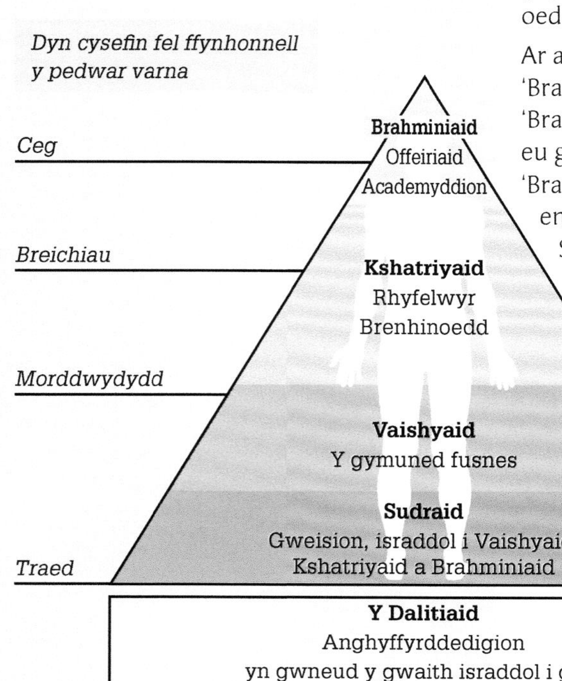

Cysyniad Varnashramadharma (Catuvarnashramadharma) a dyletswyddau penodol unigolion yn ôl eu safle mewn cymdeithas

Mae Hindŵiaid yn credu bod y bydysawd cyfan wedi'i drefnu a bod y drefn gosmig hon, neu 'rta', yn treiddio drwy bob agwedd. Felly, mae swyddogaeth gan bawb mewn cymdeithas i gynnal yr 'rta' hwn. Os yw pobl yn cyflawni eu swyddogaeth, mae'r bydysawd yn gweithredu mewn cytgord. Ond os byddan nhw'n gweithredu yn erbyn eu swyddogaeth benodol neu y tu allan iddi maen nhw'n bygwth y drefn gosmig. Eu swyddogaeth yw eu dyletswydd neu **dharma**.

Mae Varnashramadharma yn diffinio dyletswyddau neu 'dharma' i unigolion yn ôl eu 'varna' ac mewn perthynas â'u 'ashrama' (cyfnod bywyd). Gan fod pedwar varna a phedwar ashrama yn swyddogol, weithiau rydyn ni'n cyfeirio at system Varnashramadharma fel '**Catuvarnashramadharma**'. Mae ei dharma penodol ei hun gan bob varna ac ashrama a gall yr hyn sy'n dderbyniol i un rhan o gymdeithas fod yn gwbl annerbyniol i ran arall.

Rhaid i bob Hindŵ felly ddilyn codau moesol cyffredinol ac mae dyletswyddau gan bob un yn ôl ei varna ei hun.

Brahminiaid

Cast y Brahmin sy'n darparu addysg ac arweiniad ysbrydol. Gall dyletswydd y Brahmin gynnwys elfennau o'r canlynol:

- astudio ac addysgu'r Vedau
- cynnal aberthau a seremonïau crefyddol
- addysgu eraill sut i gynnal defodau
- rhoi cardod a derbyn cardod gan bobl eraill
- cynnig arweiniad cymdeithasol, crefyddol a moesol, yn enwedig i Kshatriyaid
- darparu gofal a chyngor meddygol am ddim.

Disgwylir i Brahminiaid beidio byth â chael eu cyflogi na'u talu am eu dyletswyddau a dylen nhw ddatblygu priodweddau gonestrwydd, unplygrwydd, glendid, purdeb, gwybodaeth a doethineb.

Kshatriyaid

Mae'r Kshatriyaid yn amddiffyn cymdeithas ac mae disgwyl iddyn nhw arddangos cryfder corff a chymeriad. Yn draddodiadol maen nhw'n cael eu hystyried yn filwyr, ond mewn gwirionedd maen nhw'n debycach i'r hyn a gaiff ei ystyried yn 'fonheddig' neu 'freintiedig' ac yn haen gyfoethog o gymdeithas sy'n cael ei chysylltu fel arfer â brenhiniaeth a llywodraethu. Yn gryno, nhw yw'r dosbarth sy'n rheoli.

Cynnwys y fanyleb

Mae cysyniad Varnashramadharma – neu Catuvarnashramadharma – catu (pedwar) – yn diffinio dyletswyddau unigolyn yn ôl ei sefyllfa ym mhedwar varna cymdeithas – Brahmanas neu Brahminiaid (offeiriaid), Kshatriyaid (rhyfelwyr a llywodraethwyr), Vaishyaid (masnachwyr) a Sudraid (llafurwyr).

Dyfyniad allweddol

Pan rannwyd y dyn ganddyn nhw, i sawl rhan y cafodd ei wasgaru? Beth ddigwyddodd i'w geg, i'w freichiau, beth oedd yr enw am ei ddwy forddwyd a'i ddwy droed? Ei geg oedd y Brahminiaid, trowyd ei freichiau'n Kshatriyaid, ei ddwy forddwyd oedd y Vaishyaid, a ganwyd y Sudraid o'i draed. (Rig Veda 10:90:11–12)

Term allweddol

Catuvarnashramadharma: y pedair dyletswydd gymdeithasol a chrefyddol yn ôl cast a chyfnod mewn bywyd

Dyfyniad allweddol

Yn ôl testunau Hindŵaidd, nid dyn sydd wedi creu system Varnashramadharma. Mae'n cyfeirio at ddosbarthiadau naturiol sy'n ymddangos i wahanol raddau ym mhob cymdeithas ddynol. Mae tueddiadau cynhenid gwahanol gan unigolion ar gyfer gwaith ac maen nhw'n dangos amrywiaeth o briodweddau personol. Hefyd mae cyfnodau naturiol mewn bywyd, pan mae'n haws ac yn rhoi mwy o foddhad i wneud gweithgareddau penodol. Mae Hindŵaeth yn addysgu bod unigolion yn gwireddu eu potensial orau drwy ystyried trefniadau naturiol o'r fath, ac y dylid strwythuro cymdeithas a'i threfnu'n unol â hynny. (ISKCON)

Mae eu dyletswyddau'n cynnwys:

- diogelu dinasyddion rhag niwed, yn enwedig menywod, plant, Brahminiaid, yr henoed a gwartheg hefyd
- sicrhau bod pobl eraill yn cynnal eu dharma ac yn symud ymlaen yn ysbrydol
- bod y cyntaf yn y frwydr a pheidio byth ag ildio
- cadw eu gair
- derbyn pob her
- peidio byth â derbyn cardod
- codi trethi ar y Vaishyaid
- delio'n gadarn ag argyfwng ac anhrefn

Disgwylir iddyn nhw ddatblygu priodweddau bonheddig fel grym, sifalri a haelioni, ond hefyd derbyn arweiniad a chyngor gan y Brahminiaid a bod yn wybodus am yr ysgrythurau eu hunain.

Vaishyaid

Dyma'r dosbarth cynhyrchiol a gysylltir yn aml â busnesau mawr a bach, masnachwyr bach neu entrepreneuriaid sydd ar i fyny. Mae amrywiaeth wirioneddol o amgylchiadau cymdeithasol o fewn y dosbarthiad hwn. Gall rhai o'r Vaishyaid fod yn ddylanwadol iawn yn y gymdeithas oherwydd eu cyfoeth a'u statws yn y gymuned, ond mae eraill yn ddim mwy na gweithwyr sy'n meddu ar sgiliau. Fel y noda Waskey, 'O fewn cast y Vaishya mae is-gastiau o bobyddion, bugeiliaid, cowmyn, amaethwyr, cerddorion, gweithwyr metal, a hefyd masnachwyr a phobl fusnes. Mae pob un yn meddu ar sgìl, crefft neu broffesiwn.'

Mae eu dyletswyddau'n cynnwys:

- amddiffyn anifeiliaid, yn enwedig gwartheg, a'r tir
- creu cyfoeth a ffyniant
- cynhyrchu nwyddau
- masnachu'n foesegol
- talu trethi i'r Kshatriyaid

Mae'r Hindŵ yn ystyried y tri grŵp cyntaf yn y gymdeithas yn '**dvija**', sy'n golygu 'wedi'u geni ddwywaith'. Mae hyn yn cyfeirio at y ffaith eu bod yn rhan o draddodiad mewn Hindŵaeth sy'n profi ail enedigaeth ysbrydol drwy gymryd rhan yn yr **upanayana** (seremoni'r edau sanctaidd) ac yn derbyn cyfrifoldeb am gynnal traddodiadau Hindŵaeth drwy gynnal defodau penodol a defodau newid byd.

Sudraid

Y Sudraid yw'r gweithwyr a'r unig rai mae pobl eraill yn gallu eu cyflogi. Yn gyffredinol, mae hyn yn golygu eu bod yn weithwyr di-grefft, gweision a llafurwyr, er ei bod hi'n anodd diffinio nodweddion swyddogaethau o'r fath yn gywir. Mewn egwyddor, dylai'r varnau eraill fod yn hunangyflogedig ac yn hunangynhaliol. O ran y Vaishyaid, yn ymarferol mae hyn yn aml wedi golygu cynnig sgìl, cymhwyster neu rôl broffesiynol sydd wedi cael hyfforddiant. Felly, maen nhw'n cynnig neu'n gwerthu eu sgiliau yn hytrach na bod yn gyflogai yn unig.

Mae dyletswyddau'r Sudraid yn cynnwys:

- darparu gwasanaeth i bobl eraill
- ymfalchïo yn eu gwaith a bod yn deyrngar
- dilyn egwyddorion moesol cyffredinol
- priodi, sef yr unig ddefod newid byd mae'n orfodol iddyn nhw ei dilyn.

O ran y pwynt diwethaf, pan mae rhywun yn dewis priodi y tu allan i'w varna, mae wedi bod yn destun dadl barhaus o fewn cymunedau Hindŵaidd erioed. Dydy hyn ddim yn cael ei ystyried yn dderbyniol ac mae'r rheini sy'n gwneud hyn yn wynebu gwahaniaethu ac efallai cael eu gwrthod o fewn eu cymunedau. Yr enw ar yr egwyddor o briodi o fewn eich cymuned gymdeithasol agos yw **mewnbriodas**.

Traddodiad hanfodol arall o fewn Hindŵaeth drwy hanes yw'r egwyddor o **gydfwyta**, sydd wrth gwrs yn golygu'r arfer o fwyta gyda'ch gilydd. Mae'r weithred o rannu bwyd a moesau bwyta yn nodwedd bwysig o fywyd yr Hindŵ. Mae pobl o'r un varna yn bwyta gyda'i gilydd er bod hyn hefyd yn ymestyn i gynnwys amrediad ehangach o arferion domestig a hylendid.

Termau allweddol

Cydfwyta: bwyta gyda'ch gilydd

Dvija: yn llythrennol yn golygu 'wedi'i eni ddwywaith' ac yn cydnabod genedigaeth ysbrydol drwy upanayana

Mewnbriodas: priodi o fewn eich varna eich hun

Upanayana: seremoni'r edau sanctaidd i dderbyn rhywun i draddodiadau Hindŵaidd

cwestiwn cyflym

3.2 Esboniwch ystyr Catuvarnashramadharma.

Syniadau allweddol

Varnashramadharma

- Tarddiad Vedaidd
- Strwythur cymdeithasol yn seiliedig ar burdeb ysbrydol
- Pedwar prif grŵp cymdeithasol
- Dyletswyddau penodol i bob grŵp
- Disgwyliadau penodol ymddygiad
- Mewnbriodas
- Cydfodolaeth

Dyfyniad allweddol

Mae arwyddocâd y system varna felly yn ysbrydol yn y bôn: y duwiau sydd wedi'i chreu ac mae'n gynhenid dharmig (yn yr ystyr 'sut dylai pethau fod'); mae'n galluogi pawb i wybod beth yw ei dharma penodol, ac felly ennill karma da drwy ei ddilyn; ac mae'n seiliedig ar gysyniadau o burdeb ysbrydol. (Jamison)

Y pedwar ashrama

Yn hen India, roedd canllaw bywyd rhywun yn cynnwys manylion ac yn cael ei reoleiddio yn ôl pa ran, neu gyfnod, o'i fywyd roedd ynddo. Roedd ei dharma (cod dyletswydd) ei hun gan bob cyfnod o fywyd.

Cynnwys y fanyleb

Y pedwar ashrama – brahmacharya (cyfnod y myfyriwr), grihasta (cyfnod y penteulu), vanaprastha (cyfnod ymddeol) a sannyasin (cyfnod ymwadu).

Dyfyniad allweddol

Roedd y system ashrama yn sylfaenol i gynnal disgyblaeth, heddwch a chytgord yn y teulu a'r gymdeithas. Yn y teulu, yn ogystal ag yn gymdeithasol ac yn gyhoeddus, y norm oedd byw'n rhinweddol, dan arweiniad cymeriad bonheddig, gwerthoedd uchel ac ymdeimlad o ddyletswydd. Roedd hyn yn arwain at hapusrwydd, heddwch a chytgord cyffredinol. (Desai)

Yr ashramas yw'r pedwar prif gam neu gyfnod mewn bywyd, fel a ganlyn:

Brahmacharya (cyfnod y myfyriwr)

Grihasta (cyfnod y penteulu)

Vanaprastha (cyfnod ymddeol)

Sannyasin (cyfnod ymwadu).

Roedd dilyn y pedwar ashrama yn cael ei ystyried yn bwysig iawn yn y gorffennol, ond erbyn heddiw mae llai o bobl yn cadw at y system. Yn y pen draw, pwrpas dilyn y pedwar ashrama yw helpu rhywun i gyflawni moksha, rhyddhad o ailymgnawdoliad.

Termau allweddol

Brahmacharya: cyfnod y myfyriwr mewn bywyd

Grihasta: cyfnod y penteulu mewn bywyd

Guru: yn llythrennol 'athro' – un sy'n addysgu gwybodaeth grefyddol ac sydd wedi cyflawni ysbrydolrwydd cryf

Vanaprastha: y cyfnod ymddeol mewn bywyd

Brahmacharya (cyfnod y myfyriwr)

Yn draddodiadol, byddai disgwyl i fechgyn fyw oddi cartref yn ystod y cyfnod hwn ac astudio gyda guru am nifer o flynyddoedd i feithrin gwerthoedd ysbrydol. Fodd bynnag, erbyn heddiw dim ond nifer bach o deuluoedd Brahmin sy'n dilyn y traddodiad hwn yn llawn. Mae'r cyfnod yn dechrau i'r tri varna uchaf ar ôl defod yr edau sanctaidd, pan maen nhw'n cael eu haileni. Mae'r dyletswyddau yn y cyfnod hwn yn cynnwys astudio'r Vedau a thestunau eraill; byw bywyd anweddog a syml; gwasanaethu'r guru a chasglu cardod ar ei ran; dysgu sut i sefydlu a chynnal addoliad yn y cartref; datblygu nodweddion priodol fel gostyngeiddrwydd; a deall defodau amrywiol a'u cynnal. Mae Manu Samhita yn nodi ei fod yn gyfnod pan fydd bachgen yn ceisio 'ffrwyno ei synhwyrau sy'n rhedeg yn wyllt ymhlith gwrthrychau synhwyrus hudolus'. Yn ei hanfod mae'n gyfnod o ddysgu disgyblaeth a rheolaeth.

Dyfyniad allweddol

Mae Sannyasin yn methu perthyn i unrhyw grefydd, oherwydd mae ei fywyd yn fywyd o feddwl annibynnol, sy'n tynnu ar bob crefydd; bywyd o sylweddoliad, nid dim ond damcaniaeth neu gred, heb sôn am ddogma. (Swami Vivekananda)

Grihasta (cyfnod y penteulu)

Dyma'r cyfnod pan fydd Hindŵ yn penderfynu priodi ac yn derbyn cyfrifoldebau teuluol, sy'n cynnwys cael plant, ffurfio teulu, dilyn gyrfa a dod yn aelod gweithgar o'r gymuned. Yn ôl *Cyfreithiau Manu* mae hwn yn gyfnod allweddol yn yr ashramas ac mae'n arwyddocaol oherwydd bod ganddo'r potensial i effeithio ar y tri chyfnod arall. Yn ôl Desai, 'Yn y Grihasta Ashrama, roedd y penteulu i fod i gyflawni ei holl ddyletswyddau a'i ddyledion yn ôl dharma. Roedd rhaid sicrhau artha (cyfoeth) i fodloni kama (dyhead) ond dim ond mewn modd cyfiawn, yn ôl dharma. Mwynhau bywyd bydol, ennill arian, cael plant, gofalu am y teulu a'i les, a chyflawni dyletswyddau amrywiol yn ôl gofyn y teulu a'r gymdeithas: mae'r rhain yn perthyn i'r cyfnod hwn mewn bywyd'. Mae'r dyletswyddau yn y cyfnod hwn yn cynnwys gwneud arian a mwynhau pleser mewn modd moesegol; aberthu a chynnal defodau crefyddol; gwarchod a rhoi maeth i aelodau o'r teulu; addysgu gwerthoedd ysbrydol; a rhoi at elusen.

Vanaprastha (y cyfnod ymddeol)

Mae'r cyfnod hwn yn dechrau pan fydd dyn yn cyrraedd henoed. Pan fydd teulu gan ei fab a phan fydd yn barod i arwain y cartref, bydd ef a'i wraig yn ymddeol. Mae rhai'n dewis mynd o'r neilltu i ardal ddiarffordd neu ymwneud mwy â bhakti duw neu dduwies. Y cyfieithiad traddodiadol o vanaprastha yw 'yr un sy'n byw yn y goedwig' neu 'mynd i'r goedwig', sy'n arwydd ei fod yn amser i adfyfyrio ar eich pen eich hun ac ymroddiad ysbrydol. Mae eraill yn mynd ar bererindod, ac er eu bod yn cael mynd â'u gwragedd gyda nhw, mae unrhyw gyswllt rhywiol wedi'i wahardd. Mae'r dyletswyddau yn y cyfnod hwn yn cynnwys rhoi mwy o amser i faterion ysbrydol a mynd ar bererindod. Yn ôl Manu Samhita, 'Dylai ymwneud ag astudio'n rheolaidd, rheoli ei synhwyrau, parhau i ymddwyn yn gyfeillgar â phawb a chadw meddwl tawel. Rhaid iddo roi yn elusengar bob amser, peidio â derbyn rhoddion gan eraill a thrugarhau wrth bob bod byw.'

Sannyasin (cyfnod ymwadu)

Yn draddodiadol mae hwn ddim ond ar gael i ddynion sy'n dangos priodweddau Brahmin. Mae'r sannyasin yn feudwyaid crwydrol, sy'n gadael eu teulu, yn byw bywyd sy'n ddibynnol ar Dduw yn unig ac yn dilyn ffordd **asgetig** o fyw. Maen nhw'n ceisio goleuedigaeth a grym ysbrydol. Dydy pawb ddim yn gallu ymgyrraedd at y cyfnod hwn oherwydd mae'n llwybr anodd iawn ei ddilyn. Yn ei hanfod mae'n gyfnod o ddatgysylltu o'r byd ac mae'n arferol i'r sannyasin wneud delw ohono'i hun a chynnal ei angladd ei hun fel arwydd ei fod yn farw i'r byd cyn dechrau ar ei drywydd ysbrydol. Yn ôl y Manu Samhita, 'Ymhyfrydu mewn myfyrdod ar y Goruchaf, annibyniaeth oddi ar eraill, ildio pob dyhead, gyda'r Hunan yn unig yn gydymaith, ceisio dedwyddwch goruchaf, yw ffordd (y sannyasin) o fyw' (6.49). Mae'r dyletswyddau yn y cyfnod hwn yn cynnwys rheoli'r meddwl a'r synhwyrau, gan ganolbwyntio'r meddwl ar y Goruchaf; datgysylltu a bod yn ddi-ofn, yn gwbl ddibynnol ar Dduw fel amddiffynnwr; bod yn ymwybodol o'r hunan ac o Dduw.

Gweithgaredd AA1

Ar gardiau adolygu bach gwnewch grynodebau o'r dyletswyddau allweddol sy'n gysylltiedig â phob ashrama. Neu gwnewch siart llif yn dangos sut mae dyletswyddau wedi datblygu a newid o'r naill gyfnod i'r nesaf. Bydd hyn yn eich helpu i ddewis a chofio set graidd o bwyntiau i ddatblygu ateb i esbonio prif nodweddion a gwahaniaethau pob traddodiad. Bydd hyn hefyd yn sicrhau eich bod yn gwneud 'defnydd cywir o iaith a geirfa arbenigol yn eu cyd-destun' (disgrifydd band 5 AA1).

Dyfyniadau allweddol

Fel mae pob creadur yn dibynnu ar aer i fyw, yn yr un modd mae (aelodau pob) ashrama yn bodoli ar gymorth y grihasta. Mae'n bwysig nodi yma os nad yw grihasta yn byw fel mae gofyn iddo wneud, mae'n effeithio ar y tri ashrama arall. **(Desai)**

Mae nifer o fanteision amlwg i'r system ashrama. Mae'n rhoi fframwaith clir i bawb fynd drwy fywyd ac mae'n pwysleisio rhwymedigaethau rhywun i gymdeithas. Ar yr un pryd mae'n cynnig cyfle i ddatblygu'r ochr ysbrydol. Mae hefyd yn galluogi pawb i adnabod ei dharma. Felly bydd yn cronni'r karma da y bydd ei angen arno i fynd i fyny'r system varna mewn ailenedigaeth yn y dyfodol neu i gyflawni moksha. **(Jamison)**

cwestiwn cyflym

3.3 Enwch y pedwar ashrama a dwy ddyletswydd sy'n gysylltiedig â phob un.

Term allweddol

Asgetig: ffordd lym a disgybledig o fyw mewn Hindŵaeth, yn aml fel enciliwr neu feudwy

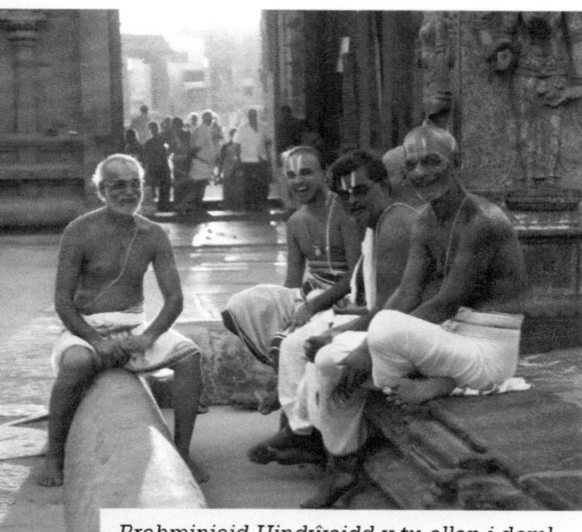

Brahminiaid Hindŵaidd y tu allan i deml

AA1 Gweithgaredd

Dychmygwch eich bod yn perthyn i varnau gwahanol ac mewn ashramas gwahanol yn eich bywyd. Cyflwynwch eich Varnashramadharma i weddill y dosbarth.

Perthynas Varnashramadharma a bhakti

Mae llawer o Hindŵiaid yn deall bod cyflawni gweithredoedd da neu gywir yn unol â dharma yn ôl varna ac ashrama yn wasanaeth i'r ddynoliaeth ac i Dduw. Mae'r mudiadau bhakti, sy'n cefnogi perthynas bersonol â duwdod yn seiliedig ar ymroddiad, yn gweld bod pob gweithred, gair a gorchwyl yn mynegi'r ymroddiad hwnnw. Felly, mae'n bosibl ystyried Varnashramadharma fel gweithred o addoli bhakti.

Mewn un ystyr, mae'r syniad o bhakti yn sail i'r system Varnashramadharma ac yn ei disodli. Mae dharma yn arwain at ddatblygiad ysbrydol ac mae'n hybu cymeriad sy'n rhinweddol ac yn ymwybodol yn ysbrydol yn rhywun. Mae pwrpas dharma yn cyd-fynd â threfn y bydysawd a nod eithaf Hindŵaeth – ceisio'r dwyfol. Dydy dharma ddim yn egwyddor wyddonol nac yn rheol naturiol ond yn drefn ddwyfol a sefydlwyd yn dragwyddol. Mae bhakti yn cefnogi'r ddyletswydd hon ac yn ei chryfhau. Drwy bhakti mae Hindŵ yn ceisio ymgymryd â'r drefn ddwyfol hon a chyfranogi ynddi mewn modd mwy personol. Mae'n gwneud hyn drwy ymlyniad ysbrydol wrth dduwdod, a moksha yn nod eithaf iddo. I Hindŵ, mae dharma yn allweddol mewn sefydlu'r amgylchedd gorau ar gyfer y profiad gorau o bhakti. Cyfeirir at y ddealltwriaeth hon o dharma yn aml fel **Sanatana dharma**.

Sanatana dharma

Mae Sanatana dharma, felly, yn cyfeirio at y 'gyfraith dragwyddol' sy'n hollgyffredinol. Fel rydyn ni wedi gweld, mae'r gair dharma yn cael ei gyfieithu gan amlaf fel dyletswydd grefyddol, foesol neu gymdeithasol benodol sy'n ymwneud â chodau ymddygiad sefydledig. Fodd bynnag, dim ond rhan o'i ystyr yw'r esboniad hwn. Mae'r gair dharma yn dod o'r Sanskrit 'dhiri' sy'n golygu 'cynnal'.

Felly mae gwir dharma rhywun yn cynnwys dyletswyddau sy'n cynnal yn ysbrydol ac yn faterol. Mae hyn yn arwain at ddealltwriaeth gyffredinol o Sanatana dharma. Hynny yw, y dyletswyddau sy'n ysbrydoli datblygu priodweddau a chymeriad delfrydol sy'n ystyried hunaniaeth ysbrydol rhywun, ac nid dim ond er mwyn cydymffurfio â varna neu ashrama. Mae'r dyletswyddau hyn yr un fath i bawb.

Mae Sanatana dharma yn cyfeirio at y dyletswyddau tragwyddol mae disgwyl i bob Hindŵ eu cyflawni, beth bynnag eu varna ac ashrama. Mae testunau gwahanol yn cynnig rhestrau gwahanol o ddyletswyddau. Yn gyffredinol mae Sanatana dharma yn cynnwys rhinweddau fel gonestrwydd, purdeb, trugaredd, amynedd a pheidio â niweidio unrhyw beth byw. Mae'n cyferbynu i raddau â Varnashramadharma, sef dyletswydd rhywun yn unol â varna a chyfnod mewn bywyd. Mae testunau Hindŵaidd fel y Bhagavad Gita yn trafod y potensial am wrthdaro rhwng y ddau fath o dharma. Mae'r rhain yn pwysleisio pwysigrwydd varnadharma. Weithiau efallai nad yw'n bosibl gweld y daioni yn eich dharma eich hun (**svadharma**) os yw'n mynd yn erbyn Sanatana dharma. Er enghraifft, svadharma Kshatriya yw gwarchod, hyd yn oed os yw hynny'n golygu lladd, ond eto mae i'w weld yn mynd yn erbyn y Sanatana dharma sy'n golygu atal rhag anafu unrhyw fod byw. Fodd bynnag, fel mae Krishna yn ei esbonio i Arjuna yn y Bhagavad Gita, mae daioni mwy Sanatana dharma yn trechu pan fydd pawb yn glynu at svadharma.

Yn ôl y cysyniad o Sanatana dharma, pwrpas pob creadur byw yw cynnal seva (gwasanaeth). Mae gwasanaeth i eraill yn crynhoi ymwybyddiaeth o bobl eraill ac ystyriaeth iddyn nhw, gan dynnu'r pwyslais oddi ar yr hunan. Dyma'r gwrthwyneb

Cynnwys y fanyleb

Perthynas â bhakti; cysylltiadau â Sanatana dharma a'r gwahaniaethau rhyngddyn nhw (Bhagavad Gita 18:47).

Dyfyniad allweddol

Yn aml mae pobl yn camddeall Varnashrama ac yn ei ystyried yr un peth â system cast Hindŵaidd yr oes fodern. Mae hyn ymhell o fod yn wir er does dim llawer o ddilynwyr y system cast heddiw hyd yn oed yn ymwybodol o hyn. Yn y system cast, genedigaeth sy'n pennu safle cymdeithasol rhywun. Fodd bynnag, mae'r system varnashrama wreiddiol mae'r Bhagavad Gita a llenyddiaeth Vedaidd arall yn sôn amdani, o'r farn y dylai cymeriad a thuedd naturiol unigolyn at waith bennu ei statws mewn cymdeithas. (Ekendra Das)

Termau allweddol

Sanatana dharma: cyfraith dragwyddol

Svadharma: dyletswydd bersonol rhywun yn ôl varna

cwestiwn cyflym

3.4 Esboniwch y berthynas rhwng Varnashramadharma a bhakti.

Dyfyniad allweddol

Mae'n well gwneud eich *darma* eich hun, er yn amherffaith, na gwneud *darma* rhywun arall yn berffaith. Drwy wneud eich dyletswyddau cynhenid, does neb yn pechu. (Bhagavad Gita 18:47)

i fod yn hunanol, hunangynhwysol, myfïol ac yn gyffredinol anghymdeithasol.

Yn ogystal, gan fod cyfreithiau Sanatana dharma yn hollgyffredinol, maen nhw uwchlaw systemau cred neu grefyddau bydol a thros dro a'r tu hwnt iddyn nhw. Mae'n well gan rai Hindŵiaid alw eu traddodiad yn Sanatana dharma yn hytrach na'r term mwy diweddar, 'Hindŵaeth'. Weithiau maen nhw'n ychwanegu cysyniad arall, **Sadharana dharma**, sef rheolau moesol cyffredinol i bawb.

Mae sawl cydweddiad wedi'u defnyddio i esbonio cysyniad Sanatana dharma. Mae enwau gwahanol gan yr un haul mewn gwledydd gwahanol ac yn ôl Sanatana dharma mae Duw uwchlaw labeli fel 'Prydeinig', 'Indiaidd', 'Cristion' neu 'Hindŵ'. Cydweddiad arall yw prifysgolion gwahanol yn addysgu'r un pwnc. Gall myfyrwyr fynychu prifysgolion gwahanol, sydd i gyd yn annibynnol ar ei gilydd, ond mae'r pynciau'r un fath lle bynnag maen nhw'n cael eu haddysgu. Yn yr un modd, mae traddodiadau crefyddol gwahanol ond mae'r pwnc yr un fath. Byddai llawer o Hindŵiaid felly'n cynnwys aelodau o'r prif grefyddau ffydd eraill dan faner Sanatana dharma, ond yn naturiol yn ffafrio eu 'hysgol' eu hunain.

Mae Sanatana dharma yn cydnabod pob math o lwon, defodau ac arferion crefyddol â'r nod o wasanaethu Duw. Bydd Hindŵiaid yn aml yn derbyn ac yn cymathu storïau o draddodiadau crefyddol eraill i'w rhai nhw. Dydyn nhw ddim yn rhoi pwyslais mawr ar ffyddlondeb i gredo penodol. Yn wir rydyn ni'n ystyried bod sefydlwyr crefyddau mawr y byd o fewn cwmpas Sanatana dharma ar sail y ffaith bod eu dysgeidiaeth yn rhan o wirioneddau a gwerthoedd hollgyffredinol sy'n sail i undod ysbrydol.

Term allweddol

Sadharana dharma: dyletswydd byw bywyd moesol a datblygu cymeriad moesol

cwestiwn cyflym

3.5 Esboniwch ystyr Varnashramadharma a Sanatana dharma.

Dyfyniadau allweddol

Ysbryd cynhwysol y traddodiad Hindŵaidd oedd yn arbennig o ddifyr a boddhaus i fi. Yn Sanatana Dharma, neu'r hyn a elwir yn gyffredin yn Hindŵaeth, fe ddes i o hyd i wirioneddau sylfaenol pob crefydd mewn ffordd yr oedd modd deall undod Duw a chrefydd yn llawn. (Radhanath Swami)

India yw man cyfarfod y crefyddau. Ymhlith y rhain mae Hindŵaeth ei hun yn beth enfawr a chymhleth, nid crefydd yn gymaint â chasgliad enfawr amrywiol ond unedig o feddwl, sylweddoliad a dyhead ysbrydol. (Sri Aurobindo)

Gweithgaredd AA1

Gwnewch ddiagram Venn am y berthynas rhwng Varnashramadharma a Sanatana dharma. Bydd hyn yn helpu i ganolbwyntio ar y pethau sy'n debyg ac yn wahanol yn y ddau gysyniad.

Ceisiwch greu cydweddiadau gwahanol i esbonio cysyniad Sanatana dharma a rhannwch y rhain â gweddill y dosbarth.

Awgrym astudio

Mae ymgeiswyr yn aml yn dda am gofio pwyntiau allweddol ond weithiau dydyn nhw ddim yn eu hesbonio'n llawn. I ddatblygu pwynt, defnyddiwch amrywiaeth o ffyrdd sy'n dangos sut caiff y pwynt hwn ei ddefnyddio ac os yw'n bosibl, cyflwynwch rai safbwyntiau ysgolheigaidd cyferbyniol i ategu eich ateb. Mae hyn yn dangos bod yr ateb yn 'dangos dyfnder a/neu ehangder helaeth. Defnydd rhagorol o dystiolaeth ac enghreifftiau' (disgrifydd band 5 AA1) yn hytrach na bod y wybodaeth yn 'gyfyngedig o ran dyfnder a/neu ehangder, gan gynnwys defnydd cyfyngedig o dystiolaeth ac enghreifftiau' (disgrifydd band 2 AA1).

Dyfyniad allweddol

Dydy gwir grefydd ddim yn ddogma cul. Dydy hi ddim yn ddefod allanol. Mae'n golygu ffydd yn Nuw a byw ym mhresenoldeb Duw. Mae'n golygu ffydd mewn bywyd yn y dyfodol, mewn gwirionedd ac Ahimsa. Mae crefydd yn fater i'r galon. Ni all unrhyw anghyfleustra corfforol gyfiawnhau cefnu ar eich crefydd eich hun. (Gandhi)

Datblygu sgiliau AA1

Nawr mae'n bryd ystyried y wybodaeth sydd wedi'i chyflwyno hyd yma. Hefyd mae'n bwysig ystyried sut mae'r hyn rydych chi wedi'i ddysgu hyd yma'n gallu cael ei ddefnyddio ar gyfer atebion arholiad drwy ymarfer y sgiliau sy'n gysylltiedig ag AA1.

Mae Amcan Asesu 1 (AA1) yn ymwneud â dangos gwybodaeth a dealltwriaeth. Mae'r termau 'gwybodaeth' a 'dealltwriaeth' yn amlwg ond mae'n hanfodol eich bod yn gyfarwydd â sut mae sgiliau penodol yn dangos y rhain, a hefyd, sut bydd eich perfformiad ym mhob un o'r sgiliau hyn yn cael ei fesur (gweler disgrifyddion band cyffredinol Band 5 ar gyfer AA1 UG).

▶ **Dyma eich tasg newydd:** isod mae ateb gwan a gafodd ei ysgrifennu'n ymateb i gwestiwn sy'n gofyn am archwilio cysyniad Varnashramadharma mewn Hindŵaeth. Gan ddefnyddio'r disgrifyddion band, rhowch yr ateb hwn mewn band perthnasol sy'n cyfateb i'r disgrifiad yn y band hwnnw. Yn amlwg mae'n ateb gwan ac felly nid yw'n perthyn i fandiau 3–5. Er mwyn gwneud hyn, bydd yn ddefnyddiol i chi ystyried beth sydd ar goll o'r ateb a beth sy'n anghywir. Bydd y dadansoddiad sy'n cydfynd â'r ateb yn eich helpu chi. Wrth ddadansoddi gwendidau'r ateb, gweithiwch mewn grŵp a meddyliwch am bum ffordd o wella'r ateb er mwyn ei gryfhau. Efallai fod gennych fwy na phum awgrym ond ceisiwch drafod fel grŵp a blaenoriaethu'r pum peth pwysicaf sydd ar goll.

Ateb

Mae Varnashramadharma yn syniad pwysig iawn mewn Hindŵaeth. Mae'n syniad hen iawn sy'n dod o'r cyfnod pan ddechreuodd Hindŵaeth. Mae'n rhoi rheolau a dyletswyddau i Hindŵiaid drwy gydol eu bywydau. **1** Mae'n amhosibl newid eich Varnashramadharma yn ystod eich bywyd. Mae Hindŵiaid yn credu os dydych chi ddim yn cyflawni eich Varnashramadharma, bydd yn achosi i'r bydysawd fethu. **2** Mae llawer o ddyletswyddau'n gysylltiedig â varna a llawer o ddyletswyddau'n gysylltiedig ag ashrama a rhaid i bawb ddilyn pob un. **3** Bydd hyn yn effeithio ar eich karma a sut byddwch yn dod yn ôl yn y bywyd nesaf. **4** Mae pedwar varna sef y Brahminiaid, y Kshatriyaid, y Vaishyaid a'r Sudraid. Hefyd mae Dalitiaid sydd y tu allan i'r system varna. **5** Hefyd mae pedwar ashrama – cyfnod y myfyriwr, cyfnod y penteulu, cyfnod ymddeol a'r cyfnod asgetig. **6** Mae'r dyletswyddau ym mhob cyfnod yn wahanol ac yn dod yn fwy difrifol wrth i chi basio drwy'r cyfnodau. **7**

Felly gallwn weld bod Varnashramadharma yn bwysig iawn mewn Hindŵaeth. **8**

Sylwadau

1. Dim diffiniad o'r term. Mae angen esbonio ac ymhelaethu. Beth mae hyn yn ei olygu?
2. Heb ei esbonio'n dda nac yn ddigon cywir.
3. Beth ydyn nhw? Mae angen enghreifftiau penodol.
4. Mae hyn yn gywir ond mae angen esbonio hyn yn fanylach.
5. Cywir ond heb gyfeirio at y dyletswyddau sy'n gysylltiedig â nhw nac wedi cynnig enghreifftiau.
6. Unwaith eto, heb gyfeirio at ddyletswyddau nac enghreifftiau.
7. Sylw amwys heb ddim byd i'w gefnogi.
8. Ailadrodd yw hyn, nid crynodeb.

Sgiliau allweddol

Mae gwybodaeth yn ymwneud â:

Dewis ystod o wybodaeth (drylwyr) gywir a pherthnasol sydd â chysylltiad uniongyrchol â gofynion penodol y cwestiwn.

Mae hyn yn golygu eich bod yn dewis y wybodaeth gywir sy'n berthnasol i'r cwestiwn a osodwyd NID y maes pwnc. Bydd angen i chi feddwl a chanolbwyntio ar ddewis gwybodaeth allweddol ac NID ysgrifennu popeth yr ydych chi'n ei wybod am y maes pwnc.

Mae dealltwriaeth yn ymwneud ag:

Esboniad helaeth, gan ddangos dyfnder a/neu ehangder gyda defnydd rhagorol o dystiolaeth ac enghreifftiau gan gynnwys (lle y bo'n briodol) defnydd trylwyr a chywir o destunau cysegredig, ffynonellau doethineb a geirfa arbenigol.

Mae hyn yn golygu y gallwch ddangos eich bod yn deall rhywbeth drwy egluro ac ehangu eich pwyntiau gan ddefnyddio enghreifftiau/tystiolaeth gefnogol mewn ffordd bersonol ac NID ailadrodd darnau o werslyfr (sef dysgu ar y cof).

Cymhwyso sgiliau ymhellach:

Ewch drwy'r meysydd pwnc yn yr adran hon a lluniwch rai rhestri bwled o bwyntiau allweddol o feysydd allweddol. Ar gyfer pob un, rhowch fwy o fanylion ac esboniwch fwy drwy ddefnyddio tystiolaeth ac enghreifftiau.

Mae'r adran hon yn cwmpasu cynnwys a sgiliau AA2

Cynnwys y fanyleb

I ba raddau y gellir disgrifio Hindŵaeth fel crefydd o ddyletswydd.

Materion i'w dadansoddi a'u gwerthuso

I ba raddau y gellir disgrifio Hindŵaeth fel crefydd o ddyletswydd

Mae llawer o Hindŵiaid yn cyfeirio at eu crefydd nid fel Hindŵaeth ond fel Sanatana dharma, 'crefydd dragwyddol', a Varnashramadharma, gair sy'n pwysleisio cyflawni dyletswyddau (dharma) sy'n briodol i'ch dosbarth (varna) ac i'ch cyfnod mewn bywyd (ashrama). Mae hyn ei hun yn dangos pwysigrwydd cysyniad dharma yn y grefydd. Diffiniad dharma yw dyletswydd, moesoldeb, teilyngdod crefyddol. Yn ôl athroniaeth Hindŵaidd, mae'n cynrychioli trefn â chyfreithiau i lywodraethu'r greadigaeth. Mae dharma â'i gyfreithiau crefyddol a moesol yn rhwymo Hindŵiaid mewn cytgord â'r drefn honno. Mae Hindŵiaid yn gweld bywyd fel dyletswydd a chyfle i gyflawni nod creadigaeth a bod yn rhan o dharma tragwyddol Duw. Maen nhw'n credu mai dyletswydd grefyddol yw prif nod bywyd dynol a sut gall Hindŵ gyflawni pedwar nod bywyd – kama, artha, dharma a moksha.

Yn ôl rhai ffynonellau Hindŵaidd, mae pedwar math o dharma – cosmig, cymdeithasol, dynol a'r hunan.

Mae dharma cosmig yn adlewyrchu cred yr Hindŵiaid eu bod yn rhan o natur ac yn ceisio dod â'u hunan mewn cytgord â'r bydysawd. Mae dharma cymdeithasol yn cyfeirio at ddyletswyddau o fewn teulu neu gymuned. Dharma dynol yw ashrama dharma a dharma personol (svadharma) yw dyletswyddau o fewn y llwybr mae rhywun yn ei ddewis drwy fywyd o ran tueddiadau, personoliaeth, dyheadau a phrofiad.

Mae'r Vedau a'r Dharma Shastras yn cyfeirio at y deg dyletswydd bwysicaf mewn Hindŵaeth. Mae'r dyletswyddau hyn yn cwmpasu pob agwedd ar fywyd Hindŵaidd. Yr un gyntaf yw dyletswydd tuag at yr hunan yn nhermau corff, meddwl ac enaid. Yn ôl y Bhagavad Gita 'Dylai rhywun ei ddyrchafu ei hun ar ei ben ei hun ac ni ddylai ei iselhau ei hun oherwydd rhaid mai'r Hunan yw ei ffrind ei hun a'i elyn ei hun.' Yr ail yw dyletswydd tuag at y duwiau (devas) ac mae'n cynnwys cynnal defodau. Dyletswydd arall yw dyletswydd tuag at yr hynafiaid a dangos diolchgarwch am yr hyn sydd wedi'i etifeddu. Mae dyletswydd tuag at blant, i ofalu a meithrin. Dyletswydd arall yw honno tuag at fodau dynol eraill a'r gred bod gwasanaethu'r ddynoliaeth yn golygu gwasanaethu Duw ac mai bod yn elusengar yw'r rhinwedd uchaf. Hefyd mae dyletswydd tuag at fodau byw eraill, oherwydd mae eneidiau ganddyn nhw i gyd a rhan yn y greadigaeth. Dyletswydd bwysig arall yw dyletswydd tuag at gymdeithas, i gynnal trefn a rheoleidd-dra (rta) cymdeithas. Mae dyletswydd foesol hefyd, i ymarfer rhinwedd a chynnal cyfraith ddwyfol. Mae cynnal dyletswyddau cast hefyd yn bwysig yn ogystal â dyletswydd tuag at grefyddau eraill o ran goddefgarwch crefyddol.

Fodd bynnag, er ei bod yn ymddangos mai dyletswydd yw'r ffactor pwysicaf mewn Hindŵaeth a bywyd Hindŵ, mae llawer yn credu bod ewyllys rydd a dewis yn bodoli o fewn y grefydd. Gall Hindŵiaid ddewis duwdod fel duwdod personol neu dduwdod y teulu. Byddai dilynwyr bhakti yn dadlau bod hyn yn seiliedig ar ymroddiad cariadus nad yw'n ddyletswydd. Bydden nhw hefyd yn tynnu sylw at y ffaith bod hanfod bhakti, nad yw'n pwysleisio gwahaniaethau cast, yn profi nad yw dyletswydd yn rhwymo Hindŵiaid. Mae cymhelliad uwch yn bodoli, a chariad yw hwnnw. Byddai eraill yn dadlau bod Hindŵaeth fel cyfanwaith yn grefydd o gredoau, ac mai'r credoau hynny yn hytrach na dyletswydd yw sail pob gweithred, defod a gŵyl Hindŵaidd.

Does dim amheuaeth bod dyletswydd yn gysyniad pwysig iawn mewn Hindŵaeth. Fodd bynnag, ni fyddai pob Hindŵ yn cytuno mai hwn yw'r cysyniad pwysicaf nac ychwaith ei bod yn deg dweud mai dyletswydd yw prif nodwedd y grefydd.

Gweithgaredd AA2 *Dadleuon posibl*

Wedi'u rhestru isod mae rhai casgliadau y byddai'n bosibl dod iddyn nhw ar sail rhesymeg AA2 yn y testun cysylltiedig:

1. Mae llawer o Hindŵiaid yn cyfeirio at eu crefydd fel Sanatana dharma.
2. Mae Varnashramadharma yn gysyniad pwysig iawn mewn Hindŵaeth.
3. Mae llawer o Hindŵiaid yn credu mai dyletswydd grefyddol yw prif nod bywyd dynol.
4. Mae'r dyletswyddau a nodir yn yr ysgrythurau Hindŵaidd yn cwmpasu pob agwedd ar fywyd yr Hindŵ.
5. Mae eraill yn credu bod ewyllys rydd a dewis personol yn bodoli o fewn Hindŵaeth.

Ystyriwch bob un o'r casgliadau sy'n cael eu gwneud uchod a chasglwch dystiolaeth ac enghreifftiau i gefnogi pob dadl o'r deunydd AA1 ac AA2 a astudiwyd yn yr adran hon. Dewiswch un casgliad sy'n argyhoeddi fwyaf yn eich barn chi ac esboniwch pam mae hyn yn wir. Nawr cyferbynnwch hyn â'r casgliad gwannaf ar y rhestr, gan gyfiawnhau eich dadl gyda rhesymu clir a thystiolaeth.

Perthnasedd yr ashramas i ffordd o fyw'r Hindŵiaid heddiw

Mae tarddiad y system ashrama, fel y system varna, yn hynafol a hefyd yn bwysig iawn yng nghyd-destun dharma. Gall unigolion ddysgu ac ymarfer eu dharma o fewn y system ashrama a, thrwy gymryd cyfrifoldebau dharmig pob cyfnod o ddifrif, maen nhw'n gallu gweithio at gyflawni moksha. Fodd bynnag, er eu bod yn seiliau pwysig ym mywyd cymdeithasol ac ysbrydol yr Hindŵ, erbyn heddiw mewn cymdeithas Hindŵaidd fodern, mae llai o bobl yn dilyn y system.

Mae'n bosibl dadlau bod y system ashrama yn amherthnasol i lawer o Hindŵiaid. Mae traean o'r boblogaeth Hindŵaidd yn Sudraid, y dosbarth isaf yn y system varna a dydy'r rhan fwyaf ohonyn nhw ddim yn dilyn y pedwar ashrama. Hefyd dydy'r arferion ddim yn berthnasol i fenywod gan eu bod wedi'u heithrio'n grefyddol o'r system ashrama.

Ar y dechrau, doedd dim rhaid i Hindŵ ddilyn y pedwar ashrama. Ar ôl yr ashrama cyntaf gallai rhywun ddewis pa un o'r ashramas eraill roedd yn dymuno eu dilyn am weddill ei oes. Gallai barhau'n fyfyriwr yn astudio gyda guru neu athro tan iddo farw, neu gallai briodi neu fynd i'r trydydd neu'r pedwerydd ashrama. Fodd bynnag, roedd llawer o wrthwynebu i'r system hon a beirniadaeth ohoni oherwydd mae'n mynd yn erbyn dysgeidiaeth draddodiadol Hindŵaeth ynghylch pwysigrwydd priodi a chael plant. Felly, newidiwyd y system a oedd yn ei gwneud hi'n ofynnol i rywun ddilyn y pedwar ashrama mewn un oes fel taith i ryddhad. Mae'n bosibl dadlau bod y system wreiddiol yn adlewyrchu llawer o'r hyn sy'n digwydd mewn cymdeithas fodern lle mae llawer yn dewis peidio â chydymffurfio â strwythur traddodiadol cymdeithas. Mae llawer yn dewis peidio ag astudio yn ystod eu hieuenctid neu'n dilyn hynny drwy briodi a chael teulu. Felly, mae'r ashramas yn amherthnasol i strwythur eu bywydau ac arferion eu ffordd o fyw.

Byddai llawer yn dadlau bod y pedwar ashrama yn adlewyrchu strwythur bywyd dynol a does dim modd lleihau eu perthnasedd. Fodd bynnag, eu natur orfodol yw asgwrn y gynnen. Mewn cymunedau Hindŵaidd traddodiadol, ychydig iawn o lais sydd gan rhywun ynghylch y llwybr mae'n rhaid ei ddilyn drwy fywyd. Mae llawer o Hindŵiaid yn dewis parhau'n anweddog ac mae llawer yn dewis peidio â chael plant neu'n methu cael plant. Mae llawer yn dewis aros yn yr ail ashrama neu'r trydydd drwy gydol eu bywyd, ond mae eraill yn methu cwblhau'r ashrama cyntaf drwy ddewis peidio ag astudio gyda guru neu athro.

Yn ôl Ian Jamison, 'mae llawer o fanteision gan y system ashrama. Mae'n rhoi fframwaith clir i bawb fynd drwy fywyd ac mae'n pwysleisio rhwymedigaethau rhywun i gymdeithas. Ar yr un pryd mae'n cynnig cyfle i ddatblygu'r ochr ysbrydol. Ymhellach mae'n galluogi pawb i wybod ei dharma, ac felly cronni'r karma da y bydd ei angen arnyn nhw i symud drwy'r system varna mewn ailenedigaeth yn y dyfodol neu i gyflawni moksha'. Does dim amheuaeth bod y fframwaith hwn yn ganllaw sy'n rhoi pwrpas i fywyd llawer o Hindŵiaid.

Mae'r pedwar ashrama yn parhau'n ddelfryd bwysig yn y traddodiad crefyddol Hindŵaidd. Dyma un o ddau biler traddodiad cymdeithasol-grefyddol Hindŵaeth, a'r llall yw varna. Mae'r ddau'n gysylltiedig â'i gilydd yn y term Hindŵaidd Varnashramadharma sydd, i lawer, yn crynhoi Hindŵaeth yn dda iawn.

Cynnwys y fanyleb

Perthnasedd yr ashramas i ffordd o fyw'r Hindŵiaid heddiw.

Gweithgaredd AA2 *Dadleuon posibl*

Wedi'u rhestru isod mae rhai casgliadau y byddai'n bosibl dod iddyn nhw ar sail rhesymeg AA2 yn y testun cysylltiedig:

1. Mae llai o bobl yn cadw at yr ashramas yn y gymdeithas fodern.
2. Mae'r system ashrama yn amherthnasol i lawer o Hindŵiaid.
3. Mae'r system ashrama wreiddiol yn adlewyrchu'r dewisiadau sydd yn y gymdeithas fodern.
4. Mae ashramas yn adlewyrchu strwythur bywyd dynol.
5. Un o ddau biler traddodiad cymdeithasol–grefyddol Hindŵaeth.

Ystyriwch bob un o'r casgliadau sy'n cael eu gwneud uchod a chasglwch dystiolaeth ac enghreifftiau i gefnogi pob dadl o'r deunydd AA1 ac AA2 a astudiwyd yn yr adran hon. Dewiswch un casgliad sy'n argyhoeddi fwyaf yn eich barn chi ac esboniwch pam mae hyn yn wir. Nawr cyferbynnwch hyn â'r casgliad gwannaf ar y rhestr, gan gyfiawnhau eich dadl gyda rhesymu clir a thystiolaeth.

Sgiliau allweddol

Mae dadansoddi'n ymwneud â nodi materion sy'n cael eu codi gan y deunyddiau yn adran AA1, ynghyd â'r rhai a nodwyd yn adran AA2, ac mae'n cyflwyno safbwyntiau cyson a chlir, naill ai gan ysgolheigion neu safbwyntiau personol, yn barod i'w gwerthuso.

Mae hyn yn golygu ei fod yn nodi pethau allweddol i'w trafod a'r dadleuon sy'n cael eu cyflwyno gan eraill neu o safbwynt personol.

Mae gwerthuso'n ymwneud ag ystyried goblygiadau amrywiol y materion sy'n cael eu codi, yn seiliedig ar y dystiolaeth a gafwyd wrth ddadansoddi ac mae'n rhoi dadl fanwl eang gyda chasgliad clir.

Mae hyn yn golygu bod yr ateb yn pwyso a mesur y dadleuon amrywiol a gwahanol a gafodd eu dadansoddi drwy roi sylwadau ac ymateb unigol, gan ddod i gasgliad drwy broses rhesymu clir.

Datblygu sgiliau AA2

Nawr mae'n bryd ystyried y wybodaeth sydd wedi'i chyflwyno hyd yma. Hefyd mae'n bwysig ystyried sut mae'r hyn rydych chi wedi'i ddysgu hyd yma'n gallu cael ei ddefnyddio ar gyfer atebion arholiad drwy ymarfer y sgiliau sy'n gysylltiedig ag AA2.

Mae Amcan Asesu 2 (AA2) yn ymwneud â 'dadansoddi' a 'gwerthuso'. Efallai fod ystyr y termau'n amlwg ond mae'n hanfodol eich bod yn gyfarwydd â sut mae sgiliau penodol yn dangos y rhain, a hefyd, sut bydd eich perfformiad ym mhob un o'r sgiliau hyn yn cael ei fesur (gweler disgrifyddion band cyffredinol Band 5 ar gyfer AA2 UG).

Yn amlwg mae ateb yn cael ei osod mewn disgrifydd band priodol, yn ôl pa mor dda yw'r ateb, gan amrywio o ragorol, da, boddhaol, sylfaenol/cyfyngedig i gyfyngedig iawn.

▶ **Dyma eich tasg:** isod mae ateb gwan a gafodd ei ysgrifennu'n ymateb i gwestiwn sy'n gofyn am werthuso i ba raddau mae'n bosibl disgrifio Hindŵaeth fel crefydd o ddyletswydd. Gan ddefnyddio'r disgrifyddion band, rhowch yr ateb hwn mewn band perthnasol sy'n cyfateb i'r disgrifiad yn y band hwnnw. Yn amlwg mae'n ateb gwan ac felly nid yw'n perthyn i fandiau 3–5. Er mwyn gwneud hyn, bydd yn ddefnyddiol i chi ystyried beth sydd ar goll o'r ateb a beth sy'n anghywir. Bydd y dadansoddiad sy'n cydfynd â'r ateb yn eich helpu chi. Wrth ddadansoddi gwendidau'r ateb, gweithiwch mewn grŵp a meddyliwch am bum ffordd o wella'r ateb er mwyn ei gryfhau. Efallai fod gennych fwy na phum awgrym ond ceisiwch drafod fel grŵp a blaenoriaethu'r pum peth pwysicaf sydd ar goll.

Ateb

Mae llawer o ddyletswyddau o fewn Hindŵaeth a rhaid i bob Hindŵ eu dilyn i gyd drwy gydol ei oes. Os na fydd yn gwneud hyn bydd yn cael karma drwg ac yn cael ei aileni fel anifail. 1

Un o'r syniadau pwysicaf mewn Hindŵaeth yw Varnashramadharma sy'n golygu bod dyletswyddau yn gysylltiedig â'ch varna ac â'ch ashrama. 2 Mae'r dyletswyddau hyn yn cwmpasu pob agwedd ar fywyd Hindŵ. 3 Maen nhw hefyd yn dangos bod popeth mae Hindŵ yn ei wneud, mae'n ei wneud fel dyletswydd, er enghraifft priodas. Felly mae hyn yn dangos bod Hindŵaeth yn grefydd o ddyletswydd. Dydy Hindŵiaid ddim yn cael dewis dim byd drostyn nhw eu hunain yn eu crefydd. 4

Fodd bynnag, mae rhai Hindŵiaid yn ceisio dadlau bod ganddyn nhw ddewis a'u bod yn gallu dewis y duwiau i'w haddoli yn y cartref ac yn y deml. Hefyd maen nhw'n gallu dewis pa wyliau i'w dathlu. 5 Fodd bynnag, dydy hyn ddim yn llawer o ddewis. 6

Felly mae'n glir bod y datganiad bod Hindŵaeth yn grefydd o ddyletswydd yn gywir. 7

Sylwadau

1. Cyflwyniad amwys ac anghywir.
2. Esboniwch y termau. Beth maen nhw yn ei olygu?
3. Rhowch enghreifftiau penodol.
4. Ble mae'r rhesymu/tystiolaeth ategol?
5. Mae angen datblygu'r pwynt hwn a'i gefnogi gyda thystiolaeth.
6. Pam?
7. Casgliad simplistig, heb ei brofi.

B: Statws y Dalitiaid

Mae'r adran hon yn cwmpasu cynnwys a sgiliau AA1

Cynnwys y fanyleb

Eu statws o fewn y system varna – eu safle y tu allan i'r pedwar varna – wedi'u cau allan o brif ffrwd y gymdeithas.

Y Dalitiaid

Mae'r gair **Dalit** yn golygu gorthrymedig ac mae'n cyfeirio at rywun y tu allan i'r pedwar varna, sy'n cael ei ystyried yn israddol iddyn nhw. Roedden nhw'n arfer cael eu galw'n '**Anghyffyrddedigion**'. Pan ymledodd concwest yr Ariaid yn India, a mwy a mwy o bobl yn dod i mewn i'w cymdeithas, creodd yr Ariaid ddosbarth newydd – yr Anghyffyrddedigion. Roedd y rhain y tu allan i'r system varna neu gast yn llwyr. Yn wir, roedden nhw'n 'out-cast'. Y rheswm dros hyn oedd bod pobl yn meddwl y gallen nhw lygru pobl uwch yn y gymdeithas. Y gred oedd, mewn rhai sefyllfaoedd, y gallai cysgod rhywun Anghyffyrddedig fod yn ddigon i lygru. Roedd y gofynion purdeb mor llym fel nad oedd hyd yn oed y Sudraid yn cysylltu â nhw. Bydden nhw'n gorfod gwneud gwaith a oedd yn cael ei ystyried yn amhur yn ddefodol, fel trin cyrff marw a gwaredu sbwriel a gwastraff dynol. Roedd y gweithgareddau hyn yn cael eu hystyried yn rhai a fyddai'n llygru'r un a oedd yn eu cynnal a phobl eraill a fyddai yn eu cyffwrdd. Felly doedd yr Anghyffyrddedigion ddim yn cael cymryd rhan yn llawn yn y bywyd crefyddol Hindŵaidd oherwydd eu bod yn cael eu hystyried yn anaddas i gael unrhyw gyswllt cymdeithasol â rhannau 'pur' cymdeithas.

Roedd yr Anghyffyrddedigion yn dioddef gormes cymdeithasol a chyfyngiadau eithafol. Roedden nhw'n gorfod byw y tu allan i ffiniau pentrefi a threfi. Doedden nhw ddim yn cael addoli yn y deml nac yn cael hawl i ddefnyddio dŵr o'r un ffynhonnau ag aelodau eraill y gymdeithas. Roedden nhw hefyd wedi'u gwahardd rhag cael unrhyw fath o gysylltiad ag aelodau o'r varnau uwch. Pe bai aelod o varna uwch yn cael unrhyw gyswllt corfforol neu gymdeithasol ag un o'r Anghyffyrddedigion, byddai'r aelod hwnnw'n cael ei lygru ac yn gorfod dilyn defodau hir a thrylwyr i'w lanhau ei hun o'r amhurdeb.

Mae'r gwrthodiad cymdeithasol a'r stigma ysbrydol hwn yn dal i fod yn amlwg heddiw, yn enwedig mewn ardaloedd gwledig. Mewn pentrefi hynod o draddodiadol, dydy'r Dalitiaid ddim yn cael gadael eu cysgod ar Brahminiaid o hyd, rhag ofn eu llygru. Ond mewn ardaloedd trefol dydy'r cysyniad o system cast gref ddim yn bodoli erbyn hyn.

Termau allweddol

Anghyffyrddedig: yr enw a roddodd yr Ariaid i rywun sydd y tu allan i'r pedwar varna

Dalit: rhywun gorthrymedig, un sydd y tu allan i'r system varna

Awgrym astudio

Gwnewch yn siŵr eich bod yn gyfarwydd â'r holl dermau allweddol a'u diffiniadau cywir. Mae hyn yn arbennig o berthnasol i'r adran hon. Bydd hyn yn sicrhau eich bod yn gwneud 'defnydd trylwyr a chywir o iaith a geirfa arbenigol mewn cyd-destun' (disgrifydd band 5 AA1)

cwestiwn cyflym

3.6 Esboniwch ystyr Dalit.

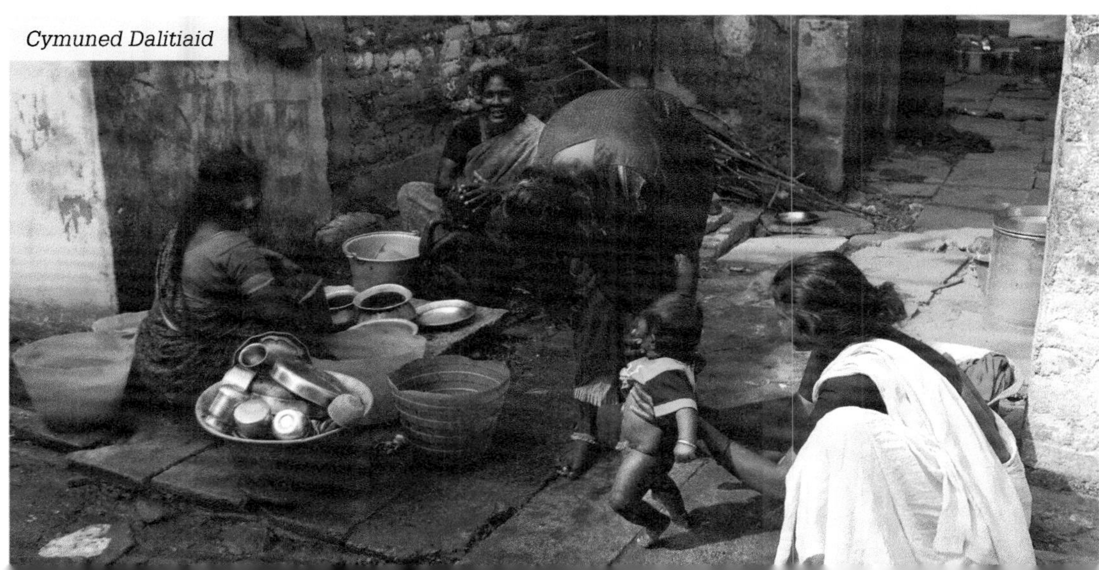

Cymuned Dalitiaid

Cynnwys y fanyleb

Cymhariaeth rhwng Gandhi, a oedd yn gwrthod anghyffyrddadwyedd ond yn cefnogi'r system varna, ac Ambedkar, a oedd yn cefnogi cael gwared ar y system varna yn gyfan gwbl.

Dyfyniad allweddol

Rwyf yn nodi, fel yr wyf wedi gwneud erioed, gwahaniaeth clir rhwng castiau a varnau. Mae castiau'n aneirif ac yn eu cyflwr presennol maen nhw'n llethu Hindŵaeth. Felly nid ydych chi na mi'n parchu gwahaniaethau cast. Mae varna yn gwbl wahanol, ac mae'n golygu proffesiwn. Nid oes gan hyn ddim i'w wneud â chydfwyta a chydbriodi. Roedd pobl a oedd yn perthyn i'r pedwar proffesiwn yn arfer cydfwyta a chydbriodi. Drwy wneud hynny'n naturiol, doedden nhw ddim yn gallu gadael eu varna ac ni fydden nhw'n gwneud. Mae hyn yn gwbl glir o ddiffiniadau'r varnau gwahanol yn y Bhagvadgita. Mae dyn yn syrthio o'i varna pan mae'n gadael y proffesiwn mae wedi'i etifeddu. (Mahatma Gandhi)

cwestiwn cyflym

3.7 Esboniwch y gwahaniaeth rhwng cast a varna yn ôl Gandhi.

Termau allweddol

Gandhi: Mohandas Karamchand Gandhi, unigolyn enwog yn y dadeni Hindŵaidd; arweinydd y frwydr dros annibyniaeth India

Harijans: yr enw a roddodd Gandhi i'r 'Anghyffyrddedig', sy'n golygu 'plant Vishnu'

Jati: galwedigaeth neu swydd o fewn y system cast

Gandhi ac anghyffyrddadwyedd

Gandhi

Roedd **Ghandi** yn hyrwyddo'r system varna. Roedd yn credu mai Varnashramadharma oedd y nodwedd bwysicaf yng nghymdeithas yr Hindŵ ond ei bod yn drefn ymarferol yn unig heb ddim i'w wneud â phobl yn well neu'n waeth na'i gilydd. Roedd pob un o'r varnau, yr oedd Ghandi yn cyfeirio atyn nhw hefyd fel dosbarthiadau cymdeithasol, yn cael ei bennu gan enedigaeth ac roedd proffesiwn neu swydd etifeddol yn gysylltiedig â varna gan bob un. Yn y ffurf hon doedd Gandhi ddim yn ystyried varna yn sefydliad wedi'i greu gan ddyn ond yn 'gyfraith bywyd' yn llywodraethu'r teulu dynol yn hollgyffredinol. Roedd yn credu bod hyn yn cynnig sail i gymdeithas gyfartal.

Er bod varna yn cael ei bennu gan enedigaeth, dim ond trwy gyflawni rhwymedigaethau ei varnadharma y byddai rhywun yn cael aros yn y varna hwnnw. Yma mae Gandhi yn cydnabod y posibilrwydd o gael eich geni mewn un varna a pherthyn i un arall oherwydd nodweddion eich cymeriad.

Roedd Gandhi yn credu nad oedd gan varna ddim byd i'w wneud â chast. Cafodd y pedwar varna gwreiddiol eu his-rannu yn nifer fawr o grwpiau o'r enw **jatis** neu gastiau, a dyma, yn ôl Gandhi, lle cyflwynwyd y syniad o ddosbarthu pobl yn uchel ac isel. Ysgrifennodd yn helaeth am y gwarth a'r daeogaeth a'r hualau yr oedd y bobl a effeithiwyd ganddo yn ei ddioddef.

Gweithgaredd AA1

Dychmygwch mai chi yw Gandhi ac ysgrifennwch flog byr yn amddiffyn y system varna.

Roedd Gandhi yn gwrthwynebu'n llwyr y cysyniad o anghyffyrddadwyedd ac yn ei ddirmygu am ei fod yn arwain at anghydraddoldeb ac ecsbloetio. Nid oedd yn derbyn bod Catuvarnashramadharma yn gysylltiedig â phroblem anghyffyrddadwyedd a'i fod yn codi o ddirywiad yn nhraddodiadau gwerthfawr y gymdeithas Hindŵaidd. Roedd Gandhi yn credu bod gwahanu grŵp o bobl oddi wrth weddill cymdeithas yn anghywir ac ymgyrchodd i gael gwared yn llwyr ar y cysyniad o Hindŵaeth.

Mewn cyfweliad â'r wasg yn 1937 dywedodd, 'rwyf i'n "gyffyrddadwy" drwy enedigaeth ond yn "anghyffyrddadwy" o ddewis... Yr hyn rwyf i'n ei ddymuno, a'r hyn rwyf i'n edrych amdano a'r hyn y byddwn wrth fy modd yn marw drosto yw dileu anghyffyrddadwyedd, o'r gwraidd i'r brig... Os bydd anghyffyrddadwyedd yn cael ei ddileu, bydd nid yn unig yn gwaredu Hindŵaeth rhag drwg ofnadwy, ond bydd ôl-effaith hyn yn fyd-eang; mae fy mrwydr yn erbyn anghyffyrddadwyedd yn frwydr yn erbyn yr amhurdeb yn y ddynoliaeth.'

Enw Gandhi ar yr Anghyffyrddedigion oedd '**Harijans**' sy'n golygu 'plant Duw' neu 'plant Vishnu' ac ymgyrchodd i'w gosod yn y pedwerydd varna. Yn ei weithiau, mae Gandhi yn cyfeirio at yr amgylchiadau trallodus roedd yr Anghyffyrddedigion yn gorfod byw ynddyn nhw – yn methu dod o hyd i waith a gorfod pigo grawn oedd heb ei dreulio o dail gwartheg i'w falu i wneud chappatis. Does dim rhyfedd ei fod yn meddwl bod hyn yn rhoi enw drwg i Hindŵaeth.

Drwy ei weithiau roedd yn gobeithio deffro cydwybod India ac mae ei ddatganiadau ar anghyffyrddadwyedd pan oedd yn y carchar yn 1932 yn hynod o bwysig yn y cyd-destun hwn. Yn ei ail ddatganiad mae'n disgrifio cyflwr yr Anghyffyrddedigion. 'Yn gymdeithasol, roedden nhw'n wahangleifion,' dywedodd, 'yn economaidd, roedden nhw'n waeth na chaethweision, yn grefyddol roedden nhw'n cael eu gwahardd rhag mynd i mewn i fannau a fyddai'n cael eu camenwi yn "dai Duw".' Drwy ei weithredoedd hefyd fe osododd esiampl cryf i Hindŵiaid pan oedd yn 12 oed, gan ddadlau yn erbyn anghyffyrddadwyedd yn ei gartref ei hun. Fel cyfreithiwr ifanc yn Ne Affrica, byddai'n glanhau ei doiled ei hun i bwysleisio urddas llafur gwasaidd. Yn ddiweddarach, yn India, mabwysiadodd ferch Anghyffyrddedig a mynnodd fod ei ddilynwyr gwleidyddol, llawer ohonyn nhw'n Brahminiaid cyfoethog, yn gyfrifol am ysgubo lloriau, glanhau eu toiledau a gwaredu eu gwastraff eu hunain.

Dyfyniad allweddol

Os yw anghyffyrddadwyedd yn byw, bydd Hindŵaeth yn marw a hyd yn oed India yn marw, ond os caiff anghyffyrddadwyedd ei ddileu o galon yr Hindŵ, o'r bôn i'r gwraidd, mae gan Hindŵaeth neges bendant i'r byd. (Gandhi)

Gweithgaredd AA1

Ysgrifennwch erthygl i gylchgrawn yr ysgol yn esbonio gwrthwynebiad Gandhi i gysyniad 'anghyffyrddadwyedd'. Cofiwch ystyried na fydd y rhan fwyaf o'r darllenwyr yn gwybod dim byd am Hindŵaeth.

cwestiwn cyflym

3.8 Esboniwch sut dangosodd Gandhi ei wrthwynebiad i 'anghyffyrddadwyedd' mewn dwy ffordd.

Awgrym astudio

Gwnewch yn siŵr eich bod bob amser yn ateb y cwestiwn a osodwyd, gan roi sylw arbennig i eiriau allweddol. Bydd hyn yn sicrhau bod gennych y siawns orau o roi 'ateb helaeth a pherthnasol sy'n bodloni gofynion penodol y cwestiwn a osodwyd' (disgrifydd band 5 AA1).

Ambedkar ac anghyffyrddadwyedd

Ganwyd Dr Bhim Rao Ambedkar (1891–1956) yn Anghyffyrddedig yn nhalaith Maharashtra yn India. Fodd bynnag, gyda chefnogaeth ei deulu a diwygwyr Hindŵaidd o gast uchel, cafodd addysg lwyddiannus. Rhwng 1912 ac 1923 enillodd radd BA yn Bombay, MA a PhD mewn economeg o Brifysgol Columbia a hefyd pasiodd arholiadau'r bar yn Ysbyty Gray yn Llundain.

Dr Ambedkar

Yn India, cysegrodd Dr Ambedkar ei fywyd i wella statws yr Anghyffyrddedigion. Bu'n gwrthdaro â Gandhi ar nifer o faterion ar lefel symbolaidd ac ymarferol. Er bod y ddau'n awyddus i atal defnyddio'r term 'Anghyffyrddedig', gwrthododd Ambedkar awgrym Gandhi, sef Harijan. Roedd yn meddwl bod hwn yn derm nawddoglyd ac roedd yn well ganddo'r gair Dalit. Roedd hefyd yn benderfynol o ddileu'r system varna yr oedd Gandhi yn ei chefnogi. Roedd yn credu mai'r ffordd i gyflawni hyn oedd drwy wleidyddiaeth gan ei bod yn haws newid cyfreithiau na chalonnau pobl. Ar y llaw arall roedd Gandhi yn credu y byddai newid yn dod drwy ddylanwadu ar Hindŵiaid i gefnu ar anghyffyrddadwyedd.

Roedd Ambedkar yn awyddus i gael colegau etholiadol ar wahân i'r Dalitiaid i sicrhau bod ganddyn nhw ddigon o rym gwleidyddol yn yr India newydd annibynnol i sicrhau dinistrio'r system varna. Roedd Gandhi yn credu bod hwn yn ddewis anghywir oherwydd byddai'n parhau i osod y Dalitiaid y tu allan i brif ffrwd cymdeithas Hindŵaidd. Arweiniodd Ambedkar y Dalitiaid mewn ymgyrchoedd i wella cyfleoedd addysg a sicrhau hawliau sifil a chrefyddol sylfaenol. Yn 1935, ar ôl ymgyrchu'n aflwyddiannus am bum mlynedd i ennill yr hawl i fynd i mewn i demlau Hindŵaidd, dywedodd Ambedkar 'Cefais fy ngeni'n Hindŵ, ond ni fyddaf yn marw'n Hindŵ'. Anogodd yr Anghyffyrddedigion i newid eu crefydd i un nad oedd yn cydnabod cast nac anghyffyrddadwyedd. Trodd ef ei hun a thros bedair miliwn o Ddalitiaid at Fwdhaeth ym mis Hydref 1956.

Pan gafodd India annibyniaeth, Ambedkar oedd Gweinidog cyntaf y Gyfraith yn India ac ef hefyd oedd cadeirydd y pwyllgor a ddrafftiodd y cyfansoddiad. Dan ei arweiniad, cafodd anghyffyrddadwyedd ei ddiddymu yn gyfreithiol.

Yn ei ymgyrchoedd dros y Dalitiaid, dyfynnodd Ambedkar *Gyfreithiau Manu* i ddangos sut roedden nhw'n cael eu gweld a'u trin o fewn y grefydd,

'Gelwir yr holl lwythau yn y byd, a eithrir o'r gymuned, a anwyd o geg, breichiau, morddwydydd a thraed y Brahman, yn Dasyus (Dalit). Eu dillad fydd dillad y meirw, byddant yn bwyta'u bwyd o lestri toredig, haearn du fydd eu haddurniadau, rhaid iddynt grwydro o le i le. Ni fydd dyn sy'n cyflawni ei ddyletswydd grefyddol yn ceisio cyswllt â hwy, rhaid iddynt gysylltu â'i gilydd yn unig a rhaid iddyn nhw briodi eu cydraddolion yn unig. Pe bai unrhyw un o'r bobl hyn yn llygru aelod o'r cast a anwyd ddwywaith yn fwriadol drwy ei gyffwrdd, bydd yn marw'.

cwestiwn cyflym

3.9 Esboniwch agwedd Ambedkar at y system varna. Esboniwch y prif wahaniaeth rhwng Gandhi ac Ambedkar.

Gweithgaredd AA1

Dychmygwch eich bod yn gyflwynydd rhaglen sgwrsio ac mai Ghandi ac Ambedkar yw eich gwesteion. Meddyliwch am bum cwestiwn a fydd yn tynnu sylw at y gwahaniaethau rhwng y ddau o ran 'anghyffyrddadwyedd'.

Cynnwys y fanyleb

Statws cyfredol Dalitiaid – drwy gyfrwng Plaid y Bahujan Samaj a datblygiad a gwelliant eu sefyllfa yn y gymdeithas – llwyddiant ym myd busnes ac mewn bywyd cyhoeddus.

Statws cyfredol Dalitiaid – drwy gyfrwng Plaid y Bahujan Samaj a datblygiad a gwelliant eu sefyllfa yn y gymdeithas – llwyddiant ym myd busnes ac mewn bywyd cyhoeddus

Ers dod yn annibynnol oddi ar Brydain, mae India wedi gweithredu'n gadarnhaol i helpu'r hyn a elwir yn swyddogol y 'Castiau a Llwythau Rhestredig'. Yn 1997 etholodd India ei harlywydd Dalit cyntaf. Byddai llawer yn dadlau nad yw gwahaniaethu ar sail purdeb bellach yn gyffredin ac nad yw statws Dalitiaid yn y gymdeithas bellach yn cael ei gyfyngu drwy ragfarn ar sail cast. Mae'n wir bod nifer fawr o Ddalitiaid yn parhau'n dlawd ond dydy hynny ddim yn ganlyniad uniongyrchol eu cast. Mae llawer o Ddalitiaid wedi llwyddo mewn busnes a bywyd cyhoeddus ac erbyn hyn yn gallu cyfrannu at gymdeithas fodern India.

Term allweddol

Plaid y Bahujan Samaj: plaid wleidyddol genedlaethol yn India (*BSP: Bahujan Samaj Party*)

Mae'r newidiadau hyn wedi digwydd drwy ymdrechion unigolion a grwpiau amrywiol ac yn enwedig drwy waith **Plaid y Bahujan Samaj** (*BSP: Bahujan Samaj Party*). Kanshi Ram, aelod o'r gymuned Dalit, a sefydlodd y blaid yn 1984. Cafodd Ram ei ysbrydoli gan ddysgeidiaeth Dr Ambedkar. Mae'r gair 'bahujan' yn llythrennol yn golygu 'y rhan fwyaf o'r bobl' ac ystyr 'samaj' yw 'cymdeithas'. Mae'r *BSP* yn cynrychioli'r rhannau gorthrymedig o gymdeithas yn bennaf. Ei nod yw 'trawsnewid cymdeithasol' a 'rhyddid economaidd' i'r cymunedau hyn. Mae'r *BSP* yn gwrthwynebu'n chwyrn y system gymdeithasol mae Hindŵiaid o gast uchel yn ei harfer, yn enwedig y Brahminiaid. Mae felly'n blaid sy'n bleidiol i'r Dalitiaid ac sydd wedi ymgyrchu'n gryf i wella statws cymdeithasol y Daliltiaid. Mae wedi llwyddo i gael effaith ystyrlon ar fywydau'r Dalitiaid.

cwestiwn cyflym

3.10 Disgrifiwch sut mae sefyllfa'r Dalitiaid wedi gwella mewn tair ffordd.

cwestiwn cyflym

3.11 Sut mae eu sefyllfa heb wella?

Serch hynny, mae Dalitiaid yn dal i ddioddef gwahaniaethu, yn enwedig mewn ardaloedd gwledig. Mae'r corff hawliau Dalitaidd, 'Ymddiriedolaeth Navsarjan', mewn cydweithrediad â Chanolfan Robert F. Kennedy er Cyfiawnder a Hawliau Dynol (Canolfan RFK) wedi gwneud astudiaeth ar wahaniaethu ar sail cast yn nhalaith Gujarat. Mae'r gwahaniaethu hwn yn effeithio ar gyrchu addysg a chyfleusterau meddygol ac yn cyfyngu ar y tai sydd ar gael a pha fath o waith mae'r Dalitiaid yn cael ei wneud. Byddai llawer yn dadlau nad yw'r gwahaniaethu hwn yn gyfyngedig i ardaloedd gwledig; mae'n digwydd mewn trefi hefyd.

Dyfyniad allweddol

Bydd y Wladwriaeth, yn arbennig o ofalus, yn hybu buddiannau addysgol ac economaidd carfan wannach y bobl, ac yn benodol y Castiau Rhestredig a'r Llwythau Rhestredig, a bydd yn eu diogelu rhag anghyfiawnder cymdeithasol a phob math o ecsbloetio. **(Erthygl 46 Cyfansoddiad India)**

Awgrym astudio

Gwnewch yn siŵr eich bod bob amser yn ateb y cwestiwn a osodwyd, gan roi sylw arbennig i eiriau allweddol. Bydd hyn yn sicrhau bod gennych y siawns orau o roi 'ateb helaeth a pherthnasol sy'n bodloni gofynion penodol y cwestiwn a osodwyd' (disgrifydd band 5 AA1).

Datblygu sgiliau AA1

Nawr mae'n bryd ystyried y wybodaeth sydd wedi'i chyflwyno hyd yma. Hefyd mae'n bwysig ystyried sut mae'r hyn rydych chi wedi'i ddysgu hyd yma'n gallu cael ei ddefnyddio ar gyfer atebion arholiad drwy ymarfer y sgiliau sy'n gysylltiedig ag AA1.

Mae Amcan Asesu 1 (AA1) yn ymwneud â dangos gwybodaeth a dealltwriaeth. Mae'r termau 'gwybodaeth' a 'dealltwriaeth' yn amlwg ond mae'n hanfodol eich bod yn gyfarwydd â sut mae sgiliau penodol yn dangos y rhain, a hefyd, sut bydd eich perfformiad ym mhob un o'r sgiliau hyn yn cael ei fesur (gweler disgrifyddion band cyffredinol Band 5 ar gyfer AA1 UG).

▶ **Dyma eich tasg newydd:** isod mae ateb is na'r cyffredin a gafodd ei ysgrifennu'n ymateb i gwestiwn sy'n gofyn am archwilio agwedd Gandhi at anghyffyrddadwyedd. Gan ddefnyddio'r disgrifyddion band, gallwch ei gymharu â'r bandiau perthnasol a disgrifyddion y bandiau hynny. Mae'n amlwg yn ateb is na'r cyffredin ac felly byddai tua band 2. Yn y lle cyntaf, bydd yn ddefnyddiol i chi ystyried beth sydd ar goll o'r ateb a beth sy'n anghywir. Y tro hwn does dim rhestr gyda'r ateb i'ch helpu. Wrth ddadansoddi gwendidau'r ateb, gweithiwch mewn grŵp a dewiswch bum pwynt o'r rhestr er mwyn gwella'r ateb hwn a'i gryfhau. Yna ysgrifennwch eich ychwanegiadau, pob un mewn paragraff clir, gan gofio egwyddorion esbonio gyda thystiolaeth a/neu enghreifftiau.

Ateb

Roedd Ghandi o blaid y system varna. Hefyd, nid oedd yn hoffi'r syniad o'r Anghyffyrddedigion. Roedd Gandhi yn credu mai Varnashramadharma oedd y ffordd orau i drefnu cymdeithas Hindŵaidd. Ei farn oedd nad oedd ganddo ddim i'w wneud â phobl yn well neu'n waeth na'i gilydd ac roedd yn credu ei fod yn creu cymdeithas gyfartal. Ei farn oedd bod cast yn gwbl wahanol i varna. Roedd Gandhi yn gwrthwynebu anghyffyrddadwyedd yn llwyr oherwydd ei fod yn arwain at anghydraddoldeb a manteisio ar bobl. Roedd hyn yn gwbl anghywir, ac ymgyrchodd Gandhi yn ei erbyn drwy gydol ei fywyd. Roedd yn awyddus i'w waredu er mwyn trin yr Anghyffyrddedigion â pharch.

Newidiodd Gandhi y term 'Anghyffyrddedigion' i 'Harijans', sy'n golygu plant Duw oherwydd roedd yn teimlo trueni drostyn nhw. Roedd yn eu galw nhw'n wahangleifion ac yn gaethweision ac roedd yn awyddus i'w rhoi yn y pedwerydd varna. Dadleuodd Gandhi yn erbyn anghyffyrddadwyedd fel cyfreithiwr ifanc yn Ne Affrica a mabwysiadodd ferch anghyffyrddadwy. Mynnodd fod ei ddilynwyr gwleidyddol yn glanhau toiledau a gwaredu gwastraff. Roedd Gandhi yn credu bod modd newid y system o'r tu mewn drwy newid agweddau pobl.

Sgiliau allweddol

Mae gwybodaeth yn ymwneud â:

Dewis ystod o wybodaeth (drylwyr) gywir a pherthnasol sydd â chysylltiad uniongyrchol â gofynion penodol y cwestiwn.

Mae hyn yn golygu eich bod yn dewis y wybodaeth gywir sy'n berthnasol i'r cwestiwn a osodwyd NID y maes pwnc. Bydd angen i chi feddwl a chanolbwyntio ar ddewis gwybodaeth allweddol ac NID ysgrifennu popeth yr ydych chi'n ei wybod am y maes pwnc.

Mae dealltwriaeth yn ymwneud ag:

Esboniad helaeth, gan ddangos dyfnder a/neu ehangder gyda defnydd rhagorol o dystiolaeth ac enghreifftiau gan gynnwys (lle y bo'n briodol) defnydd trylwyr a chywir o destunau cysegredig, ffynonellau doethineb a geirfa arbenigol.

Mae hyn yn golygu y gallwch ddangos eich bod yn deall rhywbeth drwy egluro ac ehangu eich pwyntiau gan ddefnyddio enghreifftiau/tystiolaeth gefnogol mewn ffordd bersonol ac NID ailadrodd darnau o werslyfr (sef dysgu ar y cof).

Cymhwyso sgiliau ymhellach:

Ewch drwy'r meysydd pwnc yn yr adran hon a lluniwch rai rhestri bwled o bwyntiau allweddol o feysydd allweddol. Ar gyfer pob un, rhowch fwy o fanylion ac esboniwch fwy drwy ddefnyddio tystiolaeth ac enghreifftiau.

Mae'r adran hon yn cwmpasu cynnwys a sgiliau AA2

Cynnwys y fanyleb

Perthnasedd ac ymarferoldeb varna yn y byd heddiw.

Materion i'w dadansoddi a'u gwerthuso

Perthnasedd ac ymarferoldeb varna yn y byd heddiw

Mae nifer o ymdrechion wedi bod i geisio newid neu ddileu'r system varna. Mae i ba raddau mae'r ymdrechion hyn wedi llwyddo ai peidio yn ddadleuol. Mae i ba raddau mae'r system varna yn berthnasol ac yn ymarferol yn y gymdeithas fodern hefyd yn ddadleuol. Mae'n ddiddorol cymharu pwysigrwydd y system varna yn India â'i phwysigrwydd mewn cymunedau Hindŵaidd mewn gwledydd sydd heb fod yn rhai Hindŵaidd.

Byddai llawer yn dadlau bod y cysyniad yn bwysicach o lawer mewn ardaloedd gwledig nag mewn trefi. Mae dull llywodraethu pentrefi drwy India gyfan yn parhau i fod yn seiliedig ar ddau gysyniad cysylltiedig – varnadharma a karma. Mae llawer o Hindŵiaid yn credu bod varnadharma yn gyfraith ddwyfol. Disgrifiad Mahatma Gandhi ohoni oedd 'y ddyletswydd mae'n rhaid i rywun ei chyflawni' a 'chyfraith bodolaeth rhywun'. Mae cyflawni'r ddyletswydd hon yn helpu i symud Hindŵiaid ymlaen ar y llwybr i ryddhad oherwydd mae'n ennill karma da ac yn arwain at well statws yn y bywyd nesaf. Mae Hindŵiaid eraill yn credu bod manteision ymarferol i'r system cast. Mae'n rhoi trefn a strwythur i gymdeithas. Yn y cyd-destun hwnnw mae'n rhoi ymdeimlad o hunaniaeth i bawb ac o berthyn i grŵp sydd wedi'i ddiffinio'n amlwg mewn cymdeithas, sydd hefyd yn rhoi pwrpas i'w bywyd. Mae llawer yn gyffredin gan aelodau pob varna. Maen nhw'n rhannu arbenigedd swyddi ac yn dilyn yr un rheolau o ran deiet a chrefydd. Oherwydd rheolau mewnbriodas, mae pob varna hefyd yn deulu estynedig, oherwydd mae'r rhan fwyaf o'r aelodau'n perthyn drwy waed.

Mewn cymunedau trefol, mae deuoliaeth ryfedd. Mewn dinasoedd mae pobl yn dod i gysylltiad â miloedd o bobl wahanol bob dydd ar gludiant gyhoeddus ac yn y gweithle. Byddai'n amhosibl dilyn rheolau traddodiadol varna yn y cyd-destun hwn. Serch hynny, ni fyddai'n wir dweud nad yw hunaniaeth cast yn bwysig oherwydd mae llawer o'r rheini sy'n byw mewn dinasoedd wedi cadw ymdeimlad cryf o hunaniaeth varna. Mae hyn wedi arwain at fath o ddeuoliaeth cartref/gwaith. Yn ystod y dydd, mae'n bosibl bod rhywun yn ddifater am reolau varna, ond gartref yng nghwmni aelodau o'r un varna, mae'n parhau i barchu seremonïau ac arferion varna traddodiadol.

Byddai rhai'n dadlau ymhellach fod twf unigolyddiaeth wedi arwain at erydu'r gwahaniaethau cymdeithasol. Dydy pobl bellach ddim yn awyddus i fyw mewn ghettos ond yn hytrach mynd ati i ddileu gwahaniaethau ac ymdoddi i gymdeithas brif ffrwd. Fodd bynnag mae hyn wedi arwain at argyfwng hunaniaeth ymhlith rhai carfannau o gymdeithas, sydd wedi arwain at osod pwyslais cynyddol ar gysylltiadau varna.

Byddai llawer yn dadlau bod swyddogaeth bwysig gan y system varna o hyd mewn digwyddiadau mawr bywyd yr Hindŵiaid fel priodi ac addoli crefyddol. Mae llawer o leoedd yn India o hyd lle na chaiff Sudraid fynd i mewn i deml na gwneud unrhyw fath o puja. Mewn rhai ardaloedd mae hyn yn arwain at anghydraddoldeb o ran cyrchu adnoddau naturiol yn ogystal â rhai gwneud. Ond yn India fodern, mae'r cysylltiadau rhwng pobl wahanol a varnau gwahanol yn sicr wedi llacio. Mae mwy o ryngweithio rhwng y varnau nawr ac mae newid sylweddol wedi bod yn y sector galwedigaethol, sydd heb ei gyfyngu i gast erbyn hyn. Serch hynny, mae rhai'n dal i wrthwynebu priodas rhwng varnau.

Mae'n amlwg felly bod y system varna a'i goblygiadau'n parhau i fod yn broblem o fewn Hindŵaeth fodern.

Gweithgaredd AA2 *Dadleuon posibl*

Wedi'u rhestru isod mae rhai casgliadau y byddai'n bosibl dod iddyn nhw ar sail rhesymeg AA2 yn y testun cysylltiedig:

1. Mae gwahaniaeth ym mhwysigrwydd varna rhwng cymunedau trefol a rhai gwledig.
2. Mae llawer o Hindŵiaid yn credu mai cyfraith ddwyfol yw varnadharma.
3. Mae nifer o fanteision ymarferol i'r system varna.
4. Mewn cymunedau trefol mae'n ymddangos bod natur ddeuolaidd gan varna.
5. Mae twf unigolyddiaeth wedi golygu bod varna yn llai pwysig.

Ystyriwch bob un o'r casgliadau sy'n cael eu gwneud uchod a chasglwch dystiolaeth ac enghreifftiau i gefnogi pob dadl o'r deunydd AA1 ac AA2 a astudiwyd yn yr adran hon. Dewiswch un casgliad sy'n argyhoeddi fwyaf yn eich barn chi ac esboniwch pam mae hyn yn wir. Nawr cyferbynnwch hyn â'r casgliad gwannaf ar y rhestr, gan gyfiawnhau eich dadl gyda rhesymu clir a thystiolaeth.

A yw'r feirniadaeth o'r system varna yn deg

Mae rhinweddau a gwendidau i system varna Hindŵaeth ac felly mae ganddi gefnogwyr a beirniaid. Fel rydyn ni wedi gweld, roedd Gandhi yn cefnogi'r system varna yn frwd, gan ddadlau ei bod yn cael ei beirniadu'n annheg oherwydd nad oedd pobl yn sylweddoli neu'n deall y gwahaniaeth rhwng varna a cast. Ar y llaw arall, roedd Ambedkar yn dymuno gweld dileu'r system varna yn llwyr oherwydd ei bod yn annheg ac yn achosi anghyffyrddadwyedd. Mae'r safbwyntiau hyn yn adlewyrchu'r gwahaniaeth barn o fewn Hindŵaeth. Hefyd mae rhai o'r tu allan i'r grefydd yn beirniadu'r system. Byddai llawer o Hindŵiaid yn dadlau nad yw'r beirniadu hwn bob amser yn deg a'i fod yn seiliedig ar gamddealltwriaeth neu ddiffyg gwybodaeth. Fodd bynnag, mewn cyd-destun hanesyddol roedd anghydraddoldebau a rhaniadau cymdeithasol ar sail cyfoeth a/neu statws teuluol yn bod mewn rhannau eraill o'r byd gan gynnwys Prydain ac America, ac maen nhw'n dal i fod. Byddai llawer o Hindŵiaid yn dadlau bod system varna'r Hindŵiaid yn fwy trugarog a mwyn o'u cymharu â rhai o'r rhain.

Byddai llawer yn dadlau bod y feirniadaeth o'r system varna yn gyfiawn am nifer o resymau. Mae'r system yn arwain at grwpiau sy'n freintiedig yn gymdeithasol ac yn wleidyddol, yn ecsbloetio'r gwan yn enw crefydd a thraddodiad. Byddai eraill yn dadlau bod y system yn creu rhaniadau cymdeithasol ac yn arwain at ddiffyg ymddiriedaeth, rhagfarn a dicter rhwng grwpiau gwahanol yn y gymdeithas. Mae eraill yn dweud bod y system varna wedi cael effaith negyddol ar dwf y genedl oherwydd roedd yn trin rhai yn fwy ffafriol na'i gilydd. Roedd hyn oherwydd bod y system yn seiliedig ar enedigaeth yn hytrach na gallu unigol. Felly roedd y system yn dyrchafu pobl llai galluog o'r varnau uwch yn hytrach na rhai mwy talentog o'r varnau is yn enw dharma. Mae hefyd wedi cyfyngu ar uchelgais llawer o bobl oherwydd na fyddai'r llwybr y bydden nhw wedi dewis ei ddilyn yn cyd-fynd â dyletswyddau'r varna roedden nhw'n perthyn iddo.

Byddai eraill yn dadlau bod y varnau breintiedig yn gymdeithasol yn defnyddio'r system varna i orthrymu'r rhai is. Beirniadaeth arall ar y system varna yw ei bod wedi achosi i lawer o Hindŵiaid droi at grefyddau eraill. Tyfodd Bwdhaeth, Cristnogaeth ac Islam yn India ar gefn y gwendid hwn a welwyd mewn Hindŵaeth. Fel rydyn ni wedi gweld, anogodd Ambedkar ei ddilynwyr i droi at Fwdhaeth. Y system varna hefyd, yn ôl rhai, sy'n gyfrifol am greu dosbarth o bobl y tu allan i gymdeithas, yr Anghyffyrddedigion, a fyddai'n cael eu trin fel llai na bodau dynol. Hefyd, yn ôl rhai, mae'n hyrwyddo hunan-barch isel ymhlith nifer sylweddol o Hindŵiaid sy'n perthyn i'r varnau is.

Fodd bynnag, byddai llawer yn gwrthod y beirniadu hwn ac yn tynnu sylw at fanteision y system varna. Mae llawer yn credu ei bod yn rhoi trefn a strwythur i gymdeithas lle mae gan bawb hunaniaeth a phwrpas mewn bywyd. Yn hytrach nag arwain at hunan-barch isel, mae hyn yn codi hunan-barch llawer o bobl. Mae pobl yn gwybod eu dyletswydd ac mae cymdeithas India wedi gweithredu'n llwyddiannus ar y sail hon ers canrifoedd.

Byddai rhai'n dadlau mai'r system varna a'i rheolau sydd wedi diogelu traddodiadau Hindŵaidd rhag dylanwad estron dros y canrifoedd. Mae wedi cadw'r Hindŵiaid o fewn ffiniau eu ffydd fel mae'r ysgrythurau wedi'u sefydlu. Gan fod y system varna yn gysylltiedig â swyddi, roedd yn uno pobl o'r un proffesiynau â'i gilydd fel urdd neu undeb llafur. Yn ei dro, roedd hyn yn eu gwarchod yn erbyn ecsbloetio ac yn eu helpu i gael cyflog teg.

Cynnwys y fanyleb

A yw'r feirniadaeth o'r system varna yn deg.

Gweithgaredd AA2 *Dadleuon posibl*

Wedi'u rhestru isod mae rhai casgliadau y byddai'n bosibl dod iddyn nhw ar sail rhesymeg AA2 yn y testun cysylltiedig:

1. Mae gwahaniaeth barn ar y mater mewn Hindŵaeth.
2. Mae'r system yn arwain at ecsbloetio ac mae'n rhannu cymdeithas.
3. Mae'n system ormesol ac mae'n achosi i lawer o bobl droi at grefyddau eraill.
4. Mae'n rhoi trefn a strwythur i gymdeithas.
5. Mae'r system varna wedi bod yn sail i'r gymdeithas Hindŵaidd lwyddiannus ers canrifoedd.

Ystyriwch bob un o'r casgliadau sy'n cael eu gwneud uchod a chasglwch dystiolaeth ac enghreifftiau i gefnogi pob dadl o'r deunydd AA1 ac AA2 a astudiwyd yn yr adran hon. Dewiswch un casgliad sy'n argyhoeddi fwyaf yn eich barn chi ac esboniwch pam mae hyn yn wir. Nawr cyferbynnwch hyn â'r casgliad gwannaf ar y rhestr, gan gyfiawnhau eich dadl gyda rhesymu clir a thystiolaeth.

Sgiliau allweddol

Mae dadansoddi'n ymwneud â nodi materion sy'n cael eu codi gan y deunyddiau yn adran AA1, ynghyd â'r rhai a nodwyd yn adran AA2, ac mae'n cyflwyno safbwyntiau cyson a chlir, naill ai gan ysgolheigion neu safbwyntiau personol, yn barod i'w gwerthuso.

Felly, mae'n nodi pethau allweddol i'w trafod a'r dadleuon sy'n cael eu cyflwyno gan eraill neu o safbwynt personol.

Mae gwerthuso'n ymwneud ag ystyried goblygiadau amrywiol y materion sy'n cael eu codi, yn seiliedig ar y dystiolaeth a gafwyd wrth ddadansoddi ac mae'n rhoi dadl fanwl eang gyda chasgliad clir.

Mae hyn yn golygu bod yr ateb yn pwyso a mesur y dadleuon amrywiol a gwahanol a gafodd eu dadansoddi drwy roi sylwadau ac ymateb unigol, gan ddod i gasgliad drwy broses rhesymu clir.

Datblygu sgiliau AA2

Nawr mae'n bryd ystyried y wybodaeth sydd wedi'i chyflwyno hyd yma. Hefyd mae'n bwysig ystyried sut mae'r hyn rydych chi wedi'i ddysgu hyd yma'n gallu cael ei ddefnyddio ar gyfer atebion arholiad drwy ymarfer y sgiliau sy'n gysylltiedig ag AA2.

Mae Amcan Asesu 2 (AA2) yn ymwneud â 'dadansoddi' a 'gwerthuso'. Efallai fod ystyr y termau'n amlwg ond mae'n hanfodol eich bod yn gyfarwydd â sut mae sgiliau penodol yn dangos y rhain, a hefyd, sut bydd eich perfformiad ym mhob un o'r sgiliau hyn yn cael ei fesur (gweler disgrifyddion band cyffredinol Band 5 ar gyfer AA2 UG).

Yn amlwg mae ateb yn cael ei osod mewn disgrifydd band priodol, yn ôl pa mor dda yw'r ateb, gan amrywio o ragorol, da, boddhaol, sylfaenol/cyfyngedig i gyfyngedig iawn.

▶ **Dyma eich tasg newydd:** isod mae ateb is na'r cyffredin a gafodd ei ysgrifennu'n ymateb i gwestiwn sy'n gofyn am werthusiad o berthnasedd y system varna heddiw. Gan ddefnyddio'r disgrifyddion band, gallwch ei gymharu â'r bandiau perthnasol a disgrifyddion y bandiau hynny. Mae'n amlwg yn ateb is na'r cyffredin ac felly byddai tua band 2. Yn y lle cyntaf, bydd yn ddefnyddiol i chi ystyried beth sydd ar goll o'r ateb a beth sy'n anghywir. Y tro hwn does dim rhestr gyda'r ateb i'ch helpu. Wrth ddadansoddi gwendidau'r ateb, gweithiwch mewn grŵp a dewiswch bum pwynt o'r rhestr er mwyn gwella'r ateb hwn a'i gryfhau. Yna ysgrifennwch eich ychwanegiadau, pob un mewn paragraff clir. Cofiwch, y ffordd rydych chi'n defnyddio'r pwyntiau yw'r ffactor pwysicaf. Defnyddiwch egwyddorion gwerthuso gan wneud yn siŵr eich bod: yn nodi'r materion yn glir; yn cyflwyno safbwyntiau eraill yn gywir, gan wneud yn siŵr eich bod yn gwneud sylwadau ar y safbwyntiau rydych chi yn eu cyflwyno; yn dod i farn bersonol gyffredinol. Gallwch ychwanegu rhagor o'ch awgrymiadau chi eich hun, ond ceisiwch drafod fel grŵp a blaenoriaethu'r pethau pwysicaf i'w hychwanegu.

Ateb

Mae'r system varna mewn Hindŵaeth yn hen iawn ac mae ei gwreiddiau yn y cyfnod Vedaidd. Y dadleuon o'i phlaid yw bod llawer o Hindŵiaid yn credu bod y system varna yn rhoi trefn a strwythur i gymdeithas. Mae'r system varna yn rhoi ymdeimlad o berthyn iddyn nhw a phwrpas i'w bywyd drwy wneud dyletswydd. Mae hyn yn rhoi ymdeimlad o werth ac felly hunan-barch i bawb. Y dadleuon eraill yw bod llawer o Hindŵiaid yn ei gweld yn system ddwyfol ac felly mae'n methu bod yn anghywir. Byddai eraill yn dadlau ei bod yn parhau'n berthnasol oherwydd defodau fel genedigaeth a phriodas.

Fodd bynnag, y dadleuon yn erbyn y system varna yw y byddai llawer yn ystyried ei bod wedi dyddio ac yn atal dewis o ran priodas a galwedigaeth. Byddai llawer yn herio'r system oherwydd nad yw'n addysgu cydraddoldeb oherwydd mae popeth yn dibynnu ar enedigaeth.

Felly mae dwy ochr i'r ddadl ynghylch pwysigrwydd a pherthnasedd varna yn y gymdeithas fodern: mae'r naill yn draddodiadol; ac mae barn fwy rhyddfrydol gan y llall.

C: Egwyddor foesol allweddol: cysyniad ahimsa

Tarddiadiau Jainaidd cysyniad ahimsa a'i gymhwysiad

Cyfieithiad llythrennol o **ahimsa** yw bod heb niwed; hynny yw peidio â niweidio pob math o fywyd, o'r mamaliaid mwyaf i'r bacteria lleiaf. Mae Jainiaid yn credu mai'r unig ffordd i achub eich enaid eich hun yw drwy warchod pob enaid arall. Mae'r gair i'w weld fel arfer ar y symbol Jainaidd, sef cledr agored sy'n golygu 'stopiwch'.

Mewn **Jainiaeth**, ahimsa yw'r ddyletswydd grefyddol fwyaf hanfodol i bawb – 'ahimsa paramo dharmah' – ymadrodd sydd yn aml wedi'i arysgrifo ar demlau Jainaidd. Drwy ddilyn y ddisgyblaeth hon mae'n bosibl gweld mynachod Jainaidd yn sgubo eu temlau'n ofalus iawn i beidio ag anafu pryfed ar ddamwain. Nod dilyn ahimsa yw atal karma niweidiol rhag cronni. Mae ahimsa wedi bod yn rhan o'r grefydd Jainaidd ers y dechrau. Pan aildrefnodd Mahivira y mudiad Jainaidd yn y chweched neu'r bumed ganrif CCC, roedd y mudiad yn dilyn cysyniad ahimsa yn gaeth, ac roedd wedi hen sefydlu. Mae hyn yn amlwg yn llwon dilynwyr Parshva – yr 'Ymataliad Pedwarplyg'. Parshva oedd arweinydd cyntaf y Jainiaid. Roedd yn byw yn yr wythfed ganrif CCC a sefydlodd y gymuned roedd rhieni Mahavira yn perthyn iddi. Yn y canrifoedd dilynol, cafwyd anghytuno rhwng Jainiaid a Bwdhyddion a Hindŵiaid. Roedd Jainiaid yn eu cyhuddo o beidio ag ymarfer ahimsa yn ddigon diwyd ac yng ngwir ysbryd y cysyniad.

Mae sawl agwedd bwysig ar y cysyniad Jainaidd o ahimsa. Does dim eithriadau – mae lladd anifeiliaid wedi'i wahardd, hyd yn oed i'w bwyta. Mae Jainiaid hefyd yn gwneud pob ymdrech i osgoi anafu planhigion er eu bod yn derbyn bod rhaid dinistrio planhigion i gael bwyd. Fel y nodir uchod maen nhw hyd yn oed yn gwneud pob ymdrech i osgoi anafu pryfed bach. Does dim gwahaniaeth rhwng achosi anaf yn fwriadol ac achosi un drwy esgeulustod. Mae bwyta mêl wedi'i wahardd oherwydd mae'n cael ei ystyried yn drais yn erbyn y gwenyn. Mae rhai Jainiaid yn ymatal rhag ffermio oherwydd mae'n golygu lladd mwydod a phryfed. Fodd bynnag, dydy ffermio ddim wedi'i wahardd ac mae rhai Jainiaid yn ffermwyr.

Mae Jainiaid yn cytuno bod modd cyfiawnhau trais i amddiffyn yr hunan a hefyd defnyddio grym milwrol. Mae milwr sy'n lladd y gelyn ar faes y gad yn cyflawni ei ddyletswydd ddilys. Mae Jainiaid hefyd yn cydnabod hierarchaeth mewn bywyd – po fwyaf o synhwyrau sydd gan unrhyw fod, y mwyaf o bwys a roddir ar ei ddiogelu. Dyna pam mae ahimsa Jainaidd yn amddiffyn bodau dynol yn fwyaf cadarn.

Symbol y Jain

Mae'r adran hon yn cwmpasu cynnwys a sgiliau AA1

Cynnwys y fanyleb

Tarddiadau Jainaidd y cysyniad a'i gymhwysiad – didreisedd radical yn seiliedig ar y gred bod pob bod byw yn haeddu parch ac mae pob Jain yn llysieuwr o ganlyniad.

Termau allweddol

Ahimsa: didreisedd tuag at unrhyw beth byw – rhan allweddol o athroniaeth Gandhi, a oedd â'i gwreiddiau mewn Jainiaeth

Jainiaeth: crefydd Indiaidd hynafol sy'n hybu ahimsa tuag at bob bod byw

Syniadau allweddol

Ahimsa

- Dyletswydd grefyddol
- Atal karma niweidiol rhag cronni
- Dim eithriadau
- Gwahardd lladd anifeiliaid i gael bwyd
- Dim gwahaniaeth rhwng achosi niwed yn fwriadol neu'n ddamweiniol
- Gwahardd bwyta mêl
- Yn bosibl cyfiawnhau trais i amddiffyn yr hunan
- Hierarchaeth bywyd

Cynnwys y fanyleb

Cysyniad traddodiadol mewn Hindŵaeth; a'i gymhwysiad.

Dealltwriaeth a chymhwysiad traddodiadol o ahimsa mewn Hindŵaeth

Ystyr llythrennol ahimsa yw heb drais. Ystyr himsa yw peri poen neu anaf i rywun arall. Fodd bynnag, dim ond un agwedd ar ahimsa yw didreisedd. Mae hefyd yn golygu dangos tosturi i bob bod byw, ymarfer cariad, maddeuant a chyfeillgarwch, a chefnogi heddwch. Mae ahimsa mewn Hindŵaeth yn gysyniad ysbrydol, yn rhan hanfodol o athroniaethau, egwyddorion ac arferion y grefydd. Roedd llawer yn ei ystyried y rhinwedd uchaf, ac mae llawer yn parhau i'w ystyried felly. Mae'n cael ei ymarfer i sicrhau twf ysbrydol a symud ymlaen ar y llwybr i ryddhad.

Mae pwysigrwydd cysyniad ahimsa o fewn Hindŵaeth yn ddadleuol. Mewn rhai ysgrythurau Hindŵaidd, cyfeirir ato fel y ddyletswydd uchaf ond mae rhai testunau eraill yn nodi eithriadau – rhyfel, hela, gorfodi'r gyfraith a'r gosb eithaf.

Mae nifer o destunau Hindŵaidd nid yn unig yn cefnogi bwyta cig, maen nhw hefyd yn ei annog. Mae llyfrau cyfraith Dharmasutra, a ysgrifennwyd yn y bedwaredd neu'r bumed ganrif CCC, yn cynnwys rheoliadau am fwyta cig a pha anifeiliaid oedd yn fwytadwy. Mae'r Ayurveda yn argymell bwyta cig oherwydd mae'n hybu iechyd da heb gyfeirio o gwbl at egwyddor ahimsa. Fodd bynnag mae'r **Bhagavad Purana** a'r **Chandogya Upanishad** yn condemnio trais yn erbyn anifeiliaid domestig ac eithrio lladd defodol. Mae'r **Mahabharata** yn cefnogi hela, ond dim ond i gast y Kshatriya (rhyfelwyr).

Mae hyn yn dangos yn glir bod tensiwn o fewn Hindŵaeth rhwng cefnogwyr ahimsa a bwytawyr cig hyd yn oed o ran lladd defodol a hela. Mae trafodaeth hir yn y Mahabharata a'r **Manusmriti** ar ddilysrwydd lladd crefyddol. Mae'r ddau destun yn cyflwyno dadleuon cryf i'w cefnogi.

Dyfyniad allweddol

Ahimsa yw'r ddyletswydd uchaf. Hyd yn oed os ydyn ni'n methu ei hymarfer yn llawn, rhaid i ni geisio deall ei hysbryd ac ymatal rhag trais cyhyd ag y bo'n ddynol bosibl. (Gandhi)

Termau allweddol

Bhagavata Purana: un o ddeunaw purana neu hanes mawr Hindŵaeth; mae'n hyrwyddo bhakti i Krishna

Chandogya Upanishad: un o'r Upanishadau hynaf, sail ysgol Vedanta Hindŵaeth

Mahabharata: arwrgerdd yn disgrifio'r rhyfel ar ddechrau oes bresennol Kali

Manusmriti: testun cyfreithiol hynafol mewn Hindŵaeth

Gweithgaredd AA1

Ar gardiau adolygu bach gwnewch grynodebau o nodweddion allweddol cysyniad ahimsa. Rhannwch y crynodeb yn 'Jainiaeth' a 'Hindŵaeth'. Rhowch enghreifftiau i gefnogi'r esboniadau. Bydd hyn yn eich galluogi i ddangos 'cyfeiriad trylwyr a chywir at ffynonellau o ddoethineb, lle bo'n briodol' (disgrifydd band 5 AA1). Mae hyn yn sicrhau eich bod yn dewis y nodweddion pwysicaf ar gyfer pwyslais ac eglurder ac yn cefnogi hyn â thystiolaeth, yn hytrach na dim ond cyflwyno strwythur disgrifiadol, neu syml, i'ch ateb.

I Hindŵiaid, does dim gwahaniaeth mawr rhwng enaid dynol ac enaid anifail. Maen nhw'n ystyried y ddau yn atman ac felly'n ddwyfol yn eu hanfod. Fodd bynnag, mae'r rhan fwyaf o'r dadleuon o blaid ahimsa at anifeiliaid yn canolbwyntio ar ganlyniadau karmig difrifol trais. Maen nhw'n pwysleisio'n enwedig y syniad y bydd rhywun sy'n lladd anifail yn fwriadol, yn cael ei fwyta gan anifail, mewn bodolaeth yn y dyfodol, oherwydd dial karmig. Ar y llaw arall, disgrifiad o ahimsa yw rhywbeth sy'n anghenrheidiol i sicrhau iachawdwriaeth yn y pen draw.

Cynnwys y fanyleb

Ailddehongliad Gandhi a'i ddefnydd o ahimsa fel cysyniad gwleidyddol; perthynas â satyagraha – grym gwirionedd.

Dealltwriaeth o ahimsa a'i gymwysiadau yn y byd modern

Fel rydyn ni wedi gweld, dechreuodd cysyniad ahimsa yn y grefydd Jainaidd. Yn Gujarat, lle cafodd Gandhi ei fagu, y mae gryfaf felly roedd yntau'n gyfarwydd iawn â'r cysyniad. Fodd bynnag, aeth â'r cysyniad i gyfeiriad newydd drwy fod y cyntaf i'w ddefnyddio mewn ystyr gwleidyddol ac fel strategaeth bwysig ym mrwydr India dros annibyniaeth oddi ar Brydain.

Yn y cyd-destun hwn, cafodd dysgeidiaeth Iesu yn y Bregeth ar y Mynydd ddylanwad ar ei ddehongliad o ahimsa. Yn hwn mae Iesu yn dweud wrth Gristnogion am ymarfer cariad agape drwy droi'r foch arall. Dehonglodd Gandhi hyn yn llythrennol, gan gredu bod heddychwyr nid yn unig yn iawn yn foesol drwy ymarfer didreisedd ahimsa, ond y gallen nhw hefyd orchfygu eu gelynion. Dyma ddidreisedd dewrder a gwroldeb. Anogodd bobl i ymateb i fesurau treisgar llywodraethwyr Prydain yn ddi-drais gan gredu y bydden nhw yn y pen draw yn ildio i alwadau moesegol gywir am ryddid gan filiynau o Indiaid.

Iesu yn traddodi'r Bregeth ar y Mynydd

I Gandhi, nid cysyniad goddefol oedd ahimsa a oedd yn osgoi unrhyw fath o wrthdaro; roedd yn gysyniad gweithredol a oedd yn galw ar bobl i wrthwynebu drygioni ac anghyfiawnder a'u dymchwel drwy ddulliau di-drais. Mae'n esbonio hyn yn *The Selected Works*, 'Nid cyflwr negyddol o ddiniweidrwydd yn unig yw ahimsa; yn hytrach mae'n gyflwr cadarnhaol o gariad, gwneud pethau da hyd yn oed i'r drwgweithredwr. Ond dydy hyn ddim yn golygu helpu'r drwgweithredwr i barhau'r cam na'i oddef drwy gydsynio'n oddefol. I'r gwrthwyneb, mae cariad – cyflwr ahimsa gweithredol – yn ei gwneud yn ofynnol i chi wrthsefyll y drwgweithredwr drwy eich datgysylltu eich hun oddi wrtho, er y gallai hynny ei dramgwyddo neu ei anafu'n gorfforol'.

Awgrym astudio

Mae'r adran hon yn llawn o gysyniadau newydd. Wrth adolygu, yn hytrach na dim ond gwneud rhestr o eiriau allweddol, ceisiwch newid y rhestr yn siart llif sy'n cysylltu pob agwedd ar ffyrdd gwahanol o ddeall ahimsa â'i gilydd.

Datblygodd Gandhi gysyniad ahimsa eto â'i ddysgeidiaeth **satyagraha**. Yn llythrennol, mae'n golygu 'dal gafael mewn gwirionedd' neu fel mae eraill yn cyfeirio ato, 'grym gwirionedd'. Cyflwynodd Gandhi hwn i gynrychioli gwrthsafiad penderfynol ond di-drais yn erbyn drygioni. Roedd Gandhi yn benderfynol nad oedd satyagraha yn arf y rhai gwan, 'Arf y rhai cryf yw satyagraha; nid yw'n derbyn unrhyw drais dan unrhyw amgylchiadau o gwbl; ac mae bob amser yn mynnu'r gwirionedd'.

Mae satyagraha yn gysyniad mwy cymhleth nag ahimsa oherwydd mae'n seiliedig ar y syniad bod grym cynhenid gan y gwirionedd ei hun. Felly, o'i herwydd mae awdurdod penodol gan y rheini sy'n dweud y gwir neu sy'n gweithredu ar y gwir gryfder. Mae **Satyagrahiaid**, hynny yw, y rhai sy'n ymarfer satyagraha, yn hawlio'r gwirionedd drwy wrthod ymostwng i unrhyw beth anghywir na chydweithio ag ef mewn unrhyw ffordd. Pe baen nhw'n defnyddio trais, byddai'r gwirionedd yn colli ei nerth a'i rym moesol oherwydd ni fyddai bellach yn wir.

Defnyddiodd Gandhi satyagraha am y tro cyntaf yn 1906 mewn ymateb i ddeddf yn gwahaniaethu yn erbyn Asiaid a basiwyd gan y llywodraeth drefedigaethol Brydeinig yn y Transvaal yn Ne Affrica. Yn 1917 dechreuwyd yr ymgyrch satyagraha cyntaf yn India yn yr ardaloedd tyfu indigo yn Champaran. Dros y blynyddoedd nesaf, defnyddiwyd ymprydio a boicotiau economaidd fel dulliau satyagraha yn India nes i'r Prydeinwyr adael y wlad yn 1947.

Yn *Young India*, 27 Chwefror 1930, mae Gandhi yn esbonio rhai o egwyddorion satyagraha i'w ddilynwyr. Roedd y rhain yn cynnwys peidio â dangos unrhyw ddicter ond dioddef dicter y gwrthwynebydd, peidio â tharo'n ôl a pheidio ag ymostwng i unrhyw orchymyn a roddwyd mewn dicter. Maen nhw hefyd yn cynnwys peidio â gwrthsefyll arestio, peidio â sarhau gwrthwynebwyr a hyd yn oed eu diogelu rhag ymosodiad.

Dyfyniad allweddol

Mae didreisedd yn rym mae pawb yn gallu'i ddefnyddio'n gyfartal – plant, dynion a menywod ifanc neu oedolion, os oes ganddyn nhw ffydd byw yn Nuw cariad ac felly cariad cyfartal at yr holl ddynoliaeth. Pan gaiff didreisedd ei dderbyn yn gyfraith bywyd, rhaid iddo dreiddio'r bod cyfan ac nid ei gymhwyso i weithredoedd unigol yn unig. **(Gandhi)**

cwestiwn cyflym

3.12 Rhowch ddwy enghraifft o sut wnaeth Gandhi ailddehongli'r cysyniad o ahimsa.

Termau allweddol

Satyagraha: 'dal gafael mewn gwirionedd' neu 'grym gwirionedd' – y syniad bod grym cynhenid gan wirionedd ei hun

Satyagrahiaid: ymarferwyr satyagraha

Cynnwys y fanyleb

Goblygiadau ar gyfer cydraddoldeb hiliol Manu 5:38.

Goblygiadau ahimsa i gydraddoldeb hiliol

Yn ôl Manu 5:38, 'Faint bynnag o flew sydd gan y creadur a laddwyd, yr un mor aml y bydd y sawl a'i lladdodd heb reswm (cyfreithlon) yn dioddef marwolaeth dreisgar mewn genedigaethau yn y dyfodol'.

Mae *Cyfreithiau Manu* yn gyffredinol yn condemnio defnyddio trais tuag at unrhyw beth, hyd yn oed bwystfilod gwyllt. Felly, mae goblygiadau gan hyn o ran y berthynas â hiliau eraill ac agweddau tuag atyn nhw. Yn y cyd-destun hwn mae Hindŵaeth mor amrywiol, mae'n ystyried bod goddefgarwch crefyddol a hiliol yn normal. Mae cysyniad varna yn addysgu bod cymdeithas gyfan yn dibynnu ar ei gilydd ac felly mae'n rhaid trin pawb â'r un parch.

cwestiwn cyflym

3.13 Rhowch ddwy enghraifft o ddulliau satyagraha.

Termau allweddol

Manu: prif ddeddfwr Hindŵaeth, cyfansoddwr mytholegol y Manusmriti

Sarvodaya: term Sanskrit sy'n golygu cynnydd pawb; roedd Gandhi yn defnyddio'r term i ddisgrifio ei athroniaeth wleidyddol ei hun

Dyfyniadau allweddol

Hanfod techneg ddi-drais yw ei bod yn ceisio diddymu gelyniaeth ond nid y gelyn. Dydy fy nidreisedd ddim yn golygu ffoi oddi wrth berygl a gadael anwyliaid heb eu diogelu. Rhwng trais a dihangfa lwfr, rhaid i mi ddewis trais dros lwfdra. Dydy hi ddim yn fwy posibl i mi bregethu didreisedd i lwfrgi nag yw i mi ddenu dyn dall i fwynhau golygfeydd iachus. (Gandhi)

Cynnwys y fanyleb

Ymarferoldeb ahimsa yn y byd modern.

Ymarferoldeb ahimsa yn y byd modern

Mae llawer yn credu pe bai pobl yn mabwysiadu egwyddorion ahimsa, sy'n cynnwys peidio â niweidio a thosturi, byddai ffrwyn ar wrthdaro ac efallai diwedd ar ryfel a therfysgaeth. Maen nhw hefyd yn credu bod dehongliad Gandhi o ahimsa yn fwy perthnasol nag erioed. Dylai pobl ymladd am wirionedd yn ddi-wahân. Dylen nhw fod yn ddi-drais wrth ymladd a dilyn egwyddor sarvodaya sef dyrchafu pawb – pob dosbarth, pob cast, pob crefydd a phob rhyw. Fodd bynnag, byddai llawer yn dweud nad yw protestiadau heddychlon yn gweithio ond byddai eraill yn dweud eu bod yn ffordd ymarferol ac effeithiol i symud pobl a'u defnyddio,

Dyfyniad allweddol

Mae didreisedd yn arf pwerus a chyfiawn, sy'n torri heb anafu ac yn rhoi urddas i'r dyn sy'n ei ddefnyddio. Mae'n gleddyf sy'n gwella. (Martin Luther King)

Martin Luther King

gyda'r arweiniad iawn. Yn y cyd-destun hwn, cyfeirir at lawer o enghreifftiau – Gandhi ei hun, Martin Luther King a Nelson Mandela. Adeiladodd Nelson Mandela bontydd rhwng pobl ddu a phobl wyn yn Ne Affrica ac ar yr un pryd llwyddodd i ddatgymalu'r system apartheid. Gwnaeth Martin Luther King Jr yr un peth yn yr Unol Daleithiau a daeth yn ysbrydoliaeth i bobl ddu a phobl wyn fel ei gilydd. Defnyddiodd yr un egwyddorion â Gandhi.

Fodd bynnag mae llawer yn credu ei fod yn gysyniad anymarferol yn yr unfed ganrif ar hugain. Mae problemau heddiw yn wahanol iawn ac ni fyddai ahimsa yn gweithio yn wyneb eithafiaeth, terfysgaeth, ffanatigiaeth ac unbennaeth ormesol. Mae didreisedd yn seiliedig ar ddatrys anghydfod yn ddiplomataidd ond mewn rhai sefyllfaoedd heddiw does dim ffordd resymol i gysylltu â'r sawl sy'n cyflawni trais. Maen nhw'n credu bod yr hen ddywediad yn ddull llawer mwy ymarferol: '*Si vis pacem, para bellum*' (Os wyt ti'n mynnu heddwch, darpara ryfel).

Cwestiwn cyflym

3.14 Rhowch un ddadl dros ac un ddadl yn erbyn ymarferoldeb ahimsa yn y byd modern.

Awgrym astudio

Pan ddefnyddiwch chi gyfeiriadau at ysgolheigion a thestunau, neu ddyfyniadau uniongyrchol o ysgrythurau, ceisiwch eu cadw i faint hawdd eu trin. Weithiau mae darnau byr yr un mor effeithiol. Hefyd, peidiwch ag ysgrifennu dyfyniad ddim ond er mwyn 'dangos eich hun' heb feddwl am sut mae'n cyd-fynd â'r pwynt rydych yn ei wneud.

Gweithgaredd AA1

Ysgrifennwch flog byr am ba mor ymarferol yw egwyddor ahimsa yn y byd modern.

Dyfyniad allweddol

I gymodi â gelyn rhaid gweithio gyda'r gelyn hwnnw a daw'r gelyn yn bartner. (Nelson Mandela)

Nelson Mandela

Sgiliau allweddol

Mae gwybodaeth yn ymwneud â:

Dewis ystod o wybodaeth (drylwyr) gywir a pherthnasol sydd â chysylltiad uniongyrchol â gofynion penodol y cwestiwn.

Mae hyn yn golygu eich bod yn dewis y wybodaeth gywir sy'n berthnasol i'r cwestiwn a osodwyd NID y maes pwnc. Bydd angen i chi feddwl a chanolbwyntio ar ddewis gwybodaeth allweddol ac NID ysgrifennu popeth yr ydych chi'n ei wybod am y maes pwnc.

Mae dealltwriaeth yn ymwneud ag:

Esboniad helaeth, gan ddangos dyfnder a/neu ehangder gyda defnydd rhagorol o dystiolaeth ac enghreifftiau gan gynnwys (lle y bo'n briodol) defnydd trylwyr a chywir o destunau cysegredig, ffynonellau doethineb a geirfa arbenigol.

Mae hyn yn golygu y gallwch ddangos eich bod yn deall rhywbeth drwy egluro ac ehangu eich pwyntiau gan ddefnyddio enghreifftiau/tystiolaeth gefnogol mewn ffordd bersonol ac NID ailadrodd darnau o werslyfr (sef dysgu ar y cof).

Cymhwyso sgiliau ymhellach:

Ewch drwy'r meysydd pwnc yn yr adran hon a lluniwch rai rhestri bwled o bwyntiau allweddol o feysydd allweddol. Ar gyfer pob un, rhowch fwy o fanylion ac esboniwch fwy drwy ddefnyddio tystiolaeth ac enghreifftiau.

Datblygu sgiliau AA1

Nawr mae'n bryd ystyried y wybodaeth sydd wedi'i chyflwyno hyd yma. Hefyd mae'n bwysig ystyried sut mae'r hyn rydych chi wedi'i ddysgu hyd yma'n gallu cael ei ddefnyddio ar gyfer atebion arholiad drwy ymarfer y sgiliau sy'n gysylltiedig ag AA1.

Mae Amcan Asesu 1 (AA1) yn ymwneud â dangos gwybodaeth a dealltwriaeth. Mae'r termau 'gwybodaeth' a 'dealltwriaeth' yn amlwg ond mae'n hanfodol eich bod yn gyfarwydd â sut mae sgiliau penodol yn dangos y rhain, a hefyd, sut bydd eich perfformiad ym mhob un o'r sgiliau hyn yn cael ei fesur (gweler disgrifyddion band cyffredinol Band 5 ar gyfer AA1 UG).

▶ **Dyma eich tasg newydd:** isod mae rhestr o nifer o bwyntiau bwled allweddol a gafodd eu hysgrifennu'n ymateb i gwestiwn sy'n gofyn am archwilio cysyniad ahimsa mewn Hindŵaeth. Mae'n amlwg yn rhestr lawn iawn. Yn y lle cyntaf, bydd yn ddefnyddiol i chi ystyried pa rai yw'r pwyntiau pwysicaf i'w defnyddio wrth gynllunio ateb. Yn y bôn, mae'r ymarfer hwn fel ysgrifennu eich set eich hun o atebion posibl sydd wedi'u rhestru mewn cynllun marcio nodweddiadol fel cynnwys dangosol. Gweithiwch mewn grŵp a dewiswch y pwyntiau pwysicaf i'w cynnwys mewn rhestr o gynnwys dangosol ar gyfer y cwestiwn hwn. Bydd angen i chi benderfynu ar ddau beth: pa bwyntiau i'w dewis; ac yna, ym mha drefn y dylech eu rhoi mewn ateb.

Rhestr o gynnwys dangosol

- Ystyr llythrennol ahimsa yw didreisedd.
- Ystyr himsa yw peidio â niweidio na rhoi poen neu anaf i eraill, yn gorfforol, yn emosiynol neu'n feddyliol.
- Mae'n hen syniad sy'n dod o'r grefydd Jainaidd bod pob bod byw yn haeddu parch.
- Mae'n un o ddelfrydau Hindŵaeth fel mae wedi'i nodi yng *Nghyfreithiau Manu* ac mae'n rhan hanfodol o athroniaeth Hindŵaeth.
- Mae ahimsa yn golygu mwy na dim ond didreisedd. Mae hefyd yn golygu dangos tosturi i bob bod byw, ymarfer cariad, maddeuant a chyfeillgarwch, a chefnogi heddwch.
- Mae Hindŵiaid yn credu mai ahimsa yw'r rhinwedd uchaf ac y bydd ymarfer ahimsa yn eu helpu i dyfu'n ysbrydol a symud ymlaen ar y llwybr at moksha.
- Mae peth anghytuno rhwng Hindŵiaid ynghylch lladd anifeiliaid a bwyta cig. Mae rhai Hindŵiaid o blaid bwyta cig oherwydd mae rhai testunau Hindŵaidd yn eu haddysgu bod bwyta cig yn arwain at iechyd da. Mae eraill yn credu ei fod yn mynd yn erbyn egwyddor ahimsa a bod iddo ganlyniadau karmig drwg.
- Un o gefnogwyr enwocaf ahimsa oedd yr arweinydd Indiaidd Gandhi, a oedd yn credu mai ahimsa oedd dyletswydd uchaf unrhyw fod dynol.
- Dywedodd Gandhi, 'mae ahimsa, didreisedd, yn dod o gryfder, a'r cryfder gan Dduw, nid dyn. Mae ahimsa bob amser yn dod o'r tu mewn.'
- Roedd dehongliad Gandhi o ahimsa hefyd dan ddylanwad dysgeidiaeth Iesu yn y Bregeth ar y Mynydd lle mae'n dweud wrth Gristnogion am ymarfer cariad agape drwy droi'r foch arall.
- Dehonglodd Gandhi hyn yn llythrennol, gan gredu bod heddychwyr nid yn unig yn iawn yn foesol drwy ymarfer didreisedd ahimsa, ond y gallen nhw hefyd orchfygu eu gelynion. Dyma ddidreisedd dewrder a gwroldeb.
- Gandhi oedd y cyntaf i ddefnyddio ahimsa mewn ystyr gwleidyddol ac fel strategaeth bwysig ym mrwydr India dros annibyniaeth. Roedd yn credu bod ymarfer ahimsa yn rhoi'r tir uchel moesol iddo ef a'i ddilynwyr a allai orchfygu eu gelynion.
- I Gandhi, nid oedd ahimsa yn gysyniad goddefol a oedd yn golygu osgoi unrhyw fath o wrthdaro, ond yn gysyniad gweithredol a oedd yn galw ar bobl i wrthwynebu a dymchwel drygioni ac anghyfiawnder drwy ddulliau di-drais.
- Nid oedd Gandhi yn credu bod ahimsa yn golygu peidio â lladd oherwydd roedd yn derbyn bod lladd yn angenrheidiol i rai unigolion ac yn ddyletswydd arnyn nhw a bod gwneud hynny mewn modd wedi'i ddatgysylltu heb ddicter na chymhellion hunanol yn gydnaws ag ahimsa.
- Datblygodd Gandhi gysyniad ahimsa ymhellach â'i ddysgeidiaeth satyagraha. Yn llythrennol, mae'n golygu 'dal gafael mewn gwirionedd' neu fel mae eraill yn cyfeirio ato, 'grym gwirionedd'.
- Cyflwynodd Gandhi satyagraha i gynrychioli gwrthsafiad penderfynol ond di-drais yn erbyn drygioni. Mae nerth ac awdurdod penodol gan y rheini sy'n dweud y gwir neu'n gweithredu gyda gwirionedd oherwydd eu bod yn dweud y gwir. Gwirionedd yw priodwedd sylfaenol Brahman.

Materion i'w dadansoddi a'u gwerthuso

Delfryd ahimsa fel safon berthnasol a theg ar gyfer bywyd yn y byd modern

Mae llawer o bobl yn edmygu egwyddor ahimsa ac yn ei weld yn ddelfryd a allai arwain at well perthynas rhwng pobl a heddwch byd. Ond i ba raddau mae ahimsa yn ddelfryd a pha mor berthnasol ac ymarferol yw'r cysyniad yn yr unfed ganrif ar hugain?

I nifer o bobl, byddai enghraifft Gandhi yn cadarnhau'n gryf egwyddor ahimsa fel cysyniad perthnasol yn y byd modern, nid dim ond yn y cyd-destun crefyddol ond yn y cyd-destun gwleidyddol hefyd. Roedd Gandhi yn credu bod ahimsa yn gwneud ei ddilynwyr yn well yn foesol. Roedd hyn yn arf effeithiol wrth orchfygu gelynion. I raddau, profodd fod hyn yn wir gyda'i ymgyrch lwyddiannus dros annibyniaeth India a gorchfygu grym, awdurdod a grym yr Ymerodraeth Brydeinig. Byddai eraill yn dadlau bod llawer o gymunedau Hindŵaidd wedi cyfuno egwyddor ahimsa yn llwyddiannus â bywyd yn y byd modern. Mae hyn i'w weld yng nghyd-destun gofalu am yr amgylchedd. Er eu bod wedi gorfod derbyn newid diwydiannol i ddiogelu'r economi maen nhw wedi llwyddo i sicrhau ei fod yn mynd law yn llaw â datblygu pentrefi a diogelu'r amgylchedd naturiol. Mae hyn wrth gwrs yn cyd-fynd â phrif egwyddor ahimsa, sef parchu pob peth byw.

Cyflwynodd Gandhi wrth gwrs ddimensiwn newydd i gysyniad ahimsa, sef satyagraha, sy'n golygu grym gwirionedd. Byddai llawer yn dadlau mai'r dimensiwn newydd hwn sy'n gwneud ahimsa yn fwy cydnaws â bywyd yn y byd modern. Mae hyn oherwydd bod satyagraha yn fwy na dim ond peidio â defnyddio trais; mae'n gysyniad ehangach o lawer, sef ceisio gwirionedd.

Mewn byd llawn trais a gwrthdaro, bygythiadau a gwrth-fygythiadau, mae llawer yn credu nad yw ahimsa yn berthnasol nac yn ymarferol. Yn wir, byddai llawer o Hindŵiaid yn nodi bod yr egwyddor mewn rhai amgylchiadau'n gwrthdaro â chredoau, arferion ac egwyddorion eraill Hindŵaeth. Enghraifft glir o'r gwrthdaro hwn yw rhyfel a chredu mewn dharma. Yn y Bhagavad Gita, fel rydyn ni eisoes wedi gweld yn y gyfol hon, mae Krishna yn rhoi cyngor pwysig i Arjuna am dharma, sef bod rhaid ymladd rhyfel cyfiawn weithiau i orchfygu grymoedd drygioni. Mae'n ddyletswydd.

Mae cymdeithas fodern yn fwy cymhleth o lawer na'r gymdeithas mae ahimsa yn tarddu ohoni. Dydy hi ddim yn hawdd nac yn ymarferol cymhwyso egwyddor absoliwtaidd i faterion cymdeithas fodern. Enghraifft o sefyllfa o'r fath fyddai pe bai'n rhaid i gymuned Hindŵaidd awdurdodi lladd rhywun i ddiogelu'r gymuned rhag niwed, er enghraifft, terfysgwr a oedd ar fin tanio bom. Mae cwestiynau a sefyllfaoedd o'r fath yn codi cwestiynau am berthnasedd ac ymarferoldeb ahimsa yn ein hoes ni. Weithiau mae angen grym i gynnal cyfraith a threfn ac weithiau grym a defnyddio trais yw'r unig ddewis.

Mae ahimsa yn egwyddor sy'n galw am hunanddisgyblaeth a byddai rhai'n dadlau bod cymunedau modern yn rhy amrywiol eu natur i ddilyn un egwyddor arweiniol fel ahimsa. Felly gallai ahimsa fod yn berthnasol i unigolyn ond nid i gymdeithas gyfan. Bydd rhai mewn cymuned bob amser yn dilyn eu greddf eu hunain.

Mae'r dehongliad o ahimsa hefyd yn dylanwadu ar ei berthnasedd a'i hyfywedd yn ein hoes ni. Y cwestiwn sylfaenol yw a yw'n gymwys i fywyd dynol neu i bob math o fywyd. Byddai rhai Hindŵiaid yn dadlau ei fod yn cyfeirio at barchu pob bywyd dynol a bod rhaid lladd anifeiliaid a phlanhigion i fwydo'r gymuned. Mae barn wahanol gan Hindŵiaid eraill fodd bynnag, gan ddadlau mai parch at bob math o fywyd yw ahimsa.

Mae'r adran hon yn cwmpasu cynnwys a sgiliau AA2

Cynnwys y fanyleb

Delfryd ahimsa fel safon berthnasol a theg ar gyfer bywyd yn y byd modern.

Gweithgaredd AA2 ***Dadleuon posibl***

Wedi'u rhestru isod mae rhai casgliadau y byddai'n bosibl dod iddyn nhw ar sail rhesymeg AA2 yn y testun cysylltiedig:

1. Gandhi fel enghraifft o berthnasedd a hyfywedd ahimsa.
2. Mae cyfuniad o gynnydd diwydiannol a gofal amgylcheddol yn enghraifft o ddylanwad ahimsa.
3. Mae satyagraha yn gwneud ahimsa yn fwy cydnaws â'r byd modern.
4. Gwrthdaro rhwng egwyddor ahimsa ac egwyddor dharma.
5. Mae cymdeithas fodern yn fwy cymhleth na'r un y tarddodd egwyddor ahimsa ohoni.

Ystyriwch bob un o'r casgliadau sy'n cael eu gwneud uchod a chasglwch dystiolaeth ac enghreifftiau i gefnogi pob dadl o'r deunydd AA1 ac AA2 a astudiwyd yn yr adran hon. Dewiswch un casgliad sy'n argyhoeddi fwyaf yn eich barn chi ac esboniwch pam mae hyn yn wir. Nawr cyferbynnwch hyn â'r casgliad gwannaf ar y rhestr, gan gyfiawnhau eich dadl gyda rhesymu clir a thystiolaeth.

Cynnwys y fanyleb

A oes grym cynhenid yn perthyn i wirionedd.

A oes grym cynhenid yn perthyn i wirionedd

Un o brif syniadau athroniaeth Gandhi yw cysyniad satyagraha ac mae'n wir i ddweud iddo ddylanwadu ar ei holl safbwynt ysbrydol a gwleidyddol. Roedd Gandhi yn credu bod grym cynhenid gan wirionedd ei hun a bod modd ei ddefnyddio i orchfygu gelynion. Fodd bynnag, byddai llawer yn amau'r haeriad ac yn gofyn beth yn union yw'r grym hwn sydd i fod gan wirionedd.

Datblygodd Gandhi y term satyagraha am nad oedd yn teimlo bod 'gwrthsefyll goddefol' yn ddisgrifiad teg o frwydr India yn erbyn apartheid yn Ne Affrica. Nid oedd yn fudiad goddefol oherwydd roedd gwirionedd yn rhoi sail foesegol iddo weithredu. Ysgrifennodd Gandhi, 'Mae gwirionedd (satya) yn awgrymu cariad, ac mae cadernid (agraha) yn ysgogi ac felly'n gyfystyr â grym. Felly dechreuais i alw'r mudiad Indiaidd yn satyagraha, hynny yw y Grym sy'n cael ei eni o wirionedd a chariad ...' Roedd yn credu nad arf pobl wan oedd didreisedd ond bod gwirionedd yn gwneud pobl yn ddewr ac yn gryf. Dyma pam mae gwir weithredwyr di-drais yn gallu derbyn trais yn eu herbyn nhw eu hunain heb fod yn dreisgar at eraill – oherwydd bod gwirionedd ar eu hochr nhw.

I Gandhi, cysyniad ysbrydol a oedd â chyswllt agos â ffydd oedd ahimsa. Yn y cyd-destun hwn ysgrifennodd Gandhi, 'Rwyf i'n gweld bod satyagraha yn sicr o gael help dwyfol, a thrwy brofi'r satyagrahi, mae'r creawdwr ddim ond yn rhoi cymaint o faich arno ar bob cam ag y gall ei oddef'. Roedd yn ei ystyried yn fodd i chwilio am wirionedd a gwirionedd yw agwedd sylfaenol athroniaeth didreisedd Gandhi. Mae ei fywyd wedi'i ddisgrifio fel 'arbrofion gwirionedd'. Daeth didreisedd o'i ymgais i ddod o hyd i wirionedd, ac mae'n esbonio yn ei hunangofiant, 'Ahimsa yw sail pob chwilio am wirionedd. Rwyf i'n sylweddoli bod y chwilio hwn yn ofer, oni bai ei fod yn seiliedig ar ahimsa fel sylfaen'. Er mwyn i ddidreisedd fod yn gryf ac yn effeithiol rhaid iddo fod yn seiliedig ar wirionedd a dechrau yn y meddwl. Heb hyn roedd Gandhi yn credu mai didreisedd y gwan a'r llwfr a fyddai. Esboniodd Gandhi hyn pan ddywedodd, 'Gallaf ddychmygu dyn sydd wedi'i arfogi'n llawn yn llwfr yn ei galon. Mae meddu ar arfau'n awgrymu elfen o ofn, os nad llwfrdra, ond mae gwir ddidreisedd yn amhosibl heb feddu ar wroldeb pur'. Roedd yn credu mai didreisedd oedd grym mwyaf y ddynoliaeth. Yn ei lythyr at Daniel Oliver yn Hammana, Lebanon yn 1937 defnyddiodd Gandhi y geiriau hyn, 'Nid oes gennyf unrhyw neges heblaw am hon, sef nad oes unrhyw waredigaeth i neb ar y ddaear hon nac i holl bobloedd y ddaear hon ac eithrio trwy wirionedd a didreisedd ym mhob rhan o fywyd yn ddieithriad'.

Mae dealltwriaeth Gandhi o wirionedd wedi'i gwreiddio'n ddwfn mewn Hindŵaeth. Mae athronwyr India yn datgan yn aml yn eu gweithiau nad oes unrhyw grefydd na dyletswydd yn fwy na gwirionedd ac mai cyflawni gwirionedd pur a diamod yw cyflawni moksha. Roedd Gandhi yn credu mai gwirionedd oedd Duw, ac fe'i hesboniodd fel hyn. Mae'r byd yn gorwedd ar sylfaen o satya neu wirionedd. Mae assatya, sy'n golygu anwiredd, hefyd yn golygu 'nad yw'n bodoli'. ac mae satya neu wirionedd yn golygu 'dydy'r hyn sy'n anwir ddim yn bodoli'. Mae ei fuddugoliaeth yn amhosibl. Ac mae'n amhosibl dinistrio gwirionedd, 'yr hyn sydd', byth. Dyma athrawiaeth satyagraha yn gryno.

Byddai eraill yn dadlau bod gwirionedd yn gymharol a bod gwybod y gwirionedd absoliwt yn amhosibl. Gallai'r hyn mae'r naill yn ei ystyried yn wirionedd fod yr un mor amlwg yn anwiredd i'r llall.

Gweithgaredd AA2 *Dadleuon posibl*

Wedi'u rhestru isod mae rhai casgliadau y byddai'n bosibl dod iddyn nhw ar sail rhesymeg AA2 yn y testun cysylltiedig:

1. Nid gwrthsefyll goddefol yw satyagraha.
2. Mae satyagraha yn air arall am rym.
3. Mae cysylltiad agos rhwng satyagraha a ffydd ac mae'r rheini sy'n ei ddilyn yn cael help dwyfol.
4. Mae gwirionedd yn dechrau yn y meddwl; mae'n gysyniad ysbrydol ac mae'n gryf ac effeithiol.
5. Mae gwirionedd yn gymharol.

Ystyriwch bob un o'r casgliadau sy'n cael eu gwneud uchod a chasglwch dystiolaeth ac enghreifftiau i gefnogi pob dadl o'r deunydd AA1 ac AA2 a astudiwyd yn yr adran hon. Dewiswch un casgliad sy'n argyhoeddi fwyaf yn eich barn chi ac esboniwch pam mae hyn yn wir. Nawr cyferbynnwch hyn â'r casgliad gwannaf ar y rhestr, gan gyfiawnhau eich dadl gyda rhesymu clir a thystiolaeth.

Datblygu sgiliau AA2

Nawr mae'n bryd ystyried y wybodaeth sydd wedi'i chyflwyno hyd yma. Hefyd mae'n bwysig ystyried sut mae'r hyn rydych chi wedi'i ddysgu hyd yma'n gallu cael ei ddefnyddio ar gyfer atebion arholiad drwy ymarfer y sgiliau sy'n gysylltiedig ag AA2.

Mae Amcan Asesu 2 (AA2) yn ymwneud â 'dadansoddi' a 'gwerthuso'. Efallai fod ystyr y termau'n amlwg ond mae'n hanfodol eich bod yn gyfarwydd â sut mae sgiliau penodol yn dangos y rhain, a hefyd, sut bydd eich perfformiad ym mhob un o'r sgiliau hyn yn cael ei fesur (gweler disgrifyddion band cyffredinol Band 5 ar gyfer AA2 UG).

Yn amlwg mae ateb yn cael ei osod mewn disgrifydd band priodol, yn ôl pa mor dda yw'r ateb, gan amrywio o ragorol, da, boddhaol, sylfaenol/cyfyngedig i gyfyngedig iawn.

▶ **Dyma eich tasg:** isod mae rhestr o nifer o bwyntiau bwled allweddol a gafodd eu hysgrifennu'n ymateb i gwestiwn sy'n gofyn am werthusiad o berthnasedd ahimsa yn y byd modern. Mae'n amlwg yn rhestr lawn iawn. I ddechrau, bydd yn ddefnyddiol i chi ystyried pa rai yw'r pwyntiau pwysicaf i'w defnyddio wrth gynllunio ateb. Yn y bôn, mae'r ymarfer hwn fel ysgrifennu eich set eich hun o atebion posibl sydd wedi'u rhestru mewn cynllun marcio nodweddiadol fel cynnwys dangosol. Gweithiwch mewn grŵp a dewiswch y pwyntiau pwysicaf i'w cynnwys mewn rhestr o gynnwys dangosol ar gyfer y cwestiwn hwn. Bydd angen i chi benderfynu ar ddau beth: pa bwyntiau i'w dewis; ac yna, ym mha drefn y dylech eu rhoi mewn ateb.

Rhestr o gynnwys dangosol

- Mae cysyniad ahimsa yn bwysig iawn mewn Hindŵaeth ond mae cwestiynau am ba mor berthnasol yw'r cysyniad i fywyd heddiw.
- Mae cymdeithas fodern yn fwy cymhleth o lawer na'r un y tarddodd ahimsa ohoni a dydy hi ddim yn hawdd nac yn ymarferol cymhwyso egwyddor absoliwtaidd i faterion cymdeithas fodern.
- Mae'n dibynnu ar y dehongliad o ahimsa. Os mai parchu pob bywyd dynol yw'r dehongliad, bydden nhw'n dadlau ei fod yn gysyniad perthnasol iawn.
- Profodd Gandhi fod hyn yn wir â'i ymgyrch lwyddiannus dros annibyniaeth India a gorchfygu grym, awdurdod a nerth yr Ymerodraeth Brydeinig.
- Mewn byd sy'n llawn gwrthdaro hiliol a chrefyddol mae'n addysgu parch at bawb, sy'n cynnig arweiniad ar gydraddoldeb hiliol a goddefgarwch crefyddol.
- Os ydyn ni'n ei ddehongli fel parch at bob bod byw, mae'n dod yn anoddach oherwydd mae'n codi'r mater o ladd anifeiliaid a phlanhigion i gael bwyd.
- Mae ahimsa yn amherthnasol ac yn anymarferol yn y byd heddiw oherwydd mae'n rhy ddelfrydyddol (idealistig).
- Mae llawer o gymunedau Hindŵaidd wedi cyfuno egwyddor ahimsa yn llwyddiannus â byw yn y byd modern. Mae hyn i'w weld yng nghyd-destun gofalu am yr amgylchedd.
- Byddai rhai Hindŵiaid yn dadlau, os oedd y cysyniad yn berthnasol yn amser Gandhi, mae'n dal i fod yn berthnasol heddiw mewn ystyr crefyddol a gwleidyddol.
- Fe ddefnyddiodd Gandhi ahimsa yn llwyddiannus iawn ac mae'r un mor berthnasol fel modd i ddatrys rhai o'r problemau sy'n wynebu'r byd heddiw.
- Roedd Gandhi yn credu bod ahimsa yn gwneud ei ddilynwyr yn well yn foesol. Roedd hyn yn arf effeithiol wrth orchfygu gelynion.
- Byddai rhai Hindŵiaid yn dadlau bod y problemau hyn yn wahanol a bod y byd wedi symud ymlaen ers cyfnod Gandhi.
- Dydy ahimsa ddim yn cynnig unrhyw ateb i eithafiaeth nac i derfysgaeth.
- Mae ahimsa yn pwysleisio parch at y byd ac yn aml mae materion amgylcheddol yn flaenllaw yn yr agenda gwleidyddol heddiw.
- Byddai llawer yn tynnu sylw at lwyddiant cymunedau sydd wedi cyfuno newid a datblygiad diwydiannol heb ddinistrio'r amgylchedd naturiol.
- Byddai rhai Hindŵiaid yn dadlau nad yw hanes India o ran llygredd gyda'r gorau a bod hyn felly'n dangos diffyg dylanwad cysyniad ahimsa ar benderfyniadau.
- Byddai rhai'n dadlau nad ahimsa yw cysyniad pwysicaf Hindŵaeth. Bydden nhw'n dadlau mai dharma sydd bwysicaf ac yng nghyd-destun rhai materion modern, mae gwrthdaro rhwng y ddau gysyniad. Mae hyn i'w weld mewn materion fel defnyddio trais i gynnal cyfraith a threfn neu ymladd mewn rhyfel cyfiawn i orchfygu drygioni.
- Mewn byd llawn trais a gwrthdaro, bygythiadau a gwrth-fygythiadau, mae llawer yn credu nad yw ahimsa yn berthnasol nac yn ymarferol.

Sgiliau allweddol

Mae dadansoddi'n ymwneud â nodi materion sy'n cael eu codi gan y deunyddiau yn adran AA1, ynghyd â'r rhai a nodwyd yn adran AA2, ac mae'n cyflwyno safbwyntiau cyson a chlir, naill ai gan ysgolheigion neu safbwyntiau personol, yn barod i'w gwerthuso.

Felly, mae'n nodi pethau allweddol i'w trafod a'r dadleuon sy'n cael eu cyflwyno gan eraill neu o safbwynt personol.

Mae gwerthuso'n ymwneud ag ystyried goblygiadau amrywiol y materion sy'n cael eu codi, yn seiliedig ar y dystiolaeth a gafwyd wrth ddadansoddi ac mae'n rhoi dadl fanwl eang gyda chasgliad clir.

Mae hyn yn golygu bod yr ateb yn pwyso a mesur y dadleuon amrywiol a gwahanol a gafodd eu dadansoddi drwy roi sylwadau ac ymateb unigol, gan ddod i gasgliad drwy broses rhesymu clir.

Th4 Arferion crefyddol sy'n dylanwadu ar hunaniaeth grefyddol

Mae'r adran hon yn cwmpasu cynnwys a sgiliau AA1

Cynnwys y fanyleb

Natur puja yn y cartref a'r mandir – cymharu a chyferbynnu

Termau allweddol

Hanuman: cadfridog y mwncïod, cynorthwyydd Rama yn y Ramayana

Puja: gweithred o addoli

Shiva linga: Cynrychioliad mwyaf cyffredin Shiva – y symbol ffalig

A: Puja yn y cartref ac yn y mandir

Natur puja yn y cartref a'r mandir – cymharu a chyferbynnu

Gair Sanskrit yw puja sydd o'i gyfieithu'n fras yn golygu parch neu addoli. Mae'n cyfeirio at addoli dyddiol Hindŵiaid, yn enwedig addoli'r ddelwedd sanctaidd neu'r Murti. Mae addoli'r Murti yn ganolog mewn Hindŵaeth ac mae'n helpu llawer o Hindŵiaid i ddatblygu a mynegi eu perthynas â Duw. Mae Murtis yn fwy na rhywbeth i helpu myfyrio neu i gynrychioli agweddau gwahanol ar Dduw. I lawer o Hindŵiaid, Duw neu'r duwdod mae'n ei gynrychioli yw'r Murti.

Amrywiaeth enfawr **puja** yw ei nodwedd mewn Hindŵaeth. Mae hyn yn adlewyrchu'r amrywiaeth o ran agweddau at y dwyfol a'r agweddau gwahanol arno sydd yn y grefydd. Gall puja hefyd gynnwys amrywiaeth eang o weithgareddau ac arferion. Mae rhai'n cael eu cynnal yn unigol, rhai fel cynulleidfa a gall nifer fod y ddau fath. Mae modd cynnal pob un yn y cartref yn ogystal ag yn y deml. Fel yr esbonia Jeaneane Fowler 'Mae addoli mewn Hindŵaeth yn ddigwyddiad dyddiol, yn cael ei gynnal gartref, mewn teml neu ger cysegr awyr agored'.

Mae nifer o nodweddion penodol i addoli Hindŵaidd. Fel y nodwyd uchod, oherwydd ei bod yn bosibl gweld presenoldeb y dwyfol mewn sawl ffordd mewn Hindŵaeth, gall ffocws yr addoli amrywio a gall gynnwys canolbwyntio ar y Goruchaf, y gwahanol dduwiau a duwiesau, y guru ac ati. Mae'r rhan fwyaf o addoli Hindŵaidd yn digwydd y tu allan i'r deml, yn aml yn y cartref. Hefyd mewn Hindŵaeth does dim dyddiau penodol i addoli, er bod duwdodau arbennig yn gysylltiedig â dyddiau penodol; er enghraifft, anrhydeddir Shiva ar ddydd Llun a **Hanuman** ar ddydd Mawrth. Yn y DU, fodd bynnag, dydd Sul yw'r diwrnod pwysicaf oherwydd mae'r rhan fwyaf o Hindŵiaid yn gweithio yn ystod yr wythnos.

Nodwedd arall o puja mewn Hindŵaeth yw bod ffyddloniaid yn mynegi llawer o gynhesrwydd, llawenydd a hoffter oherwydd eu bod yn meddwl am Dduw fel cyfaill agos neu anwylyn. Yn wir, cariad ac ymroddiad yw prif briodweddau puja.

Dyfyniad allweddol

Agwedd hanfodol ar puja i Hindŵiaid yw cymuno â'r dwyfol ... Gan amlaf mae delwedd yn hwyluso'r cyswllt hwnnw: elfen o natur, cerflun, llestr, paentiad neu brint. Wrth gysegru'r ddelwedd adeg ei gosod mewn cysegr neu deml, mae'r duwdod yn cael gwahoddiad i arwisgo'r ddelwedd â'i ynni cosmig. Yna, yn llygaid y rhan fwyaf o ffyddloniaid, mae'r eicon yn mynd yn dduwdod, a defodau dyddiol o anrhydeddu a gweddïo yn cadarnhau ei bresenoldeb. (Stephen P. Huyler)

Mae rhai grwpiau Hindŵaidd yn ystyried y Murti yn ffurf ar afatar, duwdod unigol sydd wedi dod i lawr i'r ddaear i helpu mewn cyfnod o argyfwng.

Mae'n bosibl cynnal puja i unrhyw beth mae'r un sy'n ei gynnal yn ei ystyried yn gysyniad o Dduw fel Murti o Vishnu neu **Shiva linga**. Weithiau mae puja yn cael ei gynnal er budd pobl benodol mae offeiriaid neu berthnasau yn gofyn i'w bendithio. Fel rydyn ni wedi gweld eisoes, oherwydd natur Hindŵaeth, mae manylion ymarferol cynnal puja yn amrywio'n sylweddol. Mae llawer yn credu mai dim ond ar ôl cael cawod neu fath a chyn brecwast y dylid ei gynnal, i sicrhau canolbwyntio'n llwyr.

cwestiwn cyflym

4.1 Diffiniwch y term puja.

Mae'n bosibl cynnal puja mewn teml neu yn y cartref. Mae'n weithred sy'n dangos ymroddiad i Dduw neu i'r duwdod a ddewiswyd. Mae'n bosibl cynnal puja yn unigol neu fel grŵp, mewn tawelwch neu i gyfeiliant gweddi. Mae'r rhan fwyaf o Hindŵiaid yn credu y dylid cynnal puja bob dydd, er bod rhai'n credu y dylid ei gynnal ddwywaith y dydd. Mae puja hefyd yn cael ei gynnal ar achlysuron arbennig amrywiol fel **Lakshmi** puja neu pujas wedi'u cysegru i dduwiau a duwiesau eraill.

Termau allweddol

Arti: y weithred o addoli golau, offrwm o gariad ac ymroddiad i'r duwdod

Ghee: menyn gloyw, cynhwysyn coginio cyffredin ac offrwm

Lakshmi: duwies cyfoeth a ffyniant, cydymaith Vishnu

Mandir: teml Hindŵaidd

Puja yn y cartref

Does dim rhaid i Hindŵiaid ymweld â **mandir** (teml) ac felly puja yn y cartref, digwyddiad dyddiol, yw'r puja mwyaf poblogaidd. Fel arfer y fenyw hynaf yn y cartref sy'n gwneud hyn. Bydd cysegr sydd fel arfer yn lliwgar a llachar mewn cartrefi Hindŵaidd, gydag offrymau o fwyd, dŵr, persawr a golau ynddi. Gallai Murtis neu luniau o'r duwdodau fod mewn rhannau eraill o'r cartref, heblaw am y toiled neu'r ystafell ymolchi sy'n ystafelloedd aflan o ran defodau. Un o'r mannau mwyaf cyffredin i gael y prif gysegr yw'r gegin. Dydy hyn ddim yn syndod oherwydd dyma un o'r ystafelloedd glanaf yn ddefodol yn y cartref. Weithiau mae'r Murtis mewn cypyrddau sy'n cael eu hagor ar gyfer puja. Gallai lluniau o hynafiaid a gurus modern fod yno hefyd.

Mae puja gan amlaf yn cynnwys ymolchi a gwisgo'r duwdod a chynnig eitemau amrywiol i'r duwdod fel dŵr, persawr, blodau ac yn aml goleuo cannwyll neu arogldarth. Mae'n aml yn gorffen drwy gynnig bwyd llysieuol ac mae seremoni **arti** yn ei ddilyn ar unwaith. Fel arfer mae'r puja yn cynnwys o leiaf 16 o weithredoedd defosiynol sy'n cynnwys:

- gwahodd ysbryd duw i fynd i mewn i'r Murti drwy daenu gronynnau reis arno
- cyffwrdd â llygaid a chalon y Murti â blewyn o laswellt sydd wedi'i drochi mewn **ghee**
- cynnig sedd i'r duw drwy daenu gronynnau reis mewn dysgl gopr o dan y Murti
- cynnig dŵr i olchi'r traed
- cyffwrdd traed y Murti â blodyn gwlyb
- cynnig dŵr ffres fel diod i'r Murti
- golchi'r Murti symbolaidd gyda dŵr a chymysgedd o fêl ac iogwrt
- cynnig dillad i'r Murti
- taenu lliain coch o gwmpas gwddf ac ysgwyddau'r duwdod
- cynnig edau sanctaidd a'i daenu o gylch y Murti
- rhoi past sandalwydd a phowdr coch a melyn ar dalcen y Murti
- gosod blodau o gylch y Murti
- cynnau arogldarth a'i chwifio o flaen y duwdod
- chwifio golau ar ffurf lamp ghee o flaen y duwdod
- cynnig bwyd / ffrwythau i'r duwdod
- gweddïo ar y duwdod.

Dyfyniad allweddol

Cana gân cariad nefolaidd, O ganwr!
Boed i ffynnon ddwyfol gras a llawenydd
tragwyddol lenwi dy enaid.
Boed i Brahma, (yr Un Dwyfol),
Daro tannau dy enaid mewnol â'i fysedd
nefolaidd,
A theimlo Ei bresenoldeb Ef oddi mewn.
Bendithia ni â llais dwyfol
Er mwyn i ni seinio tannau telyn ein bywyd
I ganu caneuon Cariad i ti.
(Rig Veda)

Cysegr mewn cartref

Termau allweddol

Darshan: edrych i lygaid Murti a chysylltu â'r dwyfol

Havan: defod o amgylch tân symbolaidd, fel mewn priodas

Prashad: bwyta'r bwyd sydd wedi'i gynnig i Dduw, fel modd o gael bendith

Seva/sewa: gwasanaeth, crefyddol neu gymdeithasol, gan ffyddloniaid i gymdeithas

cwestiwn cyflym

4.2 Disgrifiwch dair prif elfen puja.

Puja yn y deml

Mae'r rhan fwyaf o Hindŵiaid yn galw yn eu mandir lleol bryd bynnag mae'n nhw'n gallu. Unwaith eto mae Jeaneane Fowler yn esbonio 'Er mai'r cartref yw canolbwynt y rhan fwyaf o seremonïau, mae llawer o Hindŵiaid yn galw yn eu teml leol, y mandir, bryd bynnag maen nhw'n gallu.' Mae temlau Hindŵaidd yn apelio at y synhwyrau – lliwiau, seiniau ac arogleuon. Mae'r temlau mwy wedi'u haddurno'n goeth a'r Murtis ar y cysegrau mewn dillad a gemwaith lliwgar. Mae llawer o fathau o demlau, ond bydd tair prif nodwedd gan bob un:

1. Murti neu symbol o'r duwdod.
2. Canopi dros y duwdod i'w anrhydeddu.
3. Offeiriad i ofalu am y ddelwedd gysegredig ac i roi **prashad** i bob addolwr, rhodd gan y duwdod.

Mewn rhai temlau, mae teuluoedd yn eistedd gyda'i gilydd ond fel arfer bydd dynion a menywod yn eistedd y naill ochr a'r llall i'r cysegr ar y llawr. Does dim amser penodol i addoli. Mae'r offeiriad yn dechrau addoli yn y deml drwy oleuo'r tân cysegredig a llosgi darnau bach o bren, camffor a ghee. Yna mae'n cynnal seremoni **havan**, sy'n cynnwys puro'r unigolyn cyn agosáu at Dduw. Seremoni arall a gaiff ei chynnal yw arti, sef cynnig cariad ac ymroddiad i'r duwdod. Yn ôl Ian Jamison, 'Dydy temlau Hindŵaidd mewn gwirionedd ddim wedi'u cynllunio ar gyfer addoli cynulleidfaol, ond ar gyfer cyfarfodydd rhwng ffyddloniaid unigol a'r duwdodau maen nhw'n awyddus i gael **darshan** ganddyn nhw.'

Tu blaen mandir Hindŵaidd (teml)

Cynnwys y fanyleb

Pwysigrwydd y berthynas rhwng ffyddloniaid unigol a duwdodau.

Pwysigrwydd y berthynas rhwng ffyddloniaid unigol a duwdodau

Mae'r berthynas rhwng ffyddloniaid a duwdodau yn un bersonol. Mae Hindŵaeth ddefosiynol yn seiliedig ar gariad ffyddloniaid at Dduw. Cariad yw sail y berthynas bwysig rhwng ffyddloniaid a duwdod. Mae'n bosibl mynegi'r berthynas a'r ymroddiad mewn sawl ffordd oherwydd does dim rheolau penodol i'w dilyn. Mae ysgrythurau a llyfrau'r gyfraith yn cynnig canllaw ond dewis unigol yw eu dilyn ai peidio. Mae'r dulliau o fynegi'r berthynas yn dibynnu i raddau ar draddodiadau teuluol. Drwy baratoi a chynnig bwyd i'r duwdodau yn y cysegr, gartref neu yn y deml, mae llawer o Hindŵiaid yn cael gwasanaethu Duw (**seva**) a mynegi eu hymdeimlad o ymroddiad a chariad. Mae hyn yn cadarnhau'r berthynas rhwng ffyddloniaid a Duw. Mae perthynas angerddol, bersonol yn datblygu rhwng ffyddloniaid a duwdod yn bhakti marga.

Derbyn darshan

Mae darshan yn dod o'r Sanskrit, darsana, sy'n golygu golwg neu weld, ac mae'n cyfeirio at weld bod dwyfol neu olygfa naturiol fel pelydryn sydyn o olau'n taro copa mynydd. Credir bod darshan guru byw yn arbennig iawn. Mae'r profiad yn agor y galon ac yn rhoi heddwch, bendith ac egni dwyfol neu Shakti. Adeg darshan, mae delwedd y duwdod yn amsugno holl ffocws y ffyddloniaid ac mae Hindŵiaid yn credu bod y duwdod hefyd yn gweld y rhai sy'n derbyn darshan. I dderbyn darshan rhaid i Hindŵiaid ddilyn arferion o ran glendid personol sy'n debyg i baratoi'r Murti ar gyfer puja. Fel yr esbonia V.A. Ponmelil, 'Un peth pwysig arall i'w nodi yw nad dim ond mater o weld y Duwdod yn y deml yw darshan. I rywun sydd wedi'i wireddu yn ysbrydol, mae'n golygu profi'r Duwdod ac esgor ar gyfnewid personol, ddwyochrog â'r Bersonoliaeth Oruchaf ar ffurf y Duwdod'.

Cynnwys y fanyleb

Derbyn darshan.

Gweithgaredd AA1

Mae rhywun yn gofyn i chi esbonio beth yw darshan. Ysgrifennwch eich ateb mewn 100 gair. Os ydych yn gwneud hyn mewn grŵp, darllenwch eich atebion i'ch gilydd. Cymerwch dair enghraifft a cheisiwch wneud un fersiwn terfynol drwy ddewis y deunydd gorau o bob un.

cwestiwn cyflym

4.3 Beth yw'r seremoni havan?

Defodau mandir fel amrodio a derbyn prashad

Cynnwys y fanyleb

Defodau mandir fel amrodio a derbyn prashad.

Ystyr llythrennol **Pradakshina**, y gair Sanskrit am amrodio, yw i'r dde. Felly mae ffyddloniaid yn cerdded o gwmpas y **garbha griha**, sef siambr fewnol y cysegr lle mae'r duwdod neu'r duwdodau yn y deml, i gyfeiriad y chwith, gan gadw'r cysegr ar y dde iddyn nhw. Mae hon yn un o agweddau arferol addoli yn y deml sy'n digwydd fel arfer ar ôl cwblhau puja. Mae'n mynegi'r gred bod Duw yn ganolog i fodolaeth ac y dylai pob meddwl a gweithred ganolbwyntio ar Dduw bob amser. Fel arfer mae pradakshinam yn mynd yn glocwedd oherwydd mae Hindŵiaid yn tybio bod duw bob amser ar yr ochr dde iddyn nhw. Mae hefyd yn eu hatgoffa y dylen nhw fyw bywyd da, ar y llwybr cywir a elwir yn dharma.

Ystyr y gair 'prashad' yw 'yr hyn sy'n dod â heddwch' ac mae'n cyfeirio at y bwyd mae Hindŵiaid yn ei gynnig i Dduw yn ystod unrhyw fath o addoli, defod neu seremoni. Gall gynnwys offrwm o reis melys, ffrwythau, llaeth a chnau coco. Ar ôl eu hoffrymu, maen nhw'n cael eu rhannu rhwng y ffyddloniaid naill ai gartref neu yn y deml er mwyn iddyn nhw gael bendith y duwdodau. Mae'r offrymau'n arwydd bod y ffyddloniaid yn cynnig eu calonnau i Dduw. Yn ôl y Bhagavad Gita – 'pwy bynnag sy'n cynnig deilen, blodyn, ffrwyth neu hyd yn oed ddŵr gydag ymroddiad, byddaf yn ei dderbyn, gan ei fod yn cael ei gynnig â chalon gariadus'. Un math arbennig o prashad yw'r **Charanamrit**, sef y dŵr neu'r llaeth sy'n golchi traed y Murtis neu sant dwyfol. Mae llawer o Hindŵiaid yn credu bod pwerau aruthrol ganddo.

Termau allweddol

Charanamrit: yn llythrennol y 'neithdar o draed yr Arglwydd' – dŵr wedi'i gymysgu ag iogwrt i olchi'r duwdod ac yna'i ddosbarthu i westeion y deml. Credir ei fod yn rhoi anfarwoldeb.

Garba griha: 'tŷ croth' – cysegr canolog mandir

Pradakshina: amrodio mannau cysegredig mewn Hindŵaeth

Pooja prashad

Cynnwys y fanyleb

Pwysigrwydd cymharol addoli personol a chynulleidfaol.

Pwysigrwydd cymharol addoli personol a chynulleidfaol

Fel arfer mae Hindŵiaid yn cynnal puja mewn cysegrau mewn tri math gwahanol o leoedd: temlau, yn y cartref ac mewn mannau cyhoeddus yn yr awyr agored. Mae'r un mor gyffredin i unrhyw rai o'r duwdodau gael eu haddoli yn unrhyw un o'r tri math o gysegr. Fodd bynnag, o fewn Hindŵaeth mae rhywfaint o drafod ar bwysigrwydd cymharol puja personol a chynulleidfaol. Mae llawer o Hindŵiaid yn credu nad yw addoli cynulleidfaol yn orfodol ac mai offrwm unigolyn i dduwdod yw agwedd hanfodol puja, nid addoli cynulleidfaol. Fodd bynnag mae eraill yn pwysleisio agwedd gymunedol Hindŵaeth fel crefydd.

Gweithgaredd AA1

Dewiswch rhwng pump a deg gair allweddol o bob agwedd ar puja rydych wedi'u hastudio yma. Nawr meddyliwch am acronym i bob un i'ch helpu chi eu cofio. Profwch eich hun gyda phartner. Bydd hyn yn eich helpu i ddewis a chofio set graidd o bwyntiau i ddatblygu ateb i esbonio'r athroniaeth hon.

Awgrym astudio

Mae ymgeiswyr yn aml yn dda am gofio pwyntiau allweddol ond weithiau dydyn nhw ddim yn eu hesbonio'n llawn. I ddatblygu pwynt, defnyddiwch amrywiaeth o ffyrdd sy'n dangos sut caiff y pwynt hwn ei ddefnyddio ac os yw'n bosibl, cyflwynwch rai safbwyntiau ysgolheigaidd cyferbyniol i ategu eich ateb. Mae hyn yn dangos bod yr ateb yn 'dangos dyfnder a/neu ehangder helaeth. Defnydd rhagorol o dystiolaeth ac enghreifftiau' (disgrifydd band 5 AA1) yn hytrach na bod y wybodaeth yn 'gyfyngedig o ran dyfnder a/neu ehangder, gan gynnwys defnydd cyfyngedig o dystiolaeth ac enghreifftiau' (disgrifydd band 2 AA1).

Dyfyniad allweddol

Mae'r mandir yn cynnig llonyddwch amheuthun. Drwy ei ddysgeidiaeth naturiol a'i weithgareddau gweddïo ac addoli, mae'r mandir yn creu ffydd selog yn Nuw ac mewn cyd-ddyn ac yn arwain yr unigolyn at ysbrydolrwydd. Â'r ffydd newydd hwn yn Nuw, mae'r unigolyn yn cofleidio purdeb corfforol, meddyliol ac ysbrydol. Mae dysgeidiaeth a gweithgareddau naturiol y mandir yn helpu'r unigolyn i ddeall does dim tawelwch meddwl mewn dibyniaeth a drygau eraill o'r fath. Maen nhw'n ffurfio cymeriad yr unigolyn drwy gyfleu rhinweddau sylfaenol y ddynoliaeth fel ffyddlondeb, dewrder, maddeuant, undod, cyfeillgarwch, gonestrwydd, gostyngeiddrwydd, goddefgarwch, dealltwriaeth, amynedd, elusengarwch a brawdgarwch hollgyffredinol. Felly, mae'r mandir hefyd yn chwarae rhan anuniongyrchol i wella cymdeithas drwy wella cyflwr yr unigolyn. (hinduismtoday.com)

Mae Murti canolog yn aml yn ffocws addoli mewn teml Hindŵaidd

Datblygu sgiliau AA1

Nawr mae'n bryd ystyried y wybodaeth sydd wedi'i chyflwyno hyd yma. Hefyd mae'n bwysig ystyried sut mae'r hyn rydych chi wedi'i ddysgu hyd yma'n gallu cael ei ddefnyddio ar gyfer atebion arholiad drwy ymarfer y sgiliau sy'n gysylltiedig ag AA1.

Mae Amcan Asesu 1 (AA1) yn ymwneud â dangos gwybodaeth a dealltwriaeth. Mae'r termau 'gwybodaeth' a 'dealltwriaeth' yn amlwg ond mae'n hanfodol eich bod yn gyfarwydd â sut mae sgiliau penodol yn dangos y rhain, a hefyd, sut bydd eich perfformiad ym mhob un o'r sgiliau hyn yn cael ei fesur (gweler disgrifyddion band cyffredinol Band 5 ar gyfer AA1 UG).

▶ **Dyma eich tasg newydd:** isod mae rhestr o gynnwys dangosol y gallech ei defnyddio'n ymateb i gwestiwn sy'n gofyn am archwilio ymarfer puja yn y cartref. Y broblem yw nad yw hi'n rhestr lawn iawn ac mae angen ei chwblhau! Bydd yn ddefnyddiol i chi weithio mewn grŵp ac ystyried beth sydd ar goll o'r rhestr. Bydd angen i chi ychwanegu o leiaf bum pwynt er mwyn gwella'r rhestr a/neu roi mwy o fanylion i bob pwynt sydd ar y rhestr yn barod. Wedyn, gweithiwch mewn grŵp i gytuno ar eich rhestr derfynol ac ysgrifennwch eich rhestr newydd o gynnwys dangosol, gan gofio egwyddorion esbonio gyda thystiolaeth a/neu enghreifftiau.

Yna, os ewch chi ati i roi'r rhestr hon yn y drefn y byddech chi'n cyflwyno'r wybodaeth mewn traethawd, bydd gennych eich cynllun eich hun ar gyfer ateb delfrydol.

Rhestr o gynnwys dangosol

- Cyffwrdd â llygaid a chalon y Murti â blewyn o laswellt sydd wedi'i drochi mewn ghee.
- Does dim rhaid i Hindŵiaid ymweld â mandir (teml) ac felly puja yn y cartref, digwyddiad dyddiol, yw'r puja mwyaf poblogaidd.
- Cynnig edau sanctaidd a'i daenu o amgylch y Murti.
- Lluniau o hynafiaid a gurus modern yno hefyd, efallai.
- Gwahodd ysbryd duw i fynd i mewn i'r Murti drwy daenu gronynnau reis arno.
- Gweddïo ar y duwdod.
- *Ychwanegu eich cynnwys chi*
- *Ychwanegu eich cynnwys chi*
- *Ychwanegu eich cynnwys chi*
- *Ychwanegu eich cynnwys chi*
- ac yn y blaen

Sgiliau allweddol

Mae gwybodaeth yn ymwneud â:

Dewis ystod o wybodaeth (drylwyr) gywir a pherthnasol sydd â chysylltiad uniongyrchol â gofynion penodol y cwestiwn.

Mae hyn yn golygu eich bod yn dewis y wybodaeth gywir sy'n berthnasol i'r cwestiwn a osodwyd NID y maes pwnc. Bydd angen i chi feddwl a chanolbwyntio ar ddewis gwybodaeth allweddol ac NID ysgrifennu popeth yr ydych chi'n ei wybod am y maes pwnc.

Mae dealltwriaeth yn ymwneud ag:

Esboniad helaeth, gan ddangos dyfnder a/neu ehangder gyda defnydd rhagorol o dystiolaeth ac enghreifftiau gan gynnwys (lle y bo'n briodol) defnydd trylwyr a chywir o destunau cysegredig, ffynonellau doethineb a geirfa arbenigol.

Mae hyn yn golygu y gallwch ddangos eich bod yn deall rhywbeth drwy egluro ac ehangu eich pwyntiau gan ddefnyddio enghreifftiau/tystiolaeth gefnogol mewn ffordd bersonol ac NID ailadrodd darnau o werslyfr (sef dysgu ar y cof).

Cymhwyso sgiliau ymhellach:

Ewch drwy'r meysydd pwnc yn yr adran hon a lluniwch rai rhestri bwled o bwyntiau allweddol o feysydd allweddol. Ar gyfer pob un, rhowch fwy o fanylion ac esboniwch fwy drwy ddefnyddio tystiolaeth ac enghreifftiau.

Mae'r adran hon yn cwmpasu cynnwys a sgiliau AA2

Cynnwys y fanyleb

Pwysigrwydd cymharol puja yn y cartref ac yn y mandir.

Materion i'w dadansoddi a'u gwerthuso

Pwysigrwydd cymharol puja yn y cartref ac yn y mandir

Does dim rhaid i Hindŵiaid, yn ôl eu crefydd, ymweld â theml yn rheolaidd i addoli. Mae llawer yn ymweld â themlau ar achlysuron arbennig yn unig, neu fel rhan o bererindod. Y rheswm dros hyn yw pwysigrwydd y puja yn y cartref, sy'n cael ei ystyried yn rhan o'u dharma. Byddai rhai'n dadlau bod Hindŵiaid yn fwy tebygol o ymweld â themlau'n rheolaidd mewn gwledydd lle nad yw Hindŵaeth yn cael ei hystyried yn grefydd swyddogol. Mae ymweld â themlau'n rhoi cyfle i Hindŵiaid yn y gwledydd hyn gyfarfod fel cymuned. Mae'r deml yn amgylchedd cymdeithasol i'r gymuned Hindŵaidd gyfarfod ac yn sicrhau nad yw Hindŵiaid yn teimlo'n unig.

Mae temlau'n chwarae rhan bwysig mewn diogelu'r diwylliant Hindŵaidd, yn enwedig yng ngwledydd y Gorllewin lle mae'n hawdd i'r grefydd golli ei hunaniaeth. Maen nhw'n bwysig i ddathlu gwyliau ac fel ffocws pererindodau. Sanskrit yw iaith Hindŵaeth fodern, yr allwedd i ddeall ei hetifeddiaeth gyfoethog, ac mae offeiriaid yn y deml yn siarad Sanskrit ac yn sicrhau ei bod yn goroesi. Hefyd yn y temlau mae'r arferion a'r defodau yn dilyn yr ysgrythur Hindŵaidd yn llythrennol, sy'n golygu eu bod yn goroesi yn eu holl ysblander a thraddodiad.

Mae Hindŵiaid yn ystyried mai temlau yw lle mae Duw yn byw, ac felly dyma'r lle gorau i dderbyn darshan, sef cipolwg ar Dduw. Iddyn nhw mae'r Murtis mewn teml yn fwy arwyddocaol na Murtis y cartref oherwydd eu bod wedi'u cysegru. Yn wir, gellid ystyried y deml ei hun yn Murti mawr. Felly, maen nhw'n credu bod presenoldeb Duw yn fwy o lawer yn y deml nag yn y cartref. Hefyd mae temlau yn symbolaidd iawn ac yn gymorth i'r addolwr ganolbwyntio ar Dduw a chryfhau'r berthynas rhyngddyn nhw. Mae Hindŵiaid yn credu bod Duw ym mhob man ond yn y deml, Duw yw'r unig ffocws a gall addolwyr droi eu cefnau ar fywyd pob dydd.

Serch hynny, byddai llawer o Hindŵiaid yn ystyried bod y cysegr a'r puja yn y cartref yn bwysicach na'r deml. Mae'r ffaith bod y puja yn y cartref yn cael ei gynnal bob dydd yn ei wneud yn fwy pwysig ac mae'n galluogi'r addolwr i adeiladu perthynas bersonol â Duw. Mae hefyd yn rhoi swyddogaeth bwysig i fenyw y cartref wrth iddi olchi a bwydo'r Murtis. Fyddai hyn ddim yn bosibl yn y deml. Yn hyn o beth gallwn ddweud bod cysegrau yn y cartref yn fwy agos atoch.

Ffactor pwysig arall o ran pwysigrwydd puja yn y cartref yw ei swyddogaeth addysgol yn trosglwyddo traddodiadau Hindŵaeth drwy'r teulu ac uno'r teulu wrth addoli eu hoff dduwdod teuluol. Yn y cyd-destun hwn mae llawer yn ystyried bod y puja yn y cartref yn bwysicach na'r puja yn y deml gan ei fod yn addoli duwdod personol yn hytrach na duwiau mwy cyffredinol y deml.

Yng nghyd-destun yr offrymau i'r duwdodau, mae dilynwyr puja yn y cartref a'r deml yn cyfeirio atyn nhw fel enghreifftiau o bwysigrwydd y ddwy ffurf o addoli. Mae'r addolwr yn cynnig offrymau ar y cysegrau yn y cartref ac yn eu cael yn ôl fel prashad. Fodd bynnag, er bod hyn hefyd yn digwydd mewn temlau, mae addolwyr yn gallu rhoi mathau gwahanol o offrwm. Un o'r rhain yw arian, ond nid yw'r addolwr yn ei gael yn ôl. Yng ngolwg llawer, mae hyn yn fath uwch o offrwm. Ffurf arall ar havan yw'r addolwr yn taflu pethau fel hadau a ghee i fflamau'r tân fel offrwm a gweithred o addoli.

Mae'n glir felly bod puja yn y cartref a'r deml yn bwysig iawn ac yn arwyddocaol mewn Hindŵaeth ac ym mywydau pob dydd Hindŵiaid.

Gweithgaredd AA2 ***Dadleuon posibl***

Wedi'u rhestru isod mae rhai casgliadau y byddai'n bosibl dod iddyn nhw ar sail rhesymeg AA2 yn y testun cysylltiedig:

1. Mae puja yn y cartref yn rhan o dharma Hindŵ ond dydy addoli yn y deml ddim yn rhan ohono.
2. Mae temlau Hindŵaidd yn dod â chymunedau Hindŵaidd gwasgaredig at ei gilydd.
3. Mae puja'r deml yn chwarae rhan bwysig mewn diogelu hunaniaeth a diwylliant yr Hindŵ.
4. Mae puja yn y cartref yn fwy agosatoch a phersonol.
5. Mae rhan bwysig gan puja yn y cartref mewn trosglwyddo traddodiadau Hindŵaeth o'r naill genhedlaeth i'r llall.

Ystyriwch bob un o'r casgliadau sy'n cael eu gwneud uchod a chasglwch dystiolaeth ac enghreifftiau i gefnogi pob dadl o'r deunydd AA1 ac AA2 a astudiwyd yn yr adran hon. Dewiswch un casgliad sy'n argyhoeddi fwyaf yn eich barn chi ac esboniwch pam mae hyn yn wir. Nawr cyferbynnwch hyn â'r casgliad gwannaf ar y rhestr, gan gyfiawnhau eich dadl gyda rhesymu clir a thystiolaeth.

A ydy hi'n bosibl disgrifio puja fel profiad crefyddol

I werthuso a yw puja yn brofiad crefyddol ai peidio, yn gyntaf rhaid ceisio diffinio profiad crefyddol. Mae'n bosibl disgrifio profiad crefyddol fel digwyddiad anempirig a'i ganfod fel un goruwchnaturiol. Byddai rhai yn ei ddisgrifio fel 'digwyddiad meddyliol' mae'r unigolyn yn ymwybodol ohono. Mae profiad o'r fath yn gallu digwydd mewn sawl ffordd. Gall fod yn ddigymell neu'n ganlyniad hyfforddiant dwys a hunanddisgyblaeth. Mae pobl sydd wedi cael profiadau crefyddol yn disgrifio'r profiad fel rhywbeth sy'n eu galluogi i adnabod Duw'n ddyfnach neu fod yn fwy ymwybodol ohono. Fodd bynnag, rhaid cofio nad yw'r profiad ei hun yn cymryd lle'r dwyfol, ond yn hytrach yn gyfrwng i ddod â phobl yn nes at y dwyfol. Byddai llawer hefyd yn dweud bod profiadau crefyddol gwirioneddol yn cael eu hystyried yn galonogol gan eu bod yn helpu'r rhai sy'n eu profi i fyw bywydau gwell.

Os ydyn ni'n derbyn yr uchod fel diffiniad o brofiad crefyddol, i ba raddau mae puja yn cydweddu? Mae puja yn brofiad amlsynhwyraidd sy'n helpu Hindŵiaid i sefydlu, mynegi a chyfoethogi eu perthynas â'r duwdodau. Mae'n weithred o ddangos parch at dduw, ysbryd, neu agwedd arall ar y dwyfol. Mae Hindŵiaid yn gwneud hyn mewn gwahanol ffyrdd fel llafarganu, offrymu gweddi, canu caneuon a thrwy ddefodau amrywiol. Prif nod a ffocws puja i'r ffyddloniaid yw cysylltu'n ysbrydol â'r dwyfol. Maen nhw'n ffocws delwedd neu symbol arall o dduw i gysylltu fel hyn. Nid y duwdod ei hun yw'r ddelwedd, ond mae ffyddloniaid yn credu ei bod yn llawn egni cosmig y duwdod. Dyma ganolbwynt anrhydeddu a chyfathrebu â'r duw. I Hindŵiaid, mae'r ddelwedd yn bwysig ond nid mor bwysig â'i chynnwys ysbrydol. Maen nhw'n cael eu creu fel llestri i gadw egni ysbrydol. Trwy'r egni hwn, mae ffyddloniaid yn cyfathrebu'n uniongyrchol â'r duwiau.

Mae hyn i'w weld ym mhrofiad darshan sy'n ffurf wyrthiol a phersonol iawn o puja. Mae Hindŵiaid yn credu bod hyd yn oed cipolwg ar ddelwedd sy'n llawn ysbryd y duw yn arwain at gyfathrebu gweledol uniongyrchol (darshan) â'r duwdod, sydd yn ei dro yn dod â bendithion i'r addolwr. Mae darshan yn weithred ddwyochrog rhwng y ffyddloniaid a'r duwdod. Nid yn unig mae'r ffyddloniaid yn 'gweld' y duwdod, ond mae Hindŵiaid yn deall bod y duwdod yn 'gweld' yr addolwr. Oherwydd hyn, yn aml mae llygaid mawr trawiadol gan ddelweddau Hindŵaidd i'w gwneud hi'n haws i ffyddloniaid a'r duwdod edrych ar ei gilydd. Drwy wneud darshan yn iawn mae ffyddloniaid yn datblygu hoffter at Dduw, ac mae Duw'n datblygu hoffter at y ffyddloniaid hynny.

Yn gyffredinol, felly, mae Hindŵiaid yn gweld puja fel ffordd syml i gysylltu â'r dwyfol, felly mae'n bosibl ei gynnal ar rywbeth sy'n symbol o'r dwyfol, fel buwch neu goeden. Holl nod cynnal puja yw creu haen amddiffynnol o rymoedd ysbrydol o gwmpas y ffyddloniaid, i'w diogelu rhag pob drygioni a grym negyddol, ac felly creu amgylchedd i fyw bywyd hapus a heddychlon yn ôl gwerthoedd Hindŵaeth.

Fodd bynnag, byddai rhai'n amau gwerth puja fel profiad crefyddol. Mae rhai'n ystyried puja yn weithred a wneir o ddyletswydd ac felly drwy eisiau yn hytrach nag angen. Dim ond os ydyn nhw'n teimlo gwir angen am rywbeth mae pobl yn profi gwir werth rhywbeth.

Cynnwys y fanyleb

A ellir disgrifio puja fel profiad crefyddol.

Gweithgaredd AA2 *Dadleuon posibl*

Wedi'u rhestru isod mae rhai casgliadau y byddai'n bosibl dod iddyn nhw ar sail rhesymeg AA2 yn y testun cysylltiedig:

1. Mae puja yn brofiad amlsynhwyraidd.
2. Prif ffocws puja yw cysylltu'n ysbrydol â'r dwyfol.
3. Mae darshan yn weithred ddwyochrog rhwng ffyddloniaid a'r duwdod.
4. Mae puja yn arwain y ffyddloniaid i fyw bywyd gwell yn ôl gwerthoedd eu crefydd.
5. Dyletswydd, nid profiad, yw puja.

Ystyriwch bob un o'r casgliadau sy'n cael eu gwneud uchod a chasglwch dystiolaeth ac enghreifftiau i gefnogi pob dadl o'r deunydd AA1 ac AA2 a astudiwyd yn yr adran hon. Dewiswch un casgliad sy'n argyhoeddi fwyaf yn eich barn chi ac esboniwch pam mae hyn yn wir. Nawr cyferbynnwch hyn â'r casgliad gwannaf ar y rhestr, gan gyfiawnhau eich dadl gyda rhesymu clir a thystiolaeth.

Sgiliau allweddol

Mae dadansoddi'n ymwneud â nodi materion sy'n cael eu codi gan y deunyddiau yn adran AA1, ynghyd â'r rhai a nodwyd yn adran AA2, ac mae'n cyflwyno safbwyntiau cyson a chlir, naill ai gan ysgolheigion neu safbwyntiau personol, yn barod i'w gwerthuso.

Mae hyn yn golygu ei fod yn nodi pethau allweddol i'w trafod a'r dadleuon sy'n cael eu cyflwyno gan eraill neu o safbwynt personol.

Mae gwerthuso'n ymwneud ag ystyried goblygiadau amrywiol y materion sy'n cael eu codi, yn seiliedig ar y dystiolaeth a gafwyd wrth ddadansoddi ac mae'n rhoi dadl fanwl eang gyda chasgliad clir.

Mae hyn yn golygu bod yr ateb yn pwyso a mesur y dadleuon amrywiol a gwahanol a gafodd eu dadansoddi drwy roi sylwadau ac ymateb unigol, gan ddod i gasgliad drwy broses rhesymu clir.

Datblygu sgiliau AA2

Nawr mae'n bryd ystyried y wybodaeth sydd wedi'i chyflwyno hyd yma. Hefyd mae'n bwysig ystyried sut mae'r hyn rydych chi wedi'i ddysgu hyd yma'n gallu cael ei ddefnyddio ar gyfer atebion arholiad drwy ymarfer y sgiliau sy'n gysylltiedig ag AA2.

Mae Amcan Asesu 2 (AA2) yn ymwneud â 'dadansoddi' a 'gwerthuso'. Efallai fod ystyr y termau'n amlwg ond mae'n hanfodol eich bod yn gyfarwydd â sut mae sgiliau penodol yn dangos y rhain, a hefyd, sut bydd eich perfformiad ym mhob un o'r sgiliau hyn yn cael ei fesur (gweler disgrifyddion band cyffredinol Band 5 ar gyfer AA2 UG). Yn amlwg mae ateb yn cael ei osod mewn disgrifydd band priodol, yn ôl pa mor dda yw'r ateb, gan amrywio o ragorol, da, boddhaol, sylfaenol/cyfyngedig i gyfyngedig iawn.

▶ **Dyma eich tasg newydd:** isod mae rhestr o gynnwys dangosol y gallech ei defnyddio'n ymateb i gwestiwn sy'n gofyn am werthuso i ba raddau mae puja yn brofiad crefyddol. Gan ddefnyddio'r disgrifyddion band, rhowch yr ateb hwn mewn band perthnasol sy'n cyfateb i'r disgrifiad yn y band hwnnw. Y broblem yw nad yw hi'n rhestr lawn iawn ac mae angen ei chwblhau! Bydd yn ddefnyddiol i chi weithio mewn grŵp ac ystyried beth sydd ar goll o'r rhestr. Bydd angen i chi ychwanegu o leiaf chwe phwynt (tri o blaid a thri yn erbyn) er mwyn gwella'r rhestr a/neu roi mwy o fanylion i bob pwynt sydd ar y rhestr yn barod. Cofiwch, y ffordd rydych chi'n defnyddio'r pwyntiau yw'r ffactor pwysicaf. Defnyddiwch egwyddorion gwerthuso gan wneud yn siŵr eich bod: yn nodi'r materion yn glir; yn cyflwyno safbwyntiau eraill yn gywir, gan wneud yn siŵr eich bod yn gwneud sylwadau ar y safbwyntiau rydych chi yn eu cyflwyno; yn dod i farn bersonol gyffredinol. Gallwch ychwanegu rhagor o'ch awgrymiadau chi eich hun, ond ceisiwch drafod fel grŵp a blaenoriaethu'r pethau pwysicaf i'w hychwanegu. Wedyn, gweithiwch mewn grŵp i gytuno ar eich rhestr derfynol ac ysgrifennwch eich rhestr newydd o gynnwys dangosol, gan gofio egwyddorion esbonio gyda thystiolaeth a/neu enghreifftiau. Yna, os ewch chi ati i roi'r rhestr hon yn y drefn y byddech chi'n cyflwyno'r wybodaeth mewn traethawd, bydd gennych eich cynllun eich hun ar gyfer ateb delfrydol.

Rhestr o gynnwys dangosol

O blaid

- Yn ystod puja mae Hindŵiaid yn credu bod ysbryd y duwdodau'n mynd i mewn i'w delweddau a'u bod yn bresennol yn y Murti.
- Felly yn ystod puja mae'r addolwr yn treulio amser gyda'r duwdod.
- Mae llawer o Hindŵiaid yn credu bod ganddyn nhw berthynas â'r duwdod drwy puja.
- *Ychwanegu eich cynnwys chi*
- *Ychwanegu eich cynnwys chi*
- Ac yn y blaen

Yn erbyn

- Dim ond o ddyletswydd mae puja yn cael ei gynnal, ac mae'n orchwyl sy'n cael ei ailadrodd ddydd ar ôl dydd.
- Does dim gwir ystyr iddo oherwydd symbolau yw'r duwdodau, a dydyn nhw ddim yn bresennol mewn gwirionedd.
- *Ychwanegu eich cynnwys chi*
- *Ychwanegu eich cynnwys chi*
- Ac yn y blaen

B: Swyddogaeth gwyliau o ran dylanwadu ar hunaniaeth grefyddol – Holi

Cynnwys y fanyleb

Cynrychioli stori Holika a Prahlada mewn rhai traddodiadau Hindŵaidd.

Cynrychioli stori Holika a Prahlada mewn rhai traddodiadau Hindŵaidd

Mae Holi yn ddathliad hynafol. Mae sôn amdano yn ôl ym marddoniaeth y bedwaredd ganrif, ac mae disgrifiad ohono mewn drama o'r seithfed ganrif o'r enw Ratnaval,

'Tystiwch i brydferthwch gŵyl fawr ciwpid sy'n cyffroi chwilfrydedd, gyda phobl y dref yn dawnsio wrth i ddŵr brown o ynnau chwistrellu eu cyffwrdd. Mae menywod prydferth yn cydio ynddyn nhw ac ar hyd y ffyrdd mae'r awyr yn llawn canu a churo drymiau. Mae popeth yn felyngoch ac yn llychlyd oherwydd y pentyrrau o bowdr persawrus sy'n chwythu i bobman.'

Gŵyl Hindŵaidd flynyddol yn y gwanwyn ydy hi ac mae'n digwydd dros ddeuddydd ddiwedd mis Mawrth neu ddechrau mis Ebrill. Enw arall arni ydy gŵyl lliw. Yn wreiddiol roedd Holi yn ŵyl yn y gwanwyn i ddathlu ffrwythlondeb a chynhaeaf, a oedd yn darparu rhai o gynhwysion y dathlu. Bellach mae hefyd yn coffáu rhai chwedlau Hindŵaidd.

Mae mwy nag un stori am darddiad yr ŵyl ond mae llawer yn credu bod yr ŵyl wedi'i henwi ar ôl **Holika**, sef chwaer **Hiranyakasipu**, brenin yr ellyllon. Mynnodd Hiranyakasipu fod pawb yn rhoi'r gorau i addoli'r duwiau a dechrau gweddïo arno fe. Ond parhaodd ei fab bach ei hun, **Prahlada**, i weddïo ar Vishnu. Cafodd ei wenwyno gan ei dad, ond trodd y gwenwyn yn neithdar yn ei geg; cafodd ei sathru gan eliffantod ond ni chafodd ei anafu ac er i Hiranyakasipu geisio'i ladd mewn gwahanol ffyrdd, ni lwyddodd. Yna gorchmynnodd Holika i'w ladd a gan fod ganddi hi'r gallu i gerdded drwy dân heb ei hanafu, cododd y plentyn a cherdded i'r tân gydag ef. Fodd bynnag, gweddïodd Prahlada ar Vishnu i'w ddiogelu, a chafodd ei arbed. Llosgwyd Holika i farwolaeth oherwydd doedd hi ddim yn gwybod mai dim ond pe bai hi'n cerdded i'r tân ar ei phen ei hun y byddai ei grym yn gweithio. Mae gŵyl Holi yn dathlu llosgi Holika.

Ar ddiwrnod cyntaf Holi mae coelcerth yn cael ei chynnau gyda'r nos i ddynodi llosgi Holika. Hefyd mae'r ffyddloniaid yn taflu tail gwartheg i'r tân gan weiddi geiriau anweddus arno fel pe baen nhw'n gweiddi ar Holika ei hun. Mae hyn yn awgrymu bod yr ŵyl yn gysylltiedig â'r stori arbennig hon.

Holika gyda'i nai, Prahlada

Termau allweddol

Hiranyakasipu: brenin yr ellyllon, tad Prahlada

Holika: chwaer Hiranyakasipu a modryb Prahlada

Prahlada: mab Hiranyakasipu, un o ffyddloniaid Vishnu

Cwestiwn cyflym

4.4 Beth mae Holi yn ei ddathlu?

Cynnwys y fanyleb

Stori Krishna a Radha mewn traddodiadau eraill.

Stori Krishna a Radha mewn traddodiadau eraill

Fodd bynnag, mae Hindŵiaid eraill yn dathlu Holi er cof am Krishna. Pan oedd yn llanc byddai Krishna yn chwarae pob math o driciau ar y llaethferched neu'r **gopis**. Un tric oedd taflu powdr lliw drostyn nhw i gyd. Yn ystod ail ddiwrnod Holi mae pobl yn crwydro tan y prynhawn yn taflu lliwiau, yn bowdr a dŵr, at ei gilydd ac yn cyfarfod i gael hwyl. Maen nhw'n cludo delweddau o Krishna a'i gydymaith **Radha** (un o'r gopis) drwy'r strydoedd.

Mae stori Radha a Krishna yn stori garu sydd wedi'i dehongli'n symbolaidd o'r rhyngweithio cariadus rhwng Duw a'r enaid dynol. Mae eu perthynas hefyd yn cael ei dehongli fel y cwlwm rhwng gŵr a gwraig neu rhwng dau gariad. Yn ôl Subhamoy Das, 'Y math hwn o gariad yw'r math uchaf o ymroddiad yn Vaishnaviaeth, a chaiff ei gynrychioli'n symbolaidd fel y cyswllt rhwng gŵr a gwraig neu ddau gariad.'

Mae Radha yn cael ei chydnabod fel yr hyfrytaf o'r holl laethferched. Hi oedd merch Vrishabhanu a'i wraig Kamalavati a gwraig Ayana. Magwyd Radha a Krishna gyda'i gilydd a doedd dim modd eu gwahanu fel cyfeillion ac yn ddiweddarach fel cariadon pan oedd Krishna yn byw ymhlith cowmyn **Vrindavan**. Roedden nhw'n dymuno bod gyda'i gilydd am byth. Ond roedd rhaid iddyn nhw guddio'u cariad gan fod Radha yn wraig briod. Pan oedd yn rhaid i Krishna adael Vrindavan i gyflawni ei ddyletswydd i ddiogelu rhinweddau gwirionedd a chyfiawnder, roedd yn gorfod gadael Radha hefyd a throi ei gefn ar serch personol. Ond arhosodd Radha yn ffyddlon amdano. Llwyddodd Krishna i orchfygu ei elynion, daeth yn frenin a chafodd ei addoli fel arglwydd y bydysawd. Priododd Rukmini a Satyabhama a magu teulu. Ymladdodd ryfel mawr **Ayodhya**. Ond parhaodd Radha i aros amdano i ddychwelyd ati hi. Dywedir bod ei chariad at Krishna mor ddwyfol a phur, cafodd Radha ei hun statws duwdod ac mae ei henw yn cael ei gysylltu â Krishna bob amser.

Mae llawer yn credu bod delweddau o Krishna yn anghyflawn heb Radha wrth ei ochr.

Termau allweddol

Ayodhya: man geni Rama a lleoliad y Ramayana

Gopis: llaethferched Vrindavan a oedd yn chwarae gyda Krishna

Radha: ffefryn Krishna o blith y gopis

Vrindavan: y man lle magwyd Krishna, canolfan bererindod bwysig i Vaishnaviaid

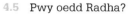

cwestiwn cyflym

4.5 Pwy oedd Radha?

Dyfyniad allweddol

Daeth Duw yn Krishna a Radha –
Mae cariad yn llifo mewn miloedd o dorchau.
Pwy bynnag sy'n ei ddeisyf sy'n ei gymryd.
Mae cariad yn llifo mewn miloedd o dorchau –
Llanw cariad a gorffennol cariadus,
Ac yn llenwi'r enaid â dedwyddwch a llawenydd! (Vivekananda)

Radha gyda'i chariad dwyfol, Krishna

Arwyddocâd ysbrydol digwyddiadau yn ystod Holi

Fel arfer mae Hindŵiaid yn dathlu Holi dros ddau ddiwrnod ond mae amrywiadau rhanbarthol. Yn ôl Debra Moffitt, 'Mae ystyr dwfn Holi yn gysylltiedig â chwedlau Indiaidd gwahanol a'u negeseuon symbolaidd. Gall y ffocws amrywio gan ddibynnu ym mha ran o India a'r byd mae'n cael ei dathlu.'

Yn ne India, **Kamadahana** yw'r enw ar Holi ac mae'n cofio'r diwrnod pan gafodd Ciwpid ei losgi gan Shiva. Chwedl arall sy'n gysylltiedig â Holi yw'r stori am ŵyr menyw ar fin cael ei aberthu i ellylles o'r enw Holika. Cynghorodd **sadhu** y fenyw y byddai iaith anweddus yn effeithiol yn erbyn yr ellylles. Felly, casglodd y fenyw lawer o blant at ei gilydd a dweud wrthyn nhw am sarhau Holika mewn iaith anweddus. Syrthiodd yr ellylles yn farw a chafodd coelcerth ei gwneud o'i chorff.

Mae Holi yn adeg pan fydd swyddogaeth traddodiadol a lefelau statws cymdeithas India yn cael eu troi wyneb i waered. Mae'r cyfyngiadau cymdeithasol sydd fel arfer yn gysylltiedig â chast, rhyw, statws ac oed yn cael eu llacio. Felly mae Holi yn pontio rhaniadau cymdeithasol ac yn dod â phobl at ei gilydd: gweithwyr a chyflogwyr, dynion a menywod, cyfoethog a thlawd, ifanc a hen. Mewn un rhan o India mae dynion a menywod yn cymryd rhan mewn brwydr ffug, ond un o'r rheolau yw dydy'r dynion ddim yn cael ymladd yn ôl.

Gallwn ddweud bod Holi yn dda am wastatáu. Erbyn i bawb gael eu gorchuddio â phaent a dŵr lliw, mae'n anodd gwybod pwy sy'n perthyn i ba gast neu ddosbarth.

Hefyd mae'r normau cymdeithasol o ran ymddygiad a defnyddo iaith anweddus yn llacio. Ymadrodd cyffredin yn ystod Holi yw '**bura na mano, Holi hai**' (peidiwch â chael eich tramgwyddo, mae'n Holi).

Yn Bengal, mae Holi yn cynnwys y **Dolayatra** (Gŵyl Siglo). Mae'r addolwyr yn rhoi delwedd o Krishna fel babi mewn crud siglo bach, yn ei haddurno â blodau a'i pheintio â phowdrau lliwgar. Mae hyn yn cofio hwyl pur, diniwed y Krishna bach gyda'r llaethferched hwyliog – gopis Vrindavan.

Dathlu gŵyl Holi

Gweithgaredd AA1

Ysgrifennwch flog byr i wefan yr ysgol neu'r coleg am ddathlu Holi.

Awgrym astudio

Gwnewch yn siŵr eich bod yn gyfarwydd â'r holl dermau allweddol a'u diffiniadau cywir. Mae hyn yn arbennig o berthnasol i'r adran hon. Bydd hyn yn sicrhau eich bod yn gwneud 'defnydd trylwyr a chywir o iaith a geirfa arbenigol mewn cyd-destun' (disgrifydd band 5 AA1).

Cynnwys y fanyleb

Arwyddocâd ysbrydol y digwyddiadau hyn – Agni yn bendithio babanod; y duw Tân, rhinwedd cariad; cadarnhau a chryfhau ffydd; daioni yn trechu drygioni, graslonrwydd y Duwiau; yn atgoffa ffyddloniaid am amcanion a dyletswyddau bywyd – sef helpu eraill.

Termau allweddol

Bura na mano, Holi hai: y dywediad cyffredin yn Holi sy'n golygu 'paid â digio, mae'n Holi', i faddau'r gweithredoedd sy'n torri'r normau cymdeithasol wrth ddathlu Holi

Dolayatra: 'Gŵyl Siglo' Bengalaidd yn ystod Holi

Kamadahana: enw ar Holi yn ne India

Sadhu: enw arall ar rywun sy'n dechrau ar bedwerydd cyfnod bywyd yr Hindŵ

cwestiwn cyflym

4.6 Enwch dri thraddodiad sy'n gysylltiedig â Holi

Mae'r ffyddloniaid yn llafarganu enw Krishna ac yn canu caneuon Holi sy'n ymwneud â thriciau Krishna bach ar y gopis. Yn y cyfamser, mae menywod yn dawnsio ac yn canu caneuon arbennig wrth i ddynion chwistrellu dŵr lliw atyn nhw.

Fin nos ar ddiwrnod cyntaf Holi, mae coelcerth gyhoeddus yn coffáu llosgi Holika. Maen nhw'n casglu bwndeli anferth o goed ac yn eu llosgi gyda'r nos. Ym mhobman fe glywir gweiddi 'Holi-ho! Holi-ho!' Ar ddiwrnod yr ŵyl, mae pobl yn glanhau eu cartrefi, yn tynnu popeth brwnt o'r tŷ ac yn eu llosgi. Yn ystod yr ŵyl, mae bechgyn yn dawnsio yn y strydoedd. Mae pobl yn chwarae triciau ar bobl sy'n mynd heibio ac o gwmpas y tân maen nhw'n cael hwyl yn chwarae gemau sy'n cynrychioli triciau'r Krishna bach.

Ar ddiwrnod olaf Holi mae pobl yn mynd ag ychydig o dân o'r goelcerth i'w cartrefi oherwydd maen nhw'n credu y bydd hyn yn puro eu cartrefi, ac yn cadw eu cyrff yn rhydd rhag clefyd.

Mae'r chwedlau amrywiol sy'n gysylltiedig â Holi yn dathlu buddugoliaeth daioni dros ddrygioni. Mae Holi hefyd yn helpu pobl i gredu yn rhinwedd dweud y gwir, bod yn onest ac ymladd yn erbyn drygioni. Yn ogystal, mae Holi yn dod â phobl at ei gilydd gan fod Hindŵiaid a phobl nad ydyn nhw'n Hindŵiaid yn ei dathlu ac mae'n adfywio cysylltiadau wrth i bobl ymweld â ffrindiau a pherthnasau gyda'r nos a rhoi anrhegion i'w gilydd.

O ran crefydd, mae Holi yn atgoffa pobl y bydd y rheini sy'n caru Duw yn cael eu hachub a'r rheini sy'n sarhau ei ffyddloniaid yn dioddef.

O'i dathlu'n briodol, mae gwerth ysbrydol mawr i Holi hefyd. Fel pob gŵyl Hindŵaidd, gall ysbrydoli ffydd yn Nuw. Gall helpu Hindŵ i symud ymlaen ar y llwybr ysbrydol, oddi wrth bleserau synhwyraidd, tuag at gymundeb â'r dwyfol. Yn ystod yr ŵyl mae pobl yn cynnal havan ac yn cynnig y grawn newydd a gaiff eu cynaeafu i'r duwdodau. Er bod llawer o ddifyrrwch yn ystod yr ŵyl, yr agwedd bwysicaf yw addoli Duw ac mae'n bosibl gwneud hyn mewn sawl ffordd.

Dyfyniad allweddol

Nid lliwiau a danteithion yn unig yw Holi. Mae'n atgoffa am gariad dwyfol a thragwyddol Krishna a Radha. Mae hefyd yn atgoffa am Narashima, Prahlada a Hiranyakashyapa, ac felly bod Gwirionedd a Dynoliaeth yn rymoedd anorchfygol yn y Bydysawd. (Dienw)

cwestiwn cyflym

4.7 Esboniwch werth ysbrydol Holi.

Gweithgaredd AA1

Ar gardiau adolygu bach gwnewch grynodebau o'r hyn a gaiff ei ddathlu yn Holi. Bydd hyn yn eich helpu i ddewis a chofio set graidd o bwyntiau i ddatblygu ateb i archwilio dathliad Holi a sicrhau eich bod yn gwneud 'defnydd cywir o iaith a geirfa arbenigol yn eu cyd-destun' (disgrifydd band 5 AA1).

Hefyd dylid rhoi cardod i'r tlawd. Ystyr arall i Holi yw aberth ac mae'r ŵyl yn gyfle i bobl gael gwared ar amhurdeb a chanolbwyntio ar y rhinweddau i'w datblygu – trugaredd, haelioni, anhunanoldeb, geirwiredd a phurdeb.

Cynnwys y fanyleb

Swyddogaeth y gymuned o gredinwyr o ran sicrhau bod traddodiadau'r gwyliau'n cael eu cynnal.

Swyddogaeth y gymuned o gredinwyr o ran sicrhau bod traddodiadau'r gwyliau'n cael eu cynnal

Y tri philer yn y gymuned Hindŵaidd yw addoli yn y cartref a'r deml, ysgrythur a'r traddodiad guru–disgybl. Trwy gadw at y pileri hyn mae'r ffyddloniaid yn cynnal y gwahanol draddodiadau sy'n gysylltiedig â gwyliau. Beth bynnag eu maint, mae temlau Hindŵaidd yn cael eu hystyried yn gartref i Dduw. Mae llawer o Hindŵiaid yn ystyried bod byw yn agos at deml yn bwysig iawn gan mai dyma ganolbwynt y bywyd ysbrydol. Mae hyn yn cynnwys ymweld â'r deml yn rheolaidd a dathlu pob gŵyl fawr yn unol â'r traddodiad Hindŵaidd, oherwydd dyma brif ffocws bywyd Hindŵaidd wrth deithio'r llwybr ysbrydol i ryddhad.

Mae Hindŵaeth hefyd yn grefydd y cartref ac ashramadharma Hindŵ yn ystod cyfnod penteulu ei fywyd yw addysgu plant y teulu am bob agwedd ar y grefydd Hindŵaidd. Mae Hindŵiaid ifanc yn cael eu hannog i briodi a chael plant a'u harwain i fyw'n rhinweddol, cyflawni eu dyletswydd a chyfrannu at y gymuned.

Un agwedd bwysig yw dathlu gwyliau, ac mae plant yn dysgu'r storiau sy'n sail i'r gwyliau hyn pan maen nhw'n ifanc iawn. Yn ôl yr Athro Shiva Bajpai, drwy wyliau mae'r rhan fwyaf o Hindŵiaid yn profi eu crefydd, 'Gwyliau, pererindodau ac addoli yn y deml yw arfau ffydd yr Hindŵiaid'. Hefyd maen nhw'n cael eu hannog i gymryd rhan yn y dathliadau. Felly mae'r arferion a'r defodau a gysylltir â phob gŵyl yn dod yn rhan annatod o'u hunaniaeth fel Hindŵiaid. Mae hyn yn eu galluogi, pan ddaw'r amser, i'w trosglwyddo i'w plant gan eu diogelu i genedlaethau'r dyfodol.

Mae ysgrythur a'r traddodiad guru–disgybl yn ffactorau pwysig wrth ddiogelu traddodiadau'r gwyliau. Ym mhob cymuned Hindŵaidd mae gurus sy'n gofalu'n bersonol am arferion a chynnydd ysbrydol y ffyddloniaid. Mae Hindŵiaid yn cael eu haddysgu i barchu dysgeidiaeth a thraddodiadau'r ysgrythurau. Gwasanaeth anhunanol, seva, i Dduw a'r ddynoliaeth yn eang yw'r ffordd o feddalu'r ego ac agosáu at y dwyfol. Mae hyn yn cynnwys dathlu gwyliau a chynnal traddodiadau Hindŵaidd.

Dyfyniad allweddol

Nid addoli lludw yw traddodiad, ond cynnal tân. (Gustav Mahler)

Awgrym astudio

Gwnewch yn siŵr eich bod bob amser yn ateb y cwestiwn a osodwyd, gan roi sylw arbennig i eiriau allweddol. Bydd hyn yn sicrhau bod gennych y siawns orau o roi 'ateb helaeth a pherthnasol sy'n bodloni gofynion penodol y cwestiwn a osodwyd' (disgrifydd band 5 AA1).

cwestiwn cyflym

4.8. Nodwch sut mae'r gymuned o gredinwyr yn helpu mewn dwy ffordd i gynnal traddodiadau Holi.

Dyfyniad allweddol

Ystyrir hunanhyfforddiant crefyddol yn aneffeithiol. Y guru sy'n gosod y disgyblaethau ysbrydol ac sydd, adeg derbyn myfyriwr, yn ei gyfarwyddo i ddefnyddio'r mantra (fformiwla sanctaidd) i gynorthwyo myfyrio. Mae enghraifft y guru sydd, er ei fod yn ddynol, wedi cyflawni goleuedigaeth ysbrydol, yn arwain y ffyddloniaid i ddarganfod yr un posibiliadau ynddyn nhw eu hunain. (Encyclopaedia Britannica)

Mae'r berthynas rhwng athro a disgybl yn bwysig iawn mewn Hindŵaeth

Sgiliau allweddol

Mae gwybodaeth yn ymwneud â:

Dewis ystod o wybodaeth (drylwyr) gywir a pherthnasol sydd â chysylltiad uniongyrchol â gofynion penodol y cwestiwn.

Mae hyn yn golygu eich bod yn dewis y wybodaeth gywir sy'n berthnasol i'r cwestiwn a osodwyd NID y maes pwnc. Bydd angen i chi feddwl a chanolbwyntio ar ddewis gwybodaeth allweddol ac NID ysgrifennu popeth yr ydych chi'n ei wybod am y maes pwnc.

Mae dealltwriaeth yn ymwneud ag:

Esboniad helaeth, gan ddangos dyfnder a/neu ehangder gyda defnydd rhagorol o dystiolaeth ac enghreifftiau gan gynnwys (lle y bo'n briodol) defnydd trylwyr a chywir o destunau cysegredig, ffynonellau doethineb a geirfa arbenigol.

Mae hyn yn golygu y gallwch ddangos eich bod yn deall rhywbeth drwy egluro ac ehangu eich pwyntiau gan ddefnyddio enghreifftiau/tystiolaeth gefnogol mewn ffordd bersonol ac NID ailadrodd darnau o werslyfr (sef dysgu ar y cof).

Cymhwyso sgiliau ymhellach:

Ewch drwy'r meysydd pwnc yn yr adran hon a lluniwch rai rhestri bwled o bwyntiau allweddol o feysydd allweddol. Ar gyfer pob un, rhowch fwy o fanylion ac esboniwch fwy drwy ddefnyddio tystiolaeth ac enghreifftiau.

Datblygu sgiliau AA1

Nawr mae'n bryd ystyried y wybodaeth sydd wedi'i chyflwyno hyd yma. Hefyd mae'n bwysig ystyried sut mae'r hyn rydych chi wedi'i ddysgu hyd yma'n gallu cael ei ddefnyddio ar gyfer atebion arholiad drwy ymarfer y sgiliau sy'n gysylltiedig ag AA1.

Mae Amcan Asesu 1 (AA1) yn ymwneud â dangos gwybodaeth a dealltwriaeth. Mae'r termau 'gwybodaeth' a 'dealltwriaeth' yn amlwg ond mae'n hanfodol eich bod yn gyfarwydd â sut mae sgiliau penodol yn dangos y rhain, a hefyd, sut bydd eich perfformiad ym mhob un o'r sgiliau hyn yn cael ei fesur (gweler disgrifyddion band cyffredinol Band 5 ar gyfer AA1 UG).

Rydych chi bellach yn nesáu at ddiwedd yr adran hon o'r cwrs. O hyn allan, dim ond cyfarwyddiadau fydd gan y dasg, heb enghreifftiau; ond gan ddefnyddio'r sgiliau yr ydych wedi'u datblygu wrth gwblhau'r tasgau cynharach, dylech allu cymhwyso'r hyn rydych wedi dysgu ei wneud a chyflawni hyn yn llwyddiannus.

▶ **Dyma eich tasg newydd:** bydd rhaid i chi ysgrifennu ymateb o dan amodau wedi'u hamseru i gwestiwn sy'n gofyn am archwilio pwysigrwydd Holi. Bydd angen i chi ganolbwyntio er mwyn gwneud hyn a chymhwyso'r sgiliau yr ydych chi wedi'u datblygu hyd yma:

1. Dechreuwch gyda rhestr o gynnwys dangosol. Trafodwch hon fel grŵp, efallai. Does dim rhaid i'r rhestr fod mewn unrhyw drefn.

2. Datblygwch y rhestr gan ddefnyddio enghreifftiau.

3. Nawr ystyriwch ym mha drefn yr hoffech chi esbonio'r wybodaeth.

4. Yna ysgrifennwch eich cynllun, o dan amodau wedi'u hamseru, gan gofio egwyddorion esbonio gyda thystiolaeth a/neu enghreifftiau.

Defnyddiwch y dechneg hon er mwyn adolygu pob un o'r meysydd pwnc rydych chi wedi'u hastudio. Mae techneg sylfaenol cynllunio atebion yn helpu hyd yn oed pan fydd amser yn brin ac rydych chi'n methu cwblhau pob traethawd.

Materion i'w dadansoddi a'u gwerthuso

I ba raddau mae gwyliau yn ffordd angenrheidiol o fynegi hunaniaeth Hindŵaidd

Mae'n bosibl disgrifio Hindŵaeth fel crefydd hyblyg mae modd ei haddasu. Mae llawer o amrywiaeth ynddi o ran defodau, arferion a sut mae'n dathlu gwyliau. Yn sicr dydy Hindŵaeth ddim yn dweud bod rhaid defnyddio un dull penodol i fynegi hunaniaeth Hindŵaidd.

Mae rhai Hindŵiaid yn credu does dim angen gwyliau i fynegi hunaniaeth Hindŵaidd oherwydd dydyn nhw ddim o raid yn dangos unrhyw ymrwymiad i'r grefydd. Gall Hindŵiaid a phobl nad ydyn nhw'n Hindŵiaid ddathlu gwyliau, heb unrhyw ffyddlondeb i gredoau crefyddol penodol. Mae eraill yn credu bod gwyliau'n ddigwyddiadau mwy cymdeithasol a diwylliannol a allai fynegi hunaniaeth genedlaethol neu ranbarthol ond nid hunaniaeth grefyddol. Dydy gwyliau ddim yn rhan o Varnashramadharma Hindŵiaid a byddai llawer yn dadlau mai Varnashramadharma yw Hindŵaeth. Felly os nad yw gwyliau'n rhan o'r cysyniad craidd hwn, maen nhw'n ddiangen i fynegi hunaniaeth.

Gallwch ddadlau bod rhywun yn mynegi ei hunaniaeth grefyddol drwy ddilyn rhai credoau allweddol penodol. Mae disgwyl i unigolyn ymarfer y system gred mae'n credu ynddi. Gall hyn fod drwy arferion defodol fel addoli dyddiol, ymweld â themlau, mynd ar bererindod, dathlu gwyliau a chymryd rhan mewn seremonïau crefyddol fel defodau newid byd. Mae modd ei wneud hefyd drwy fabwysiadu rhai o'r arferion deietegol sy'n cael eu hargymell. Mae hyn yn mynegi hunaniaeth yn glir. Felly mae ffordd dharmig o fyw yn mynegi hunaniaeth Hindŵaidd. Mae hunaniaeth i'w gweld yn y dull o ymarfer delfrydau Hindŵaeth. Rhai o arwyddion gweladwy hunaniaeth drwy ymarfer credoau a gwerthoedd byw yw byw bywyd teuluol disgybledig a dangos gofal i'r henoed.

Mae dulliau eraill o fynegi hunaniaeth grefyddol Hindŵ, er enghraifft, drwy arwyddion allanol fel gwisgo nod, neu ymweld â theml, guru neu swami. Mae eu ffordd o fyw yn adlewyrchu statws eu taith ysbrydol bersonol. Gall Hindŵiaid wisgo dillad traddodiadol, fel sari i fenyw neu diwnig a lliain lwynau i ddyn a dangos eu ffyddlondeb i fudiad arbennig drwy roi nod ar eu talcen a elwir yn tilak.

Fodd bynnag, byddai llawer o Hindŵiaid yn dadlau bod llawer o'r ffyrdd o fynegi hunaniaeth Hindŵaidd yn rhan bwysig o ddathlu gwyliau a bod gwyliau'n ffordd effeithiol a hygyrch o fynegi hunaniaeth. Mae gwyliau'n gyfle nid yn unig i Hindŵiaid fynegi eu hunaniaeth ond hefyd i ymfalchïo ynddi. Mae gwyliau Hindŵaeth yn mynegi ei chredoau a'i gwerthoedd yn glir e.e. mae Diwali yn dathlu'r Ramayana sy'n pwysleisio gwerthoedd fel ffyddlondeb, dewrder a theyrngarwch. Mae Hindŵaeth yn grefydd llawn gwyliau felly gellid dadlau bod dathlu gwyliau yn rhan hanfodol o hunaniaeth Hindŵaidd. Maen nhw hefyd yn mynegi'r hunaniaeth honno yn gyhoeddus iawn ac yn ddull i gyflwyno Hindŵaeth, ei chredoau a'i gwerthoedd, i gymunedau nad ydyn nhw'n Hindŵaidd.

Gan fod Hindŵaeth yn rhoi rhyddid i rywun ddewis y system gred sy'n fwyaf addas iddo, mae'n bosibl mynegi hunaniaeth Hindŵaidd mewn nifer o ffyrdd gwahanol. Mae amrywiaeth y mynegi yn adlewyrchu amrywiaeth y credoau a'r arferion yn y gymdeithas Hindŵaidd. Yn ôl Swami Vivekananda, '... mae'r Hindŵ yn berson hynod. Mae'n gwneud popeth mewn dull crefyddol. Mae'n bwyta yn grefyddol; mae'n cysgu yn grefyddol; mae'n codi yn y bore yn grefyddol; mae'n gwneud gweithredoedd da yn grefyddol; ac mae hefyd yn gwneud gweithredoedd drwg yn grefyddol.'

Mae'r adran hon yn cwmpasu cynnwys a sgiliau AA2

Cynnwys y fanyleb

I ba raddau mae gwyliau yn ffordd angenrheidiol o fynegi hunaniaeth Hindŵaidd.

Gweithgaredd AA2 ***Dadleuon posibl***

Wedi'u rhestru isod mae rhai casgliadau y byddai'n bosibl dod iddyn nhw ar sail rhesymeg AA2 yn y testun cysylltiedig:

1. Does dim un dull penodol o fynegi hunaniaeth Hindŵaidd.
2. Dydy dathlu gwyliau ddim yn dangos unrhyw ymrwymiad i gredoau Hindŵaeth.
3. Dilyn credoau allweddol yw'r ffordd fwyaf effeithiol o fynegi hunaniaeth grefyddol.
4. Mae llawer o ffyrdd allanol i fynegi hunaniaeth.
5. Mae gwyliau'n fodd effeithiol a hygyrch i fynegi hunaniaeth.

Ystyriwch bob un o'r casgliadau sy'n cael eu gwneud uchod a chasglwch dystiolaeth ac enghreifftiau i gefnogi pob dadl o'r deunydd AA1 ac AA2 a astudiwyd yn yr adran hon. Dewiswch un casgliad sy'n argyhoeddi fwyaf yn eich barn chi ac esboniwch pam mae hyn yn wir. Nawr cyferbynnwch hyn â'r casgliad gwannaf ar y rhestr, gan gyfiawnhau eich dadl gyda rhesymu clir a thystiolaeth.

Cynnwys y fanyleb

A yw dathlu digwyddiadau mytholegol ar ddyddiau gŵyl yn ystyrlon.

A yw dathlu digwyddiadau mytholegol ar ddyddiau gŵyl yn ystyrlon

Mae cred a mytholeg Hindŵaidd yn lliwio pob agwedd ar fywyd a diwylliant yn India. Mewn Hindŵaeth mae gwyliau'n chwarae rhan bwysig iawn ym mywydau Hindŵiaid. Mae mwy o wyliau mewn Hindŵaeth nag mewn unrhyw un o brif grefyddau eraill y byd. Mae'r rhan fwyaf, os nad pob un o'r gwyliau hyn yn seiliedig ar ddigwyddiadau mytholegol ac ar storïau o'r ysgrythurau Hindŵaidd. Ond pa mor ystyrlon yw'r storïau a'r digwyddiadau hyn yn y byd heddiw?

Mae storïau mytholegol yn rhan o ddiwylliant a threftadaeth y diwylliant Hindŵaidd, wedi'u trosglwyddo o genhedlaeth i genhedlaeth, yn gyntaf ar lafar ac yna'n ysgrifenedig. Mae gwerth mawr iddyn nhw o ran addysg a difyrrwch. Drwy'r storïau hyn mae llawer o rieni'n addysgu eu plant am ddiwylliant a gwerthoedd Hindŵaidd. Mae'r storïau'n cyfeirio at bob agwedd ar fywyd ac yn gweithredu fel arweiniad moesol i fywyd pob dydd, gan gyfeirio at faterion fel parch at yr henoed a phwysigrwydd gonestrwydd. Mae arwrgerddi Ramayana a Mahabharata yn dangos sut mae daioni'n gorchfygu drygioni. Dyma'r gwerthoedd mae gwyliau gwahanol yn eu dathlu. Mae'r storïau hyn yn cysylltu â phobl gyffredin mewn modd mae ffeithiau diwinyddol sych yn methu gwneud. Maen nhw hefyd yn fodd i Hindŵiaid brofi darshan, sef gweld neu ganfod, wrth ddathlu gwyliau.

Mae mythau'n werthfawr ac yn ystyrlon mewn sawl ffordd mewn Hindŵaeth ac felly'n berthnasol fel sail i wyliau gwahanol. Mae llawer yn credu bod mythau'n sicrhau cysondeb a sefydlogrwydd i ddiwylliant ac yn meithrin casgliad cyffredin o safbwyntiau, gwerthoedd a hanes mae'r gymuned Hindŵaidd yn gallu eu dathlu. Maen nhw hefyd yn cynnig canllawiau i fyw. Mae gweithgareddau ac agweddau'r duwdodau'n fodelau rôl ar gyfer ymddygiad a safonau mewn cymdeithas. Mewn mytholeg Hindŵaidd, dydy'r duwdodau ddim yn debyg i dduwdod monotheistig crefydd y Gorllewin. Dydyn nhw ddim yn hollwybodol, yn hollalluog nac yn hollbresennol. Fel pobl, mae ganddyn nhw feiau ac mae emosiynau ac uchelgais yn eu sbarduno. Y prif wahaniaeth rhyngddyn nhw â phobl oedd bod ganddyn nhw fwy o wybodaeth a grym. Mae mythau'n darlunio sefyllfaoedd nodweddiadol, rhai o'r opsiynau mae'n bosibl eu dewis yn y sefyllfaoedd hynny a chanlyniadau dewis yr opsiynau hynny.

Mae llawer yn credu bod mythau'n rhoi ystyr i fywyd. Mae duwdodau'n rhyngweithio â phobl ac mae pob gweithred yn rhan o gynllun mawr y duwdodau, sy'n awgrymu bod ystyr i bopeth sy'n digwydd mewn bywyd.

Mae mythau'n drosiadol. Mae rhai'n ystyried nad yw mythau'n sail ystyrlon i wyliau a'u bod yn anwiredd, heb le iddyn nhw yn y byd heddiw. Dydy'r duwdodau maen nhw yn eu darlunio ddim yn gredadwy nac yn fodelau rôl perthnasol ar gyfer ein hoes ni. Maen nhw hefyd yn dadlau bod y ddelweddaeth a'r gwrthddywediadau sydd mewn llawer o fythau yn eu gwneud yn annerbyniol heddiw. Ond byddai eraill yn dadlau bod mythau'n bwysig oherwydd maen nhw'n drosiadau ac mae cofnodion hanesyddol neu athronyddol yn methu addysgu am fywyd fel mae mythau'n gwneud. Mewn mytholeg, mae pobl yn dysgu drwy ddychmygu anturiaethau cyffrous y duwdodau.

Yn ôl Joseph Campbell yn *An Open Life*, 'Mae delweddaeth mytholeg yn symbol o'r pwerau ysbrydol sydd y tu mewn i ni'. Mae mytholeg yn ffordd ddilys o edrych ar y byd. Mae llawer o ysgolheigion yn credu bod mytholeg yn ddull soffistigedig o astudio agweddau gwahanol ar seicoleg.

Gweithgaredd AA2 ***Dadleuon posibl***

Wedi'u rhestru isod mae rhai casgliadau y byddai'n bosibl dod iddyn nhw ar sail rhesymeg AA2 yn y testun cysylltiedig:

1. Mae storïau mytholegol yn rhan o ddiwylliant a threftadaeth y diwylliant Hindŵaidd.
2. Mae storïau mytholegol yn werthfawr iawn o ran addysg a hamdden.
3. Nid y mythau eu hunain sy'n cael eu dathlu ond y gwerthoedd maen nhw yn eu portreadu.
4. Mae mythau'n cynnig canllawiau ar gyfer byw.
5. Mae mythau'n drosiadol ac yn addysgu mewn ffordd effeithiol a hygyrch.

Ystyriwch bob un o'r casgliadau sy'n cael eu gwneud uchod a chasglwch dystiolaeth ac enghreifftiau i gefnogi pob dadl o'r deunydd AA1 ac AA2 a astudiwyd yn yr adran hon. Dewiswch un casgliad sy'n argyhoeddi fwyaf yn eich barn chi ac esboniwch pam mae hyn yn wir. Nawr cyferbynnwch hyn â'r casgliad gwannaf ar y rhestr, gan gyfiawnhau eich dadl gyda rhesymu clir a thystiolaeth.

Datblygu sgiliau AA2

Nawr mae'n bryd ystyried y wybodaeth sydd wedi'i chyflwyno hyd yma. Hefyd mae'n bwysig ystyried sut mae'r hyn rydych chi wedi'i ddysgu hyd yma'n gallu cael ei ddefnyddio ar gyfer atebion arholiad drwy ymarfer y sgiliau sy'n gysylltiedig ag AA2.

Mae Amcan Asesu 2 (AA2) yn ymwneud â 'dadansoddi' a 'gwerthuso'. Efallai fod ystyr y termau'n amlwg ond mae'n hanfodol eich bod yn gyfarwydd â sut mae sgiliau penodol yn dangos y rhain, a hefyd, sut bydd eich perfformiad ym mhob un o'r sgiliau hyn yn cael ei fesur (gweler disgrifyddion band cyffredinol Band 5 ar gyfer AA2 UG). Yn amlwg mae ateb yn cael ei osod mewn disgrifydd band priodol, yn ôl pa mor dda yw'r ateb, gan amrywio o ragorol, da, boddhaol, sylfaenol/cyfyngedig i gyfyngedig iawn.

Rydych chi bellach yn nesáu at ddiwedd yr adran hon o'r cwrs. O hyn allan, dim ond cyfarwyddiadau fydd gan y dasg, heb enghreifftiau; ond gan ddefnyddio'r sgiliau yr ydych wedi'u datblygu wrth gwblhau'r tasgau cynharach, dylech allu cymhwyso'r hyn rydych wedi dysgu ei wneud a chyflawni hyn yn llwyddiannus.

▶ **Dyma eich tasg newydd:** bydd rhaid i chi ysgrifennu ymateb o dan amodau wedi'u hamseru i gwestiwn sy'n gofyn am werthuso'r honiad nad yw gwyliau Hindŵaidd yn ffordd effeithiol o gadarnhau hunaniaeth Hindŵaidd. Bydd angen i chi ganolbwyntio er mwyn gwneud hyn a chymhwyso'r sgiliau yr ydych chi wedi'u datblygu hyd yma:

1. Dechreuwch gyda rhestr o gynnwys dangosol. Trafodwch hon fel grŵp, efallai. Does dim rhaid i'r rhestr fod mewn unrhyw drefn. Cofiwch, gwerthuso yw hyn, felly mae angen dadleuon gwahanol arnoch chi. Y ffordd hawsaf yw defnyddio'r penawdau 'o blaid' ac 'yn erbyn'.

2. Datblygwch y rhestr gan ddefnyddio enghreifftiau.

3. Nawr ystyriwch ym mha drefn yr hoffech chi esbonio'r wybodaeth.

4. Yna ysgrifennwch eich cynllun o dan amodau wedi'u hamseru, gan gofio cymhwyso egwyddorion gwerthuso drwy wneud yn siŵr eich bod: yn nodi'r materion yn glir; yn cyflwyno safbwyntiau eraill yn gywir, gan wneud yn siŵr eich bod yn gwneud sylwadau ar y safbwyntiau rydych yn eu cyflwyno; yn dod i farn bersonol gyffredinol.

Defnyddiwch y dechneg hon er mwyn adolygu pob un o'r meysydd pwnc rydych chi wedi'u hastudio. Mae techneg sylfaenol cynllunio atebion yn helpu hyd yn oed pan fydd amser yn brin ac rydych chi'n methu cwblhau pob traethawd.

Sgiliau allweddol

Mae dadansoddi'n ymwneud â nodi materion sy'n cael eu codi gan y deunyddiau yn adran AA1, ynghyd â'r rhai a nodwyd yn adran AA2, ac mae'n cyflwyno safbwyntiau cyson a chlir, naill ai gan ysgolheigion neu safbwyntiau personol, yn barod i'w gwerthuso.

Felly, mae'n nodi pethau allweddol i'w trafod a'r dadleuon sy'n cael eu cyflwyno gan eraill neu o safbwynt personol.

Mae gwerthuso'n ymwneud ag ystyried goblygiadau amrywiol y materion sy'n cael eu codi, yn seiliedig ar y dystiolaeth a gafwyd wrth ddadansoddi ac mae'n rhoi dadl fanwl eang gyda chasgliad clir.

Mae hyn yn golygu bod yr ateb yn pwyso a mesur y dadleuon amrywiol a gwahanol a gafodd eu dadansoddi drwy roi sylwadau ac ymateb unigol, gan ddod i gasgliad drwy broses rhesymu clir.

Cynnwys y fanyleb

Durga Puja: Yn cynrychioli stori Rama, Sita a Durga.

C: Swyddogaeth gwyliau o ran dylanwadu ar hunaniaeth grefyddol – Durga Puja

Cynrychioli stori Rama, Sita a Durga

Mae llawer o storïau sy'n dylanwadu ar ddathlu **Durga** Puja a dyma'r un o'r prif resymau pam mae rhanbarthau gwahanol yn dathlu'r ŵyl hon mewn ffyrdd gwahanol.

Un stori sy'n gefndir i'r ŵyl hon yw'r Ramayana. Collodd Rama ei wraig yn ogystal â'i deyrnas drwy dwyll. I gael digon o nerth i orchfygu Ravana, mae Rama yn troi at Durga am gymorth. I sicrhau bendith Durga i ladd Ravana, mae Rama yn cwblhau 'chandi-puja'. Yna dywedodd Durga y gyfrinach wrtho sut gallai ladd Ravana. Llwyddodd Rama i ladd Ravana, a dychwelodd gyda Sita a Lakshmana yn fuddugoliaethus i'w deyrnas yn Ayodhya. Mae Hindŵiaid yn dathlu hyn yn ystod Diwali yn ogystal â dathlu creu Durga ei hun. Yn ôl mytholeg Hindŵaidd, rhoddodd Shiva fendith i ellyll o'r enw **Mahishasura** oherwydd ei ymroddiad. Roedd hyn yn golygu mai dim ond menyw a allai ei ladd. Â'r wybodaeth hon, dechreuodd ar deyrnasiad o fraw dros y bydysawd gan orchfygu ac iselhau'r duwiau. Yr unig ateb i'r duwiau oedd creu menyw a allai drechu Mahishasura. Canolbwyntiodd y Trimurti eu holl rym ar un pwynt, gan greu Durga. Roedd ei hwyneb yn adlewyrchu golau Shiva, a chafodd ddeg braich gan Vishnu a'i thraed gan Brahma. Hefyd, rhoddodd duwiau eraill bwerau gwahanol iddi ac arfau i orchfygu'r ellyll. Cafodd Durga dryfer gan Shiva, disgen gan Vishnu a gwaywffon gan Agni ac arfau eraill gan dduwiau eraill. Roedd Durga nawr yn barod am y frwydr. Gorchfygodd yr ellyll ac un o'r delweddau eiconig o Durga yw un ohoni'n sefyll ar ben y Mahishasura difywyd.

Cyfres arall o storïau Hindŵaidd sy'n chwarae rhan yn yr ŵyl yw'r Mahabharata. Roedd y Pandavas yn bum brawd a ymladdodd yn erbyn grymoedd drwg ag arfau nodedig.

Gadawon nhw eu harfau a'u halltudio eu hunain am flwyddyn. Cuddion nhw eu harfau mewn coeden Shami a dod o hyd iddyn nhw yn yr un lle pan ddychwelon nhw o'u halltudiaeth. Yna addolon nhw'r goeden cyn mynd i frwydro, ac ennill. Mae Durga Puja yn coffáu hyn hefyd.

Dyfyniad allweddol

Gan ymgorffori eu hegni (shakti) cyfunol, mae hi'n deillio o'r duwdodau gwrywaidd a hi hefyd yw gwir ffynhonnell eu grym mewnol. Mae hi hefyd yn fwy na'r un ohonyn nhw. (Encyclopaedia Britannica)

Termau allweddol

Durga: duwies bwerus, a bortreadir yn aml ar gefn teigr, ac yn cario llawer o arfau

Mahishasura: ellyll â nodweddion da

Durga gyda'i cherbyd, Manashthala y llew.

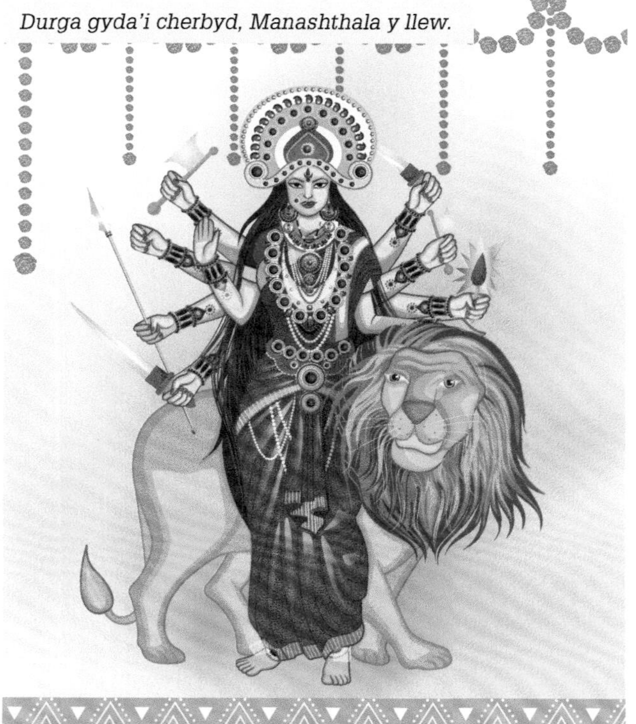

Stori arall sy'n dylanwadu ar yr ŵyl a'i harferion yw stori Kautsa. Roedd Kautsa yn fab i Brahmin o'r enw Devdatt ac roedd yn byw yn Paithan. Cafodd ei addysgu gan ei guru, Varatantu, ac ar ôl gorffen ei addysg roedd yn awyddus i roi anrheg i'r guru. Dywedodd y guru wrtho nad oedd hyn yn briodol a bod gweld ei ddisgybl yn llwyddo yn ddigon o wobr i'w wneud yn hapus.

Fodd bynnag, roedd Kautsa yn teimlo ei bod yn ddyletswydd arno i roi rhywbeth i'w guru. Dywedodd y guru wrtho, os oedd yn dymuno rhoi rhywbeth, byddai'n derbyn 140 miliwn o ddarnau aur – 10 miliwn am bob un o'r gwyddorau roedd wedi'u haddysgu iddo. Wedyn aeth Kautsa at y brenin Raghu a oedd yn adnabyddus am ei haelioni ond roedd y brenin wedi gwario'i holl arian ar y Brahminiaid. Gofynnodd Raghu i Kautsa ddod yn ôl mewn tri diwrnod ac aeth i nôl y darnau aur gan Indra.

Yna galwodd Indra ar Kuber, duw cyfoeth, a dweud wrtho am wneud darnau aur ar y coed Shanu ac Aapati o gwmpas Ayodhya. Dechreuodd lawio darnau aur. Rhoddodd y brenin Raghu y darnau aur i Kautsa a rhoddodd yntau nhw i'w guru. Fodd bynnag, dim ond 140 miliwn o ddarnau a gymerodd Varatantu gan roi'r gweddill yn ôl i Kautsa. Gofynnodd Kautsa i'r brenin eu cymryd yn ôl ond gwrthododd. Felly dechreuodd Kautsa rannu'r darnau aur rhwng pobl Ayodhya. I gofio hyn, mae ffyddloniaid yn tynnu dail o'r goeden Aapati ac yn eu rhoi fel anrhegion.

Arwyddocâd ysbrydol digwyddiadau yn ystod Durga Puja

Mae **Durga Puja** neu **Navaratri** yn dechrau ar ddiwrnod cyntaf yr hanner disglair o Aswin (Medi–Hydref) ac yn gorffen ar y degfed diwrnod.

Mae hyn oherwydd bod mam Durga, a oedd yn wraig i Frenin yr Himalayas, yn awyddus i weld ei merch. Dim ond am naw diwrnod y flwyddyn roedd Shiva yn caniatáu i Durga ymweld â'i mam. Mae gŵyl Durga Puja yn nodi'r ymweliad byr hwn ac yn gorffen gyda diwrnod Vijaya Dasami, pan mae Durga yn ymadael i ddychwelyd i Fynydd Kailas. Yn Bengal, addolir ei delwedd am naw diwrnod ac yna ei bwrw i'r dŵr. Yr enw ar y degfed diwrnod yw Vijaya Dasami neu **Dussera** (y degfed diwrnod). Mae gorymdeithiau gyda'i delwedd yn mynd ar hyd strydoedd y pentrefi a'r dinasoedd. Yn Bengal, mae Durga Puja yn ŵyl fawr. Mae pawb sy'n byw oddi cartref yn dychwelyd yn ystod y dyddiau puja. Maen nhw'n croesawu'r dduwies â chariad mam ac ar y diwrnod olaf yn danfon ei delwedd â dagrau mam i ddynodi Durga yn gorfod gadael ei mam.

Gweithgaredd AA1

Ar gardiau adolygu bach gwnewch grynodeb o'r storïau allweddol sy'n ffurfio cefndir dathlu Durga Puja. Rhannwch y crynodeb yn 'natur' a 'pwrpas'. Mae hyn yn sicrhau eich bod yn dewis y nodweddion pwysicaf ar gyfer pwyslais ac eglurder ac yn cefnogi hyn â thystiolaeth, yn hytrach na dim ond cyflwyno strwythur disgrifiadol, neu syml, i'ch ateb.

Dathlu Durga Puja

Cynnwys y fanyleb

Arwyddocâd ysbrydol y digwyddiadau hyn – diolchgarwch, helpu eraill; pwysigrwydd afatarau; Durga fel mam ddwyfol; amhurdeb a phechod; mae'n cadarnhau a chryfhau ffydd; daioni'n trechu drygioni, pwysigrwydd addoli a gweddi; yn atgoffa ffyddloniaid o amcanion a dyletswyddau bywyd – sef byw bywyd sy'n rhydd o amhurdeb, pechod a gwendid.

Termau allweddol

Durga Puja: gŵyl Hindŵaidd sy'n dathlu addoli'r dduwies Durga

Dussera: 'degfed diwrnod' – gŵyl ym mis Aswin yn dathlu digwyddiadau amrywiol o'r arwrgerddi, y Ramayana a'r Mahabharata, ond yn enwedig gŵyl y dduwies, Durga Puja

Navaratri: gŵyl y nosweithiau, yn para am naw diwrnod, tri ohonyn nhw wedi'u neilltuo i addoli Durga, Lakshmi a Saraswati

cwestiwn cyflym

4.9 Beth yw arwyddocâd y coed Shami ac Aapati yn Durga Puja?

Ar Mahalaya mae'r ffyddloniaid yn galw Durga i mewn i'w delwedd a chwe diwrnod yn ddiweddarach, mae'r brif ŵyl yn dechrau. Ar Mahashasthi, neu'r chweched diwrnod, maen nhw'n addurno Durga â'r arfau amrywiol mae hi wedi'u cael gan y duwiau gwahanol i ymladd yr ellyll byfflo, Mahishasura. Delwedd o Durga â'r ellyll wrth ei thraed yw symbol Bengal.

Mae'r dyddiau nesaf, Saptami, Ashtami a Navami yn bwysig yn eu hawl eu hunain, gan ddechrau wrth osod y planhigyn banana sydd i fod i ddod â bywyd Durga i mewn. Ar Ashtami, neu'r wythfed diwrnod, y lladdodd y dduwies yr ellyll, felly mae'n rhan bwysig iawn o'r ŵyl. Ar Navami, cynhelir artis ymhobman, gan gyflwyno cregyn tro, drychau, ffaniau llaw arian ac eitemau eraill yr ŵyl i'r dduwies. Yna ar y diwrnod olaf, Vijaya Dashmi neu'r degfed diwrnod, mae'n bryd i Durga ddychwelyd at ei gŵr, yr Arglwydd Shiva, ar Fynydd Kailash.

Dyfyniad allweddol

Durga Puja yw'r ŵyl Hindŵaidd fwyaf sy'n addoli Duw fel Mam. (Madhuri Guin)

Mae gwragedd y cartref yn ffarwelio'n gariadus gyda fermiliwn a melysion yn ogystal â dagrau, oherwydd y gwahanu sydd ar ddod. Mae'r ffyddloniaid yn ei harwain yn seremonïol at lannau afon Ganga a'i throchi er mwyn iddi deithio'n ôl at ei gŵr.

Prif nodwedd yr ŵyl yw dawnsio o gwmpas y cysegr i Durga sydd wedi'i adeiladu'n arbennig ar gyfer yr achlysur. Mae llawer o Hindŵiaid hefyd yn ymprydio, gan fwyta dim ond un pryd y dydd o ffrwythau a bwydydd melys o laeth. Yn ogystal, maen nhw'n gweddïo i ddiogelu iechyd ac eiddo ac yn meddwl bod Durga Puja yn adeg dda i ddechrau menter newydd. Mae Durga Puja yn dod i ben gyda'r **Kanya Puja** pan gaiff naw merch ifanc sy'n cynrychioli naw ffurf y Dduwies Durga eu haddoli. Mae'r addolwyr yn golchi traed y merched fel arwydd o barch i'r Dduwies ac yn cynnig dillad newydd iddyn nhw fel anrhegion.

Termau allweddol

Durgotinashini: teitl Durga yn Bengal

Kanya Puja: diwrnod sanctaidd i Hindŵiaid maen nhw'n ei ddathlu ar wythfed a nawfed diwrnod gŵyl Navaratri; addolir naw merch ifanc sy'n cynrychioli naw ffurf y Dduwies Durga

Mae Durga Puja yn ŵyl arwyddocaol a phwysig iawn. Mae'n dathlu buddugoliaeth Durga dros yr ellyll byfflo drwg, Mahishasura a buddugoliaeth Rama dros Ravana. Felly mae'r ŵyl yn crisialu buddugoliaeth daioni dros ddrygioni. Un o'r teitlau a roddir i Durga yn Bengal yw **Durgotinashini** – dinistriwr drygioni a gwarchodwr ei ffyddloniaid.

Yn ystod cyfnod y Raj Prydeinig yn India, daeth Durga Puja yn fwy pwysig ac arwyddocaol. Daeth Durga yn symbol o hunaniaeth Hindŵaidd ac Indiaidd ac yn eicon i'r mudiad dros annibyniaeth India. Dyma pryd y daeth Durga Puja yn boblogaidd fel puja cymunedol wrth i bobl ddymuno mynegi eu hunaniaeth.

cwestiwn cyflym

4.10 Nodwch dri thraddodiad sy'n gysylltiedig â Durga Puja.

Un nodwedd o Durga Puja sy'n arbennig o arwyddocaol yw addoli Durga fel y Fam Dduwies. Yn ôl llawer o Hindŵiaid, Durga Puja yw'r ŵyl Hindŵaidd fwyaf sy'n addoli Duw fel Mam. Hindŵaeth yw'r unig grefydd yn y byd sydd wedi pwysleisio mamolaeth Duw i'r fath raddau. Dyma esboniad Ian Jamison, 'Mae rhai duwiesau wedi'u darlunio bob amser ar eu pen eu hunain, a chredir mai'r ffurfiau hyn yw'r cynrychioliadau agosaf o Shakti ... enghraifft dda o hyn yw'r dduwies Durga.'

Dyfyniad allweddol

Mae Hindŵiaid yn dathlu Durga Puja mewn ardaloedd amrywiol yn India mewn arddulliau gwahanol. Ond un nod sylfaenol y dathliad hwn yw ennill ffafr Shakti, y Dduwies yn ei hagwedd fel grym, fel ei bod yn cyflwyno i ddyn bob cyfoeth, addewid, ffyniant a gwybodaeth (sanctaidd a seciwlar) a phob grym nerthol arall. Beth bynnag yw'r cais penodol neu arbennig y gallai pob un ei roi gerbron y Dduwies, beth bynnag yw'r fantais y gofynnir iddi amdani, yr un peth y tu ôl i hyn oll yw ennill ei ffafr, addoli a chysylltu'r hunan â hi. Does dim nod arall. Mae addolwyr yn gwneud hyn yn ymwybodol neu'n anymwybodol. Mae'r Dduwies yn bendithio pawb â'i thrugaredd cariadus ac yn eu gwarchod. (Swami Sivananda)

Mae Durga yn cynrychioli'r fam ddwyfol a grym Shakti neu egni cosmig. Hi yw agwedd egni Shiva. Fel mam ddwyfol, mae'n gofalu am ei phlant i gyd ac yn eu gwarchod. Mae'r ôl-ddodiad 'Ma', sy'n golygu mam mewn enw duwies, yn amlygu hyn – Durga Ma. Mam ddwyfol yw'r dduwies, nid mam ddynol ac mae ei delweddau'n adlewyrchu ei grym goruwchnaturiol. Mae ei gofal dros ei phlant dynol mor fawr, byddai'n gwneud unrhyw beth i'w gwarchod.

Er bod Durga yn golygu 'un sy'n anodd mynd yn agos ati', fel mam y bydysawd mae'n bersonoliad o gariad tyner, cyfoeth, grym, prydferthwch a phob rhinwedd. Mae Hindŵiaid yn credu bod addoli Durga fel Mam Ddwyfol yn sicrhau ffyniant materol a rhyddid ysbrydol. Mae'r Dduwies yn bendithio pawb â'i thrugaredd cariadus ac yn eu gwarchod.

Mae rhai Hindŵiaid yn rhannu Navaratri yn adrannau o dri diwrnod i ddathlu agweddau gwahanol ar y Fam Ddwyfol. Mae'r tri diwrnod cyntaf yn dathlu ei grym fel Durga i ddinistrio pethau amhur, gwendidau a namau. Mae'r tri diwrnod nesaf yn ei dathlu hi fel Lakshmi, rhoddwr cyfoeth ysbrydol, sy'n gallu rhoi cyfoeth diderfyn i'w haddolwyr. Mae'r tri diwrnod olaf yn dathlu ei doethineb fel Saraswati. I sicrhau llwyddiant cyffredinol mewn bywyd, mae angen bendith y tair agwedd ar y Fam Ddwyfol.

Mae'r ddelwedd gyflawn o Durga yn cynrychioli'r gred bod rhaid cadw rheolaeth ar ddyheadau materol i ddod yn ddwyfol. Mae hyn i'w weld yn y ddelwedd o Durga yn sefyll ar ben yr ellyll. Mae Hindŵiaid yn credu ei bod yn bosibl eu gwaredu eu hunain rhag pob dyhead a datblygu duwioldeb drwy addoli Durga.

Yn Ne India yn ystod Durga Puja mae Hindŵiaid yn defnyddio allor, sef **Kolu**, i addoli am naw diwrnod ac yn ei haddurno â llwyfan â grisiau, wedyn ei llenwi â delweddau bach o dduwiau, anifeiliaid, adar a bodau eraill. Yn ystod yr ŵyl mae pobl yn ailymroi eu hunain i'w proffesiwn.

Mae plant yn dechrau dysgu'r wyddor yn y seremoni **aksarabhyasa**, sydd hefyd yn dathlu dechrau unrhyw fath o ddysgu. Maen nhw'n rhoi anrhegion i athrawon ac yn gweddïo am lwyddiant mewn unrhyw brosiectau newydd.

Termau allweddol

Aksarabhyasa: seremoni i blant ddysgu'r wyddor yn ystod Durga Puja yn ne India

Kolu: allor addurniedig a ddefnyddir yn ystod Durga Puja yn ne India

Dyfyniad allweddol

Fi yw Tad y Bydysawd hwn. Fi yw Mam y bydysawd, a Chreawdwr pob peth. Fi yw'r Uchaf a adnabyddir, y Purwr, yr Om sanctaidd a'r tri Veda. (Bhagavad Gita 9:17)

cwestiwn cyflym

4.11 Beth yw grym shakti?

Awgrym astudio

Pan ddefnyddiwch chi gyfeiriadau at ysgolheigion a thestunau, neu ddyfyniadau uniongyrchol o ysgrythurau, ceisiwch eu cadw i faint hawdd eu trin. Weithiau mae darnau byr yr un mor effeithiol. Hefyd, peidiwch ag ysgrifennu dyfyniad ddim ond er mwyn 'dangos eich hun' heb feddwl am sut mae'n cyd-fynd â'r pwynt rydych yn ei wneud.

Gweithgaredd AA1

Ar un set o gardiau adolygu, disgrifiwch yn gryno y gwahanol storïau ac arferion sy'n gysylltiedig â Durga Puja. Ar set arall nodwch arwyddocâd y digwyddiadau a'r arferion allweddol. Cymysgwch nhw ac yna ceisiwch gydweddu'r digwyddiad a'r arfer â'i arwyddocâd.

Sgiliau allweddol

Mae gwybodaeth yn ymwneud â:

Dewis ystod o wybodaeth (drylwyr) gywir a pherthnasol sydd â chysylltiad uniongyrchol â gofynion penodol y cwestiwn.

Mae hyn yn golygu eich bod yn dewis y wybodaeth gywir sy'n berthnasol i'r cwestiwn a osodwyd NID y maes pwnc. Bydd angen i chi feddwl a chanolbwyntio ar ddewis gwybodaeth allweddol ac NID ysgrifennu popeth yr ydych chi'n ei wybod am y maes pwnc.

Mae dealltwriaeth yn ymwneud ag:

Esboniad helaeth, gan ddangos dyfnder a/neu ehangder gyda defnydd rhagorol o dystiolaeth ac enghreifftiau gan gynnwys (lle y bo'n briodol) defnydd trylwyr a chywir o destunau cysegredig, ffynonellau doethineb a geirfa arbenigol.

Mae hyn yn golygu y gallwch ddangos eich bod yn deall rhywbeth drwy egluro ac ehangu eich pwyntiau gan ddefnyddio enghreifftiau/tystiolaeth gefnogol mewn ffordd bersonol ac NID ailadrodd darnau o werslyfr (sef dysgu ar y cof).

Cymhwyso sgiliau ymhellach:

Ewch drwy'r meysydd pwnc yn yr adran hon a lluniwch rai rhestri bwled o bwyntiau allweddol o feysydd allweddol. Ar gyfer pob un, rhowch fwy o fanylion ac esboniwch fwy drwy ddefnyddio tystiolaeth ac enghreifftiau.

Datblygu sgiliau AA1

Nawr mae'n bryd ystyried y wybodaeth sydd wedi'i chyflwyno hyd yma. Hefyd mae'n bwysig ystyried sut mae'r hyn rydych chi wedi'i ddysgu hyd yma'n gallu cael ei ddefnyddio ar gyfer atebion arholiad drwy ymarfer y sgiliau sy'n gysylltiedig ag AA1.

Mae Amcan Asesu 1 (AA1) yn ymwneud â dangos gwybodaeth a dealltwriaeth. Mae'r termau 'gwybodaeth' a 'dealltwriaeth' yn amlwg ond mae'n hanfodol eich bod yn gyfarwydd â sut mae sgiliau penodol yn dangos y rhain, a hefyd, sut bydd eich perfformiad ym mhob un o'r sgiliau hyn yn cael ei fesur (gweler disgrifyddion band cyffredinol Band 5 ar gyfer AA1 UG).

Rydych chi bellach yn nesáu at ddiwedd yr adran hon o'r cwrs. O hyn allan, dim ond cyfarwyddiadau fydd gan y dasg, heb enghreifftiau; ond gan ddefnyddio'r sgiliau yr ydych wedi'u datblygu wrth gwblhau'r tasgau cynharach, dylech allu cymhwyso'r hyn rydych wedi dysgu ei wneud a chyflawni hyn yn llwyddiannus.

▶ **Dyma eich tasg newydd:** bydd rhaid i chi ysgrifennu ymateb arall o dan amodau wedi'u hamseru i gwestiwn sy'n gofyn am archwilio pwysigrwydd Durga Puja i Hindŵiaid. Bydd angen i chi wneud yr un peth â'ch tasg Datblygu sgiliau AA1 ddiwethaf ond gyda pheth datblygiad pellach. Y tro hwn mae pumed pwynt i'ch helpu i wella ansawdd eich atebion.

1. Dechreuwch gyda rhestr o gynnwys dangosol. Trafodwch hon fel grŵp, efallai. Does dim rhaid i'r rhestr fod mewn unrhyw drefn.

2. Datblygwch y rhestr gan ddefnyddio enghreifftiau.

3. Nawr ystyriwch ym mha drefn yr hoffech chi esbonio'r wybodaeth.

4. Yna ysgrifennwch eich cynllun, o dan amodau wedi'u hamseru, gan gofio egwyddorion esbonio gyda thystiolaeth a/neu enghreifftiau.

5. Defnyddiwch y disgrifyddion band i farcio eich ateb eich hun, gan ystyried y disgrifyddion yn ofalus. Yna gofynnwch i rywun arall ddarllen eich ateb ac edrychwch i weld a allan nhw eich helpu i'w wella mewn unrhyw ffordd.

Defnyddiwch y dechneg hon i adolygu pob un o'r meysydd pwnc rydych chi wedi'u hastudio. Cyfnewidiwch a chymharwch atebion i wella eich ateb chi.

Materion i'w dadansoddi a'u gwerthuso

Gwerth gwyliau Hindŵaidd fel digwyddiadau cymunedol

Gallwn ddweud bod dathliadau a dathlu'n rhan o natur Hindŵaeth. Dydy Hindŵiaid byth yn colli cyfle i ymuno â theulu, ffrindiau, cymdogion a dieithriaid i ddathlu a chael hwyl, adnewyddu'r cartref a'r galon ac, yn bwysicaf, dod yn nes at Dduw. Mae Hindŵaeth yn grefydd o wyliau ac efallai ei bod yn wir dweud eu bod yn fwy trawiadol ac amrywiol mewn Hindŵaeth nag mewn unrhyw grefydd arall.

Does dim amheuaeth bod gwyliau Hindŵaidd yn achlysuron unigol a chymunedol ac yn bwysig iawn i sicrhau bod y grefydd yn parhau. Cyn pob dathliad, mae'r Hindŵiaid yn tyngu llwon, yn astudio ysgrythurau ac yn ymprydio wrth baratoi. Mae'r rhain i gyd yn weithredoedd o ymroddiad personol sy'n dod â'r ffyddloniaid yn nes at Dduw. Fodd bynnag wrth i bob gŵyl ddechrau, maen nhw'n cyfuno i ddod yn un ddefod. Maen nhw'n darparu'r man cyhoeddus ysbrydol i Hindŵiaid ddod at ei gilydd ac yn cadarnhau gwerthoedd cyffredin. Mae gofyn i'r gymuned gyfan gymryd rhan mewn gwyliau ac maen nhw'n creu cytgord, hyd yn oed os dydy'r holl gyfranogwyr cyfoes ddim yn ymwybodol o gymeriad gwreiddiol yr ŵyl.

Mae Hindŵiaid yn dathlu nifer o wyliau pwysig, fel Holi a Diwali, a phob dosbarth cymdeithasol yn cymryd rhan ynddyn nhw. Yn yr ystyr hwn, maen nhw'n mynegi'r dywediad Vedaidd 'Ekam Sat Vipra, Bahudha Vadanti' sy'n golygu 'Mae'r Gwirionedd yn Un. Mae'r Rhai a Wireddir yn disgrifio'r Un Gwirionedd mewn sawl ffordd.' Mewn gwyliau mae pobl yn cael bod yn wahanol ond hefyd yn dod o hyd i bethau sy'n gyffredin iddyn nhw. Mae'r gwyliau hyn yn dathlu gwirioneddau athronyddol yr ysgrythurau Hindŵaidd hynafol, sef y Vedau, ac yn mynegi credoau cyffredin Vedaidd Hindŵaeth. Fel hyn maen nhw'n hygyrch i bobl o bob math. Mae gwyliau hefyd yn ffurfio cyswllt sy'n rhwymo'r diwylliant Hindŵaidd wrth y teulu a'r gymuned.

Mae Diwali yn ddechrau newydd symbolaidd, amser i faddau ac anghofio ym mhob agwedd ar fywyd, gan gynnwys perthynas â theulu a ffrindiau. Mae'n adeg i'r gymuned a'r teulu ddathlu gyda gweddïau drwy puja, dod at ei gilydd a rhannu eu holl adnoddau, bwyd a rhoddion. Mae gwyliau'n cysylltu pobl ac yn dod â nhw at ei gilydd mewn undod a gwasanaeth. Mae gwyliau Hindŵaidd hefyd yn adlewyrchu ac yn cynnal gwerthoedd plwralaidd Hindŵaeth fel bod pobl amrywiol yn cyd-fodoli mewn cytgord.

Mae gwyliau'n mynegi ysbrydolrwydd, crefydd, athroniaeth, diwylliant, gwasanaeth a gwerthoedd cymdeithasol yn lliwgar a llon. Mae'r agwedd ysbrydol yn seiliedig ar reddfau dynol llawenydd a hapusrwydd. Mae'r agwedd athronyddol i'w gweld yn y frwydr rhwng grymoedd daioni a drygioni. Daioni sy'n ennill yn y pen draw. Mae'r frwydr hon a buddugoliaeth daioni yn rhywbeth i'w ddathlu a'i ddefnyddio i atgoffa Hindŵiaid mai gwasanaeth anhunanol a rhoi yw sylfaen eu cymunedau. Yn ôl y Bhagavad Gita 17:20, 'natur daioni yw gwasanaeth a roddir heb feddwl am gael dim byd yn ôl, yn y lle iawn ac ar yr adeg iawn i un sy'n gymwys, gyda'r teimlad ei fod yn ddyletswydd arno'.

Mae gwyliau hefyd yn gyfnod i gyfrannu a helpu pobl sydd mewn angen drwy roi adnoddau o unrhyw fath, yn faterol neu'n ysbrydol neu'n gorfforol. Mae seva yn ystod gwyliau yn golygu helpu rhai llai ffodus yn y gymdeithas sydd yn y pen draw yn arwain at gryfhau'r gymuned gyfan.

Mae gwyliau'n mynegi hunaniaeth Hindŵaidd. I Hindŵiaid sy'n byw mewn gwledydd sydd heb fod yn rhai Hindŵaidd, gwyliau yw'r arwydd mwyaf gweledol a chofiadwy o'u hetifeddiaeth. Mae gwyliau yn eu hatgoffa am eu hunaniaeth a'u ffyddlondeb i draddodiadau a delfrydau Hindŵaidd. Drwy ddod ag unigolion, teuluoedd a chymunedau at ei gilydd yn heddychlon, mae hyn yn ffurfio ymdeimlad iachus o berthyn.

Mae'r adran hon yn cwmpasu cynnwys a sgiliau AA2

Cynnwys y fanyleb

Gwerth gwyliau Hindŵaidd fel digwyddiadau cymunedol.

Gweithgaredd AA2 *Dadleuon posibl*

Wedi'u rhestru isod mae rhai casgliadau y byddai'n bosibl dod iddyn nhw ar sail rhesymeg AA2 yn y testun cysylltiedig:

1. Mae dathliadau a dathlu yn rhan gynhenid o natur Hindŵaeth.
2. Mae gwyliau'n sicrhau bod traddodiadau'r gymuned yn parhau.
3. Mae gwyliau'n clymu credoau a diwylliant Hindŵaidd wrth y gymuned.
4. Mae gwyliau'n cysylltu pobl ac yn dod â nhw at ei gilydd mewn undod a gwasanaeth.
5. Mae gwyliau'n mynegi hunaniaeth Hindŵaidd drwy ffurfio ymdeimlad o berthyn i'r gymuned Hindŵaidd.

Ystyriwch bob un o'r casgliadau sy'n cael eu gwneud uchod a chasglwch dystiolaeth ac enghreifftiau i gefnogi pob dadl o'r deunydd AA1 ac AA2 a astudiwyd yn yr adran hon. Dewiswch un casgliad sy'n argyhoeddi fwyaf yn eich barn chi ac esboniwch pam mae hyn yn wir. Nawr cyferbynnwch hyn â'r casgliad gwannaf ar y rhestr, gan gyfiawnhau eich dadl gyda rhesymu clir a thystiolaeth.

Cynnwys y fanyleb

Pwysigrwydd cymharol Durga mewn Hindŵaeth.

Gweithgaredd AA2 ***Dadleuon posibl***

Wedi'u rhestru isod mae rhai casgliadau y byddai'n bosibl dod iddyn nhw ar sail rhesymeg AA2 yn y testun cysylltiedig:

1. Durga yw agwedd egni Shiva.
2. Mae Durga yn gwarchod y ddynoliaeth rhag drwg.
3. Mae Durga yn mynegi ochr gryfach benywdod.
4. Mae'r ŵyl fawr a gysylltir â Durga yn dangos ei phwysigrwydd.
5. Mae llawer o Hindŵiaid yn credu bod duwiau a duwiesau eraill yn bwysicach.

Ystyriwch bob un o'r casgliadau sy'n cael eu gwneud uchod a chasglwch dystiolaeth ac enghreifftiau i gefnogi pob dadl o'r deunydd AA1 ac AA2 a astudiwyd yn yr adran hon. Dewiswch un casgliad sy'n argyhoeddi fwyaf yn eich barn chi ac esboniwch pam mae hyn yn wir. Nawr cyferbynnwch hyn â'r casgliad gwannaf ar y rhestr, gan gyfiawnhau eich dadl gyda rhesymu clir a thystiolaeth.

Pwysigrwydd cymharol Durga mewn Hindŵaeth

Byddai llawer o Hindŵiaid yn dadlau mai Durga, duwies grym a nerth, yw'r dduwies bwysicaf mewn Hindŵaeth. Mae ganddi lawer o enwau ac agweddau a sawl persona. Mae'r Hindŵiaid yn ei haddoli fel Mahishasura neu Shakti, dinistriwr drygioni; fel Sati, Kali a Parvati, cydymaith Shiva. Hi yw mam haelioni, cyfoeth, prydferthwch a gwybodaeth oherwydd Lakshmi a Saraswati yw ei merched, duwiesau Hindŵaidd cyfoeth a gwybodaeth.

Mae Durga yn cynrychioli purdeb, gwybodaeth, gwirionedd a hunanadnabyddiaeth. Mae hi hefyd yn cynrychioli grym y Bod Goruchaf sy'n cynnal y drefn foesol a chyfiawnder yn y bydysawd. Hi yw agwedd egni Shiva. Heb Durga, does gan Shiva ddim mynegiant, a heb Shiva, dydy Durga ddim yn bod. Mae Hindŵaeth yn ystyried Shiva a Durga yn bersonoliad deublyg o Brahman. Felly, mae'n datgan bod y personoliad uchaf o Dduw, yr egni Goruchaf, yn fenywaidd, sy'n dangos statws ddyrchafedig menywod mewn Hindŵaeth fel crefydd.

Mae Durga yn Sanskrit yn golygu caer, sef man sy'n cael ei warchod a gall pobl fynd iddo i gael lloches. Mae Durga yn gwarchod y ddynoliaeth rhag drwg drwy ddinistrio grymoedd drygioni fel hunanoldeb, eiddigedd, casineb a dicter. Mae hi hefyd yn amlygiad o ochr gryfach benywdod. Gwelir hyn yn y storïau sy'n gysylltiedig â hi, yn enwedig fel Kali. Mae'n ddiddorol yn y cyd-destun hwn nad yw'n cael unrhyw gymorth gan dduwiau gwrywaidd yn ystod ei brwydrau ffyrnicaf. Hi yw Shakti y grym dwyfol ac mae'n defnyddio pwerau'r duwiau gwrywaidd i achub y bydysawd. Dyma un o'r prif resymau pam mae menywod Hindŵaidd yn ei pharchu gymaint. Caiff hefyd ei gweld fel dwy dduwies Indiaidd boblogaidd arall – Sati a Parvati – y ddwy'n gymdeithion yr Arglwydd Shiva, ond ar adegau gwahanol. Er bod y tair yn cael eu haddoli ar wahân, maen nhw i'w gweld ar ffurf yr un dduwies Durga, sydd yn y pen draw yn dangos ei phwysigrwydd.

Durga yw'r Duwdod Goruchaf i'w ffyddloniaid ac ar sawl agwedd, credir bod ganddi swyddogaeth debyg i'r duwdodau gwrywaidd uchaf. Mae'n arwain y duwiau yn eu brwydr yn erbyn yr ellyllon ac mae'n dod i lawr i'r ddaear i orchfygu drygioni, fel mae Vishnu yn gwneud. Mae ganddi ran bwysig mewn gwarchod natur a'r drefn gosmig a dinistrio grymoedd drygioni sy'n ceisio dymchwel y cydbwysedd hwn. Er ei bod yn gysylltiedig â'r Arglwydd Shiva, yn y bôn mae Durga yn dal i gael ei hystyried yn annibynnol. Yr annibyniaeth hon sy'n mynegi ei phwysigrwydd.

Yn ôl Devi Mahatmaya, testun Hindŵaidd am y dduwies Durga, Durga yw'r byd ac fel y ddaear ei hun, mae'n cyfleu sefydlogrwydd cosmig. Mae Durga hefyd yn gwarchod ei ffyddloniaid, yn gwrando arnyn nhw ac yn gofalu am eu hanghenion. Mae'r Devi Mahatmya yn ei disgrifio fel gwaredwr personol a fydd yn achub ei ffyddloniaid rhag pob perygl.

Mae'r ŵyl fawr sy'n gysylltiedig â Durga yn dangos ei phwysigrwydd – Durga Puja. Mae'r deg diwrnod o ddathlu wedi'u cysegru i'r Fam Dduwies Oruchaf, Durga. Yn ystod yr ŵyl caiff ei dangos gyda phedwar duwdod arall sydd fel arfer yn llai na hi, sy'n dangos ei bod hi'n bwysicach.

Fodd bynnag, mae pwysigrwydd Durga mewn Hindŵaeth yn gymharol. Byddai llawer o Hindŵiaid eraill yn dadlau dros bwysigrwydd uwch duwiau a duwiesau eraill. I Vaishnaviaid, Vishnu yw'r Bod Goruchaf ac i Shaiviaid, Shiva yw'r Goruchaf. Byddai Hindŵiaid eraill yn dadlau dros Krishna neu Rama ac eraill yn dadlau eu bod i gyd yr un mor bwysig â'i gilydd a bod pob un yn fynegiant o Brahman. Yn y pen draw, y duw neu'r dduwies bwysicaf i unrhyw Hindŵ yw'r un sy'n ffocws eu hymroddiad personol.

Datblygu sgiliau AA2

Nawr mae'n bryd ystyried y wybodaeth sydd wedi'i chyflwyno hyd yma. Hefyd mae'n bwysig ystyried sut mae'r hyn rydych chi wedi'i ddysgu hyd yma'n gallu cael ei ddefnyddio ar gyfer atebion arholiad drwy ymarfer y sgiliau sy'n gysylltiedig ag AA2.

Mae Amcan Asesu 2 (AA2) yn ymwneud â 'dadansoddi' a 'gwerthuso'. Efallai fod ystyr y termau'n amlwg ond mae'n hanfodol eich bod yn gyfarwydd â sut mae sgiliau penodol yn dangos y rhain, a hefyd, sut bydd eich perfformiad ym mhob un o'r sgiliau hyn yn cael ei fesur (gweler disgrifyddion band cyffredinol Band 5 ar gyfer AA2 UG).

Yn amlwg mae ateb yn cael ei osod mewn disgrifydd band priodol, yn ôl pa mor dda yw'r ateb, gan amrywio o ragorol, da, boddhaol, sylfaenol/cyfyngedig i gyfyngedig iawn.

Rydych chi bellach yn nesáu at ddiwedd yr adran hon o'r cwrs. O hyn allan, dim ond cyfarwyddiadau fydd gan y dasg, heb enghreifftiau; ond gan ddefnyddio'r sgiliau yr ydych wedi'u datblygu wrth gwblhau'r tasgau cynharach, dylech allu cymhwyso'r hyn rydych wedi dysgu ei wneud a chyflawni hyn yn llwyddiannus.

▶ **Dyma eich tasg newydd:** bydd rhaid i chi ysgrifennu ymateb arall o dan amodau wedi'u hamseru i gwestiwn sy'n gofyn am werthuso gwerth gwyliau Hindŵaidd fel digwyddiadau cymunedol. Bydd angen i chi wneud yr un peth â'ch tasg Datblygu sgiliau AA2 ddiwethaf ond gyda pheth datblygiad pellach. Y tro hwn mae pumed pwynt i'ch helpu i wella ansawdd eich atebion.

1. **Dechreuwch gyda rhestr o gynnwys dangosol. Trafodwch hon fel grŵp, efallai. Does dim rhaid i'r rhestr fod mewn unrhyw drefn. Cofiwch, gwerthuso yw hyn, felly mae angen dadleuon gwahanol arnoch chi. Y ffordd hawsaf yw defnyddio'r penawdau 'o blaid' ac 'yn erbyn'.**

▼

2. **Datblygwch y rhestr gan ddefnyddio enghreifftiau.**

▼

3. **Nawr ystyriwch ym mha drefn yr hoffech chi esbonio'r wybodaeth.**

▼

4. **Yna ysgrifennwch eich cynllun o dan amodau wedi'u hamseru, gan gofio cymhwyso egwyddorion gwerthuso drwy wneud yn siŵr eich bod: yn nodi'r materion yn glir; yn cyflwyno safbwyntiau eraill yn gywir, gan wneud yn siŵr eich bod yn gwneud sylwadau ar y safbwyntiau rydych yn eu cyflwyno; yn dod i farn bersonol gyffredinol.**

▼

5. **Defnyddiwch y disgrifyddion band i farcio eich ateb eich hun, gan ystyried y disgrifyddion yn ofalus. Yna gofynnwch i rywun arall ddarllen eich ateb ac edrychwch i weld a allan nhw eich helpu i'w wella mewn unrhyw ffordd.**

Defnyddiwch y dechneg hon er mwyn adolygu pob un o'r meysydd pwnc rydych chi wedi'u hastudio. Cyfnewidiwch a chymharwch atebion er mwyn gwella eich ateb chi.

Sgiliau allweddol

Mae dadansoddi'n ymwneud â nodi materion sy'n cael eu codi gan y deunyddiau yn adran AA1, ynghyd â'r rhai a nodwyd yn adran AA2, ac mae'n cyflwyno safbwyntiau cyson a chlir, naill ai gan ysgolheigion neu safbwyntiau personol, yn barod i'w gwerthuso.

Felly, mae'n nodi pethau allweddol i'w trafod a'r dadleuon sy'n cael eu cyflwyno gan eraill neu o safbwynt personol.

Mae gwerthuso'n ymwneud ag ystyried goblygiadau amrywiol y materion sy'n cael eu codi, yn seiliedig ar y dystiolaeth a gafwyd wrth ddadansoddi ac mae'n rhoi dadl fanwl eang gyda chasgliad clir.

Mae hyn yn golygu bod yr ateb yn pwyso a mesur y dadleuon amrywiol a gwahanol a gafodd eu dadansoddi drwy roi sylwadau ac ymateb unigol, gan ddod i gasgliad drwy broses rhesymu clir.

Cwestiynau ac atebion

Thema 1

Ateb AA1: Ateb yn archwilio crefydd a chymdeithas Vedaidd.

Ateb gwan

Yr Ariaid oedd y gymdeithas Vedaidd. Daethon nhw i Ddyffryn Indus pan oedd yn dechrau dirywio tua 1800 CCC. Rydyn ni'n gwybod am gymdeithas Vedaidd oherwydd eu bod wedi creu'r ysgrythurau Vedaidd. [1]

Gwareiddiad Dyffryn Indus oedd y bobl a oedd yn ardaloedd Harappa a Mohenjo-Daro cyn yr Ariaid. Does dim llawer o dystiolaeth am eu crefydd gan eu bod yn siarad yr iaith Dravidaidd. Felly y cyfan rydyn ni'n ei wybod am Ddyffryn Indus yw dyfalu ysgolheigaidd ar sail darganfyddiadau archeolegol. [2]

Mae'r Ariaid yn wahanol iawn oherwydd mae mwy o dystiolaeth eu bod yn siarad Sanskrit ac mae pobl sy'n perthyn i'r castiau uwch yn dal i ddeall yr iaith hon heddiw. Mae rhai ysgolheigion yn credu nad oedd cymdeithas yr Ariaid yn heddychlon iawn oherwydd maen nhw'n credu bod Dyffryn Indus wedi dirywio. Doedd yr Ariaid ddim yn hoffi gwareiddiad Dyffryn Indus gan gyfeirio at y bobl fel Dasas â thrwynau fflat a chroen tywyll. Dyma'r disgrifiad ohonyn nhw yn y Rig Veda, 'rydyn ni'n byw ymhlith y llwythau Dasa nad ydyn nhw'n aberthu nac yn credu dim byd. Mae ganddyn nhw eu defodau eu hunain a does dim hawl ganddyn nhw i gael eu galw'n ddynion'. Mae hyn yn dangos y gallai'r Ariaid fod yn greulon. [3]

Rydyn ni'n gwybod llawer am gymdeithas a chrefydd Vedaidd drwy'r Vedau. Am lawer o flynyddoedd roedd y Vedau heb gael eu hysgrifennu ond yn cael eu trosglwyddo ar lafar. Mae hyn yn awgrymu bod yr Ariaid ar un adeg yn anllythrennog. [4]

Mae'r Vedau, sydd wedi'u rhannu'n bedair rhan, yn dangos nifer o arferion crefyddol Vedaidd. Mae'r Rig Veda yn dangos duwiau gwahanol natur a oedd yn cael eu haddoli a'r emynau sy'n gysylltiedig â nhw. Mae'r Rig Veda yn dangos bod y grefydd Vedaidd yn cynnwys addoli duwiau amrywiol. [5]

Mae'r Sama Veda, sy'n esbonio'r Rig Veda, yn cynnwys caneuon i'w llafarganu, sy'n dangos bod yr arfer yn rhan o'r grefydd Vedaidd. Mae'r Yajur Veda yn cyfeirio at aberthu, sy'n dangos bod aberthau'n rhan hanfodol o'r grefydd Vedaidd. Roedden nhw'n aberthu llawer o anifeiliaid, ceffylau yn enwedig. [6]

Mae'r Vedau hefyd yn cynnig gwybodaeth am gymdeithas Vedaidd. Maen nhw'n dangos cymdeithas a oedd yn symud yn aml ac yn rhoi rhan flaenllaw i fenywod, er ei bod yn dal i fod yn gymdeithas batriarchaidd. Roedden nhw'n yfed soma, gan gredu ei fod yn eu helpu i haddoli. Hefyd mae llawer yn credu bod y system cast wedi dechrau gyda'r Ariaid. [7]

Sylwadau

1 Does dim gwir gyflwyniad yma – sylw simplistig iawn.

2 Dydy hyn ddim yn berthnasol mewn gwirionedd gan fod y cwestiwn yn canolbwyntio ar gymdeithas Vedaidd.

3 Rhan orau'r ateb hyd yma, ac er ei fod wedi'i fynegi'n syml, mae'n gwneud synnwyr. Fodd bynnag mae'r esboniadau o bob pwynt heb eu datblygu.

4 Mae hwn yn ddatganiad cywir, ond does dim manylion nac enghreifftiau.

5 Dim enghreifftiau penodol.

6 Mae angen cysylltiad cryfach rhwng y cwestiwn a'r ateb.

7 Mae llawer o nodweddion wedi'u nodi'n gywir yma ond maen nhw heb eu datblygu, ac felly mae eu perthnasedd heb ei esbonio'n llawn.

Crynodeb

Mae hwn yn ateb cymharol wan gyda lefel sylfaenol o ddealltwriaeth a heb unrhyw esboniadau nac enghreifftiau sylweddol. Dydy'r crynodeb mewn gwirionedd yn ddim mwy na haeriad heb unrhyw esboniadau ac felly does dim tystiolaeth o ddealltwriaeth.

Ateb AA2: Ateb sy'n gwerthuso a yw'n gywir ystyried mai credoau ac arferion Dyffryn Indus yw tarddiad Hindŵaeth.

Ateb cryf

Mae'n bosibl cytuno â'r datganiad hwn gan fod llawer o nodweddion crefydd Dyffryn Indus i'w gweld mewn Hindŵaeth heddiw, sy'n dangos y gallai fod yn darddiad Hindŵaeth. Cafwyd hyd i nifer o bethau yn rhanbarthau Mohenjo-Daro a Harappa sy'n cyfleu gwybodaeth am eu crefydd, [1] er enghraifft, baddonau mawr, sy'n awgrymu eu bod yn cael eu defnyddio ar gyfer defodau puro. Yn sicr nid i ymolchi oedd eu pwrpas oherwydd roedd gan y tai gyfleusterau ymolchi. Mewn Hindŵaeth heddiw mae defodau puro yn digwydd, fel y rheini yn Afon Ganga. [2]

Cafwyd hyd i nifer o seliau sy'n dangos pethau gwahanol sy'n gysylltiedig â'r grefydd. Un o'r rhai mwyaf amlwg oedd y duw corniog sy'n eistedd yn y safle yoga. Mae rhai ysgolheigion yn credu mai fersiwn cynnar o'r duw Shiva yw'r duw corniog fel Pasupati – duw creaduriaid. Heddiw mae'r duw Shiva yn bwysig iawn mewn Hindŵaeth. Mae'n bosibl gweld y prototeip Shiva fel tystiolaeth mai Dyffryn Indus yw tarddiad Hindŵaeth.

Mae'r seliau hefyd yn awgrymu eu bod yn addoli duwiau ffrwythlondeb a'r Fam Dduwies. Mae'n bosibl gweld addoli Shakti mewn Hindŵaeth heddiw. [3]

Fodd bynnag, mae modd dadlau yn erbyn y datganiad oherwydd mae llawer o wahaniaethau rhwng Hindŵaeth a gwareiddiad Dyffryn Indus. Roedd y seliau hefyd yn dangos pobl yn addoli coed a phlanhigion. Dydy hyn ddim yn rhan o Hindŵaeth heddiw. Hefyd mae'n amhosibl adnabod rhai o'r ffigurynnau ar y seliau. [4]

Mae bron y cyfan o'r wybodaeth am Ddyffryn Indus yn seiliedig ar ragdybiaethau ysgolheigaidd yn hytrach nag ar dystiolaeth gadarn ac mae rhan fawr o'u hysgrythurau heb ei dehongli'n llawn. Does dim tystiolaeth gadarn sy'n awgrymu mai'r rhain yw tarddiad Hindŵaeth. [5]

Mae rhai pethau sy'n awgrymu ein bod yn gallu olrhain tarddiad Hindŵaeth i Ddyffryn Indus. Ond mae'n anodd dod i gasgliad pendant ar y mater. [6]

Sylwadau

1 Dyma arddull gwerthuso da sy'n cyflwyno dadl benodol gydag enghraifft glir a thystiolaeth i'w chefnogi.

2 Mae'n cynnig rheswm arall gydag esboniad i'w gefnogi.

3 Mae'r ateb yn cynnig rheswm terfynol gydag esboniad llawn i gefnogi'r ddadl hon sy'n cysylltu'n dda â'r cwestiwn.

4 a 5 Mae'r ateb nawr yn cyflwyno gwrthddadl glir drwy resymu o'r safbwynt arall, gan roi tystiolaeth glir, esboniad ac enghreifftiau i gefnogi'r honiad bod Hindŵaeth fodern heb darddu o Ddyffryn Indus.

6 Mae hwn yn gasgliad da, yn dangos ei fod wedi ystyried y dystiolaeth ac wedi dod i farn.

Crynodeb

Mae hwn yn ateb cytbwys sydd wedi'i ymchwilio a'i gynllunio'n dda, gan gyfiawnhau pob safbwynt yn glir. Mae'r casgliad yn cysylltu'n uniongyrchol â'r dystiolaeth a gyflwynir ac yn dod i farn werthusol. Unwaith eto, gallai dyfyniadau a chyfeiriadau at ysgolheigion gyfoethogi'r ateb.

Thema 2

Ateb AA1: Ateb sy'n archwilio credoau Hindŵaidd am Brahman ac Atman.

Ateb cryf

Mewn Hindŵaeth, yr enw ar y Goruchaf Dduw yw Brahman, sef y 'Prana (Anadl) a'r Gwirionedd'. Fel y Duw Cristnogol, dywedir bod pob bywyd yn deillio ohono ond yn wahanol i'r grefydd orllewinol, dywedir ein bod ni'n methu cael perthynas ag ef. Disgrifir Brahman fel 'nuti, nuti', sef 'nid hwn, nid hynny'. Dywedir bod Brahman yn hollalluog, hollwybodus, hollbresennol a throsgynnol [1] a bod dwy ffordd o'i ddeall: Saguna a Nirguna Brahman. Nirguna Brahman yw'r arfer o ddeall Brahman 'heb nodweddion'. Mae Hindŵiaid yn derbyn Brahman fel y mae ac yn byw drwy eu hoes heb amau hyn. Mae hon yn lefel uwch o ddealltwriaeth.

Dywedir bod angen perthynas ar fodau dynol a dyma beth mae 'Saguna Brahman' yn ei wneud. Dyma Brahman 'â nodweddion'. Mae hyn wedyn yn arwain at y Trimurti (Brahma, Shiva, Vishnu), a phantheon o dduwiau. Drwy roi priodweddau fel dewrder, creadigrwydd a doethineb i'r duwiau, gall yr Hindŵiaid gysylltu eu hunain â'r dwyfol. Er bod hyn yn cael ei ystyried yn lefel is o ddealltwriaeth, mae'r rhan fwyaf o Hindŵiaid yn deall Brahman fel hyn. [2]

Gofynnodd myfyriwr i guru Hindŵaidd un tro faint o dduwiau oedd. Atebodd fod miloedd. Yna dywedodd fod cannoedd mewn gwirionedd, yna degau ac yn y pen draw dywedodd 'un Duw sydd, Brahman, ac mae'n Prana, mae'n Wirionedd'. Dyfyniad enwog arall o Hindŵaeth yw 'un Gwirionedd sydd, ond mae llawer o lwybrau'. Mae'r dywediad hwn yn deall bod ffyrdd gwahanol o ddeall Brahman, a dyna pam mae Hindŵaeth yn derbyn crefyddau eraill. [3]

Cred arall mewn Hindŵaeth yw bod 'gwreichionyn dwyfol', rhan o Brahman, yn byw ym mhob peth byw. [4] Dyma sy'n cyfateb i'r 'enaid' ac atman yw ei enw. Mae stori yn yr Upanishadau [5] yn sôn am dad a mab. Mae'r tad yn dweud wrth y mab am hydoddi halen mewn dŵr ac yna ceisio dod o hyd i'r halen. Mae'r mab yn methu ac mae'r tad yn dweud wrtho am flasu'r dŵr. Mae blas halen arno. Mae'r tad yn esbonio er ein bod ni'n methu gweld yr halen, gallwn deimlo ei effaith drwyddi draw, fel y cysyniad o Brahman ac atman sy'n bodoli drwy bob peth byw. Yna mae'n dweud 'dyna wyt ti'. Mae'n golygu bod rhan o Brahman y tu mewn i bawb drwy'r atman. Cyfarchiad poblogaidd i Hindŵiaid yw 'namaste' sy'n golygu 'cyfarchaf y duwdod sydd ynot ti' sy'n gysylltiedig â Brahman.

Sylwadau

1 Mae hwn yn gyflwyniad da iawn sy'n diffinio'r term Brahman, ac yn ei esbonio o fewn cyd-destun Hindŵaeth. Y prif nodweddion yn cael eu nodi'n glir.
2 Mae hwn yn baragraff am ddealltwriaeth grefyddol o gysyniad Brahman a'i ddylanwad ar arferion Hindŵaidd.
3 Mae hwn yn baragraff da ac yn defnyddio enghreifftiau a dyfyniadau yn dda i gyfoethogi'r esboniad.
4 Mae'n trafod cysyniad atman.
5 Defnyddio'r enghraifft o'r Upanishadau yn dda i esbonio'r berthynas rhwng Brahman ac atman.

Crynodeb

Yn gyffredinol mae strwythur da i'r ateb: rhagarweiniad; yna ymdrin â'r cysyniad o Brahman cyn trafod yr atman; yna cyfeirio at y berthynas rhyngddyn nhw. Mae'n defnyddio enghreifftiau a dyfyniadau yn dda a therminoleg grefyddol yn hyderus ac yn gywir. Os oes rhyw ddiffyg, gallai'r drafodaeth ar atman fod ychydig yn fanylach.

Ateb AA2: Ateb sy'n gwerthuso a yw Hindŵaeth, heb unrhyw amheuaeth, yn grefydd fonotheistig.

Ateb gwan

Gallwn ystyried bod Hindŵaeth yn grefydd fonotheistig er gwaethaf yr holl dduwiau sydd yn y grefydd. Dim ond un goruchaf dduw sy'n bod, sef Brahman. Oherwydd y syniad o Brahman a'r cysyniad mai Brahman yw'r Duw eithaf, mae'n hawdd gweld sut byddai rhywun yn teimlo bod y grefydd yn grefydd fonotheistig. Mae hyn yn golygu mai dim ond un duw sy'n bodoli. 1

Fodd bynnag, wrth werthuso'r farn hon mae'n bwysig cofio, er gwaethaf y syniad o Brahman, bod hefyd nifer o dduwiau a duwiesau personol sy'n chwarae rhan enfawr mewn Hindŵaeth. Mae Hindŵiaid yn addoli'r rhain yn bersonol yn y cartref a dyma yw'r cysylltiad rhyngddyn nhw a'u perthynas â'r duwiau, gan fod Hindŵiaid yn addoli nifer o dduwiau gwahanol yn eu hawl eu hunain. Rwyf i hefyd yn teimlo y byddai'n deg ystyried Hindŵaeth yn grefydd polytheistig (amldduwiol) sy'n golygu mwy nag un duw. 2

Damcaniaeth arall yw bod Hindŵaeth mewn gwirionedd yn grefydd henotheistig. Mae hyn yn golygu derbyn bod pawb yn wahanol ac yn meddu ar farn wahanol ac felly'n agored i'r syniad o fonotheistiaeth, polytheistiaeth neu hyd yn oed fonistiaeth. 3

Fodd bynnag, yn bersonol rwyf i'n teimlo bod y grefydd yn un bolytheistig gan fy mod yn teimlo bod dylanwad y duwiau gwahanol yn unigol yn rhy bwysig i'w ddiystyru a hawlio'r grefydd fel un fonotheistig. 4

Sylwadau

1 Mae hwn yn rhagarweiniad amwys a dryslyd.
2 Dydy hyn ddim mwy na chrynodeb o bwyntiau. Does dim tystiolaeth o wir werthusiad na dadansoddiad beirniadol.
3 Dyma restr arall o bwyntiau heb unrhyw drafodaeth.
4 Mae hwn yn gasgliad nad yw'n dilyn o'r dadleuon a gyflwynwyd yn flaenorol.

Crynodeb

Mae hwn yn ateb gwan a dryslyd, a lefel sylfaenol o ddeall y materion dan sylw. Does dim trywydd i'r rhesymu na dadl sy'n cysylltu unrhyw un o'r pwyntiau mae'r casgliad yn eu gwneud.

Thema 3

Ateb AA1: Ateb sy'n esbonio cysyniad varna a sut mae'n effeithio ar fywydau Hindŵiaid.

Ateb cryf

Varna mewn Hindŵaeth yw'r enw am y system cast. Mae Hindŵiaid yn cael eu geni i bedwar cast. Mae'r rhain yn effeithio ar eu gyrfaoedd a sut mae'n rhaid iddyn nhw fyw eu bywydau. 1

Y pedwar cast yw Brahminiaid, Kshatriyaid, Vaishyaid, a Sudraid. Dyna'r drefn o'r uchaf i'r isaf. 2 Y pedwar grŵp hyn sy'n pennu llwybr bywyd yr Hindŵ ond credir eu bod nhw ar ôl yr oes. Pan gewch chi'ch geni i gast mae rhai dyletswyddau mae'n rhaid i chi eu dilyn, yn ôl eich cast, sef dharmas. Hefyd mae pedwar cyfnod ym mywyd pob Hindŵ – cyfnod y myfyriwr, cyfnod y penteulu, cyfnod ymddeol a'r cyfnod ymwadu/sannyasin. Ashramas yw'r rhain a hefyd mae dharmas penodol 3 mae'n rhaid i chi gadw atyn nhw ym mhob un o'r cyfnodau hyn. Gyda'i gilydd mae'r rhain yn creu Varnashramadharma. Mae'r cyfan yn gysylltiedig ac yn cynrychioli sut dylai pob Hindŵ fyw ei fywyd.

Sudraid 4 yw'r grŵp isaf yn y system cast a gweithwyr yw eu teitl. Pe baech chi'n Sudra, byddai disgwyl i chi briodi gan mai dyma'r unig ddefod newid byd orfodol. Byddai disgwyl i chi gael moesau da yn gyffredinol ac i chi fod y Sudra gorau posibl er mwyn symud i gast uwch yn y bywyd nesaf. Y cast nesaf i fyny yw'r Vaishyaid 5 . Eu teitl nhw yw ffermwyr a phobl fusnes. Mae disgwyl iddyn nhw dalu trethi i'r Kshatriyaid 6 , creu cyfoeth a ffyniant, gofalu am anifeiliaid, gwartheg yn enwedig, a chyflenwi bwyd a dillad i'r gweithwyr. Rhaid iddyn nhw fod yn hunangyflogedig bob amser. Y cast nesaf i fyny yw'r Kshatriyaid 7 , sydd yn rhyfelwyr neu yn heddlu. Eu dharma nhw yw gwarchod menywod, plant, yr henoed, anifeiliaid a'r Brahminiaid. Rhaid iddyn nhw fod y cyntaf i'r gad bob tro. Rhaid iddyn nhw gasglu trethi gan y Vaishyaid, dylen nhw roi at elusen ond byth derbyn cardod a pheidio byth ag ildio. Yn olaf, y cast uchaf yw'r Brahminiaid [8]. Y rhain yw'r offeiriaid a'r athrawon (gurus) a chredir eu bod yn barod i gyflawni moksha. Rhaid iddyn nhw roi cardod a'i dderbyn, astudio'r Vedau a'u haddysgu hefyd. Rhaid iddyn nhw byth dderbyn gwaith â thâl. Credir mai'r statws uchaf y gallwch ei gael yw bod yn Brahmin gwrywaidd.

Mae grŵp arall yn bod hefyd sydd mor isel, dydy hwn ddim hyd yn oed yn rhan o'r system cast, sef y Dalitiaid. Maen nhw'n cael eu hystyried yn amhur ac maen nhw'n wrthodedig yn y bywyd Hindŵaidd. Mae karma hefyd yn gysylltiedig â'r varnau oherwydd credir bod karma drwg yn gallu achosi ailymgnawdoliad mewn cast is neu hyd yn oed mewn anifail. Ond gall karma da arwain at eni i gast uwch neu deulu cyfoethog. [9]

I gloi, varna mewn Hindŵaeth yn y bôn yw sylfaen a rheolaeth bywyd Hindŵ. Mae'n effeithio ar eu bywyd ym mhob ffordd bron. Rhaid iddyn nhw fyw yn ôl dharmas eu varna a derbyn eu cast, dysgu byw gyda hyn a gwneud eu gorau i fod yr aelod gorau o'r cast hwnnw er mwyn symud gam yn nes at gyflawni moksha. [10]

Sylwadau

1 Mae hwn yn gyflwyniad cyffredinol da iawn i'r syniad o varna gyda dealltwriaeth glir o'i ddylanwad.

2 Yna mae'r ateb yn cynnig trosolwg clir o'r prif ddylanwadau ar fywyd Hindŵ.

3 Mae hefyd yn cyflwyno'r syniad o dharma, sydd mor bwysig yng nghyd-destun varna.

4 Mae'n esbonio Shudra ac yn cyfeiro'n glir at y dyletswyddau.

5 Mae'n cyflwyno'r Vaishyaid ac yn esbonio'r dyletswyddau.

6 Mae'n esbonio'r cyswllt rhwng y varnau.

7 Mae hwn yn esboniad cywir o'r Kshatriyaid a'r dyletswyddau sy'n gysylltiedig â'r varna.

8 Mae hwn yn esboniad cryno o swyddogaeth a phwysigrwydd y cast uchaf – Brahminiaid.

9 Yna mae'n esbonio statws y Dalitiaid a sut mae karma yn gysylltiedig â varna.

10 Yn olaf, mae casgliad cryno a pherthnasol.

Crynodeb

Mae hwn yn ateb cyflawn sy'n defnyddio termau technegol yn gywir ac mae ymdeimlad awdurdodol iawn iddo. Mae wedi'i strwythuro'n arbennig o dda ac yn ateb cwestiwn yn uniongyrchol ar y syniad o varna a'i ddylanwad ar fywydau Hindŵiaid.

Ateb AA2: Ateb sy'n gwerthuso a yw arferion sy'n seiliedig ar varna yn creu cymdeithas deg a chyfiawn.

Ateb gwan

Rwyf i'n anghytuno â'r datganiad hwn gan fy mod yn teimlo bod y system ar ôl yr oes. [1] Mae llawer o Hindŵiaid bellach wedi peidio â dilyn y system cast ond yn parhau i fod yr Hindŵ gorau posibl er mwyn cyflawni moksha. Maen nhw'n gweithio yn y ffordd sy'n gweddu orau iddyn nhw ac sy'n cyd-fynd â'u bywydau. [2] Er efallai nad yw'n fwriadol, mae'r castiau uwch yn meddwl eu bod yn well, fel mae'r dosbarth uwch, y dosbarth canol a'r dosbarth gweithiol. Rwy'n teimlo bod varna yn achosi mwy o broblemau nag mae'n eu datrys, mae'n clymu pobl wrth reolau. Efallai fyddan nhw ddim yn gallu cadw at y rhain. Er enghraifft, os ydych chi'n un o'r Vaishyaid, dydy pobl eraill ddim yn cael eich cyflogi. Rhaid i chi fod yn hunangyflogedig ac os cewch chi'ch geni i deulu tlawd mae hon yn dasg anoddach. [3]

Rwyf i hefyd yn cytuno â'r datganiad gan fod y system cast yn golygu trin pawb yn gyfartal a does neb i fod i edrych i lawr ar unrhyw un o gast is, ond i'w helpu. [4] Mae hefyd yn golygu bod gan Hindŵiaid gynllun bywyd os ydyn nhw'n dilyn yr ashramas a'r dharmas sy'n perthyn i'r varnau, yn ogystal â'r varnau eu hunain. Mae'n golygu bod gan bawb gyfle i wella'u karma a'u gwella eu hunain er mwyn cael eu haileni mewn cast uwch, gobeithio. Mae'n ffordd ddefnyddiol a threfnus i fyw ac rwy'n cytuno ei fod yn creu cymdeithas gyfiawn. [5]

Ar ôl ystyried dwy ochr y ddadl rwy'n cytuno, er bod y system cast yn ymddangos ar ôl yr oes, mae serch hynny yn ganllaw cadarn i fyw eich bywyd wrtho a gall wneud dim mwy na'ch gwella chi fel person ac efallai ansawdd eich bywyd. [6]

Sylwadau

1 Dim rhagarweiniad yn esbonio'r pwyntiau trafod.

2 Dadleuon amwys iawn heb dystiolaeth/rhesymu i'w hategu.

3 Mae dadl ddilys yma ond heb ei datblygu.

4 Mae'r ymgeisydd yn defnyddio ymateb addas i TGAU – rwy'n cytuno/anghytuno – nad yw'n berthnasol i Safon Uwch mewn gwirionedd.

5 Wedi cyflwyno gwrth-ddadleuon perthnasol ond mae angen datblygu rhagor arnyn nhw.

6 Casgliad amwys.

Crynodeb

Yn gyffredinol, mae hwn yn ateb gwan o ran cefnogi'r dadleuon a gyflwynwyd. Mae'r dadleuon eu hunain yn gyffredinol yn ddilys ond mae angen enghreifftiau penodol. Byddai rhesymu clir a defnyddio dyfyniadau yn cyfoethogi'r ateb.

Thema 4

Ateb AA1: Ateb sy'n archwilio prif nodweddion a phwrpas puja mewn Hindŵaeth.

Ateb gwan

Mae llawer o nodweddion a phwrpasau i puja mewn Hindŵaeth. [1] Mae puja yn chwarae rhan enfawr ym mywyd pob dydd Hindŵ gan ei fod yn digwydd bob dydd yn y cartref neu mewn teml. [2]

Yn y bore mae arogldarthau, clychau a cherddoriaeth yn dihuno'r duwdodau. Mae'r addolwyr yn eu golchi a'u gwisgo ac yn cynnig bwyd iddyn nhw. Rhaid i'r Hindŵiaid wneud yn siŵr eu bod yn ymolchi ac yn gwisgo'n lân ar gyfer eu duwdod cyn eu deffro fel gwestai yn eu cartref. [3]

Y peth da am arti puja dyddiol yw y gall ddigwydd gartref neu mewn teml. Mae hyn yn fantais i Hindŵiaid sy'n methu mynychu teml am nifer o resymau gwahanol. [4]

Sesiwn weddïo yw puja yn y bôn pan mae Hindŵiaid yn gweddïo am anghenion pob dydd neu'r bywyd nesaf. Dyma hefyd lle maen nhw'n addoli eu dewis o dduwdod am gymorth ar agweddau penodol o fywyd ac yn ymddiried yn eu duwdod am gymorth i ddangos y ffordd iawn ymlaen a beth na ddylen nhw ei wneud. [5]

Mae llawer o Hindŵiaid yn credu'n gryf bod daioni'n deillio o weddïo ar eu duwdodau a bod eu gweddïau yn cael eu clywed. Yna mae'r duwdod yn cyflawni ei dasg neu'r disgwyliad am yr hyn y gweddïwyd amdano. [6]

Sylwadau

1 a 2 . Mae'r ddwy frawddeg gyntaf yn wan iawn fel cyflwyniad. Maen nhw bron yn safon gyffredinol, ganolig ar lefel TGAU. Er enghraifft, dydy 'rhan enfawr' ddim yn ddigon penodol ar lefel UG neu Safon Uwch.

3 Mae hwn yn simplistig ac yn ddisgrifiadol – mae'n ateb CA3.

4 Eto cynnwys arwynebol iawn.

5 Cyffredinol ac arwynebol iawn ei gynnwys.

6 Does dim trafodaeth wirioneddol am bwrpas puja mewn Hindŵaeth o ran cysylltu â'r dwyfol.

Crynodeb

Yn gyffredinol, mae hwn yn amlwg yn ateb gwan iawn oherwydd diffyg ffocws, manylion a gwybodaeth gywir.

Ateb AA2: Ateb yn gwerthuso a yw gweithredoedd yn bwysicach na chredoau mewn Hindŵaeth.

Ateb cryf

Gallai llawer o Hindŵiaid gytuno â'r datganiad hwn. Efallai y byddan nhw'n dweud bod canlyniadau i weithredoedd ac felly bod gweithredoedd yn effeithio ar eu hailenedigaeth. [1] Gan mai prif nod Hindŵ yw moksha, sef rhyddhad o gylch samsara, byddan nhw'n awyddus i gael ailenedigaeth dda sy'n dibynnu ar weithredoedd da fel parchu puja dyddiol a gwyliau. [2] Yn ail, efallai eu bod yn dweud ei fod yn dangos ymrwymiad llawn i'r ffydd gan eu bod yn rhoi eu credoau ar waith; er enghraifft, drwy gynnal puja maen nhw'n dangos eu hymroddiad i Dduw. [3]

Fodd bynnag, gallai Hindŵiaid ddadlau bod y datganiad hwn yn ddadleuol. Gallen nhw ddadlau mai'r gred graidd yn Brahman yw agwedd bwysicaf Hindŵaeth. [4] Yn ail mae'r gred mewn Varnashramadharma hefyd yn graidd i Hindŵaeth ac yn ôl Sherma, 'y gred y dylech ddilyn eich dharma a'r ashramas yw'r piler pwysicaf yn system gymdeithasol ac ysbrydol Hindŵaeth'. [5] Yn olaf gallai Hindŵiaid ddweud bod y gred mewn gwerthoedd moesol mae'r duwiau a'r duwiesau yn ei chynrychioli yn bwysicach oherwydd mae'n eich galluogi i gynnal safonau uchel drwy gydol eich bywyd.

Rwyf i'n credu mai'r hyn rydych chi'n ei gredu yw'r peth pwysicaf oherwydd eich credoau a'ch gwerthoedd chi sy'n effeithio ar sut rydych chi'n ymddwyn. [6]

Sylwadau

1 Does dim cyflwyniad fel y cyfryw ond mae'r ymgeisydd yn canolbwyntio'n syth ar y materion sy'n codi yn y cwestiwn.

2 Dadl wedi'i chyflwyno'n glir gyda chefnogaeth tystiolaeth a rhesymu a chysylltu da â'r cwestiwn a osodwyd.

3 Mae hon yn ddadl dda yn esbonio dadl syml ond perthnasol.

4 Cyflwyno dadleuon amgen.

5 Mae defnyddio gwaith ysgolheigaidd a chyfeirio ato yn rhagorol.

6 Casgliad rhagorol wedyn gan ystyried y pwyntiau a godwyd uchod.

Crynodeb

Yn gyffredinol, mae hwn yn ateb aeddfed a myfyrgar gydag asesiad clir drwyddo.

Atebion i'r cwestiynau cyflym

Thema 1

1.1 Credu mewn bywyd ar ôl marwolaeth. Bod dwyfol yn debyg i'r Duw Shiva. Addoli'r Fam Dduwies.

1.2 Llwybr gwybodaeth (jnana yoga), llwybr gweithredu (karma yoga) a llwybr ymroddiad (bhakti yoga).

1.3 Ymroddiad cariadus a fynegir drwy wasanaeth. Mae'r addolwr yn ceisio bod yn un â Duw.

1.4 Ystyr shruti yw 'yr hyn a glywir' sy'n cyfeirio at eu statws o fod yn eiriau'r duwiau fel y clywodd y rishis nhw, nid yn eiriau dynol. Roedd cysylltiad uniongyrchol â'r duwiau gan y rishis. Ystyr smriti yw 'yr hyn a gaiff ei gofio'. Mae'n cyfeirio at destunau a ysgrifennwyd gan y rishis ar sail yr hyn oedd y shrutis eisoes wedi'i ddatgelu.

1.5 Y Rig Veda, y Sama Veda, yr Yajur Veda a'r Atharva Veda.

Thema 2

2.1 Yn gyffredinol rydyn ni'n cyfeirio at y ddau derm hyn fel 'Duw' ac 'enaid'. Brahman yw'r ysbryd hollgyffredinol (macrocosmig) ac atman yw'r ysbryd personol (microcosmig).

2.2 Mae Hindŵiaid yn ystyried Brahman yn dragwyddol, yn ddi-ryw, yn hollalluog, yn ddi-ffurf, a does dim modd ei ddisgrifio. Brahman yw tarddiad pob peth ac mae pob peth yn rhan o Brahman. Mae pob duw yn agwedd ar Brahman neu yn Brahman ei hun. Mae'r atman yn dragwyddol ac heb ei gyfyngu i'r fodolaeth hon. Mae'r atman yn amhersonol a does ganddo ddim o nodweddion y ffurf bywyd mae'n byw ynddo. Mae'r atman hefyd yn apoffatig oherwydd dim ond yn negyddol y gallwn ei ddisgrifio.

2.3 Mae Advaita Vedanta yn honni bod Brahman union yr un fath â hunan mewnol (atman) pawb.

2.4 Dvaita Vedanta – Vedanta deuol, sy'n addysgu bod atman a Brahman yn annhebyg ac ar wahân, er eu bod o'r un natur.

2.5 Brahman – creawdwr, Vishnu – cynhaliwr, Shiva – dinistriwr.

2.6 Mae dilynwyr Vishnu yn ei addoli mewn sawl ffurf gan gynnwys y tulsi neu'r planhigyn basil. Maen nhw'n tyfu hwn ac yn ei ddefnyddio fel Murti. Fodd bynnag mae nhw'n cysylltu Vishnu yn bennaf â'i afatarau, yn enwedig Krishna a Rama.

2.7 Mae'n eistedd ar groen teigr, i ddangos ei fod uwchlaw unrhyw fath o rym a'r tu hwnt iddo. Mae'n gwisgo mwclis cobra i ddangos ei fod y tu hwnt i rym marwolaeth. Ar ei ben mae'n gwisgo cilgant lleuad y pumed diwrnod i ddangos grym aberthu. Mae ganddo wallt hir matiog sy'n ei ddangos fel Arglwydd y Gwynt, Vayu. Mae'r Ganga Sanctaidd yn llifo o'i wallt.

2.8 Mae Vaishnaviaeth yn ystyried Vishnu fel y Goruchaf Dduw. Goruchaf Dduw Shaiviaeth yw Shiva. O ran defodau, gwyliau ac arferion, mae Vaishnaviaeth a Shaiviaeth yn wahanol iawn i'w gilydd, â'u traddodiadau penodol eu hunain. Mae ganddyn nhw eu temlau eu hunain hefyd, wedi'u cysegru i Vishnu a Shiva yn eu tro.

2.9 Cylch parhaol marwolaeth ac ailenedigaeth.

2.10 Egwyddor karma yw y bydd y rheini sy'n hau daioni yn medi daioni a bydd y rhai sy'n hau drygioni yn medi drygioni. Bydd pob gweithred yn dwyn ffrwyth rywbryd.

2.11 Ailymgnawdoliad yw'r enw ar y broses o'r enaid yn trawsfudo i mewn i gorff newydd.

2.12 Dharma – byw mewn modd priodol.
Artha – ceisio cyfoeth drwy ddulliau cyfreithiol.
Kama – hyfrydwch y synhwyrau.
Moksha – rhyddhad o ailenedigaeth.

Thema 3

3.1 Brahminiaid – y rhain sy'n darparu addysg ac arweiniad ysbrydol.
Kshatriyaid – mae'r rhain yn amddiffyn cymdeithas ac mae disgwyl iddyn nhw arddangos nerth corff a chymeriad.
Vaishyaid – dyma'r dosbarth cynhyrchiol.
Sudraid – dyma'r gweithwyr a'r unig rai mae pobl eraill yn cael eu cyflogi.

3.2 Mae catuvarnashramadharma yn diffinio dyletswyddau rhywun yn ôl y pedwar varna a phedwar cyfnod bywyd – ashramas.

3.3. Brahmacharya – cyfnod y myfyriwr – astudio'r Vedau a thestunau eraill; byw bywyd anweddog a syml.
Grihasta – cyfnod y penteulu – gwneud arian a mwynhau pleser mewn modd moesegol; cynnal aberth a dilyn defodau crefyddol.
Vanaprastha – cyfnod ymddeol – cysegru rhagor o amser i faterion ysbrydol; mynd ar bererindod.
Sannyasin – y cyfnod asgetig – rheoli'r meddwl a'r synhwyrau, canolbwyntio ar y Goruchaf; datgysylltu a bod yn ddi-ofn, yn gwbl ddibynnol ar Dduw fel gwarchodwr.

3.4 Mae'r mudiadau bhakti, sy'n cefnogi perthynas bersonol â duwdod yn seiliedig ar ymroddiad, yn gweld pob gweithred a gair yn mynegi'r ymroddiad hwnnw. Felly, mae'n bosibl ystyried Varnashramadharma fel gweithred o addoli bhakti.

3.5 Varnashramadharma – dyletswyddau sy'n cyd-fynd â natur faterol rhywun ac sy'n benodol i hwnnw ar adeg benodol. Mae Sanatana dharma yn cyfeirio at y dyletswyddau tragwyddol mae disgwyl i bob Hindŵ eu cyflawni, beth bynnag eu varna ac ashrama.

3.6 Mae'r gair Dalit yn golygu gorthrymedig ac mae'n cyfeirio at rywun y tu allan i'r pedwar varna a gaiff ei ystyried yn israddol iddyn nhw.

3.7 Roedd Gandhi yn credu nad oedd gan varna ddim byd i'w wneud â chast. Cafodd y pedwar varna gwreiddiol eu rhannu eto yn nifer fawr o grwpiau o'r enw jatis neu gastiau, a dyma, yn ôl Gandhi, ddechrau dosbarthu pobl yn uchel ac isel.

3.8 Fel cyfreithiwr ifanc yn Ne Affrica, byddai'n glanhau ei doiled ei hun i bwysleisio urddas llafur gwasaidd. Yn ddiweddarach yn India, mabwysiadodd ferch Anghyffyrddedig.

3.9 Roedd yn benderfynol o ddileu'r system varna. Roedd Ambedkar yn benderfynol o ddileu'r system varna yr oedd Gandhi yn ei chefnogi. Roedd yn credu mai'r ffordd i gyflawni hyn oedd drwy wleidyddiaeth gan ei bod yn haws newid cyfreithiau na chalonnau pobl. Ar y llaw arall roedd Gandhi yn credu y byddai newid yn dod drwy ddylanwadu ar Hindŵiaid i gefnu ar anghyffyrddadwyedd.

3.10 Dydy gwahaniaethu ar sail purdeb bellach ddim yn gyffredin.

Erbyn hyn, dydy rhagfarn ar sail cast ddim yn cyfyngu ar statws Dalitiaid yn y gymdeithas.

Mae llawer o Ddalitiaid wedi llwyddo mewn busnes a bywyd cyhoeddus ac erbyn hyn yn gallu cyfrannu at gymdeithas fodern India.

3.11 Mae Dalitiaid yn dal i ddioddef gwahaniaethu, yn enwedig mewn ardaloedd gwledig. Mae'r gwahaniaethu hwn yn effeithio ar gyrchu addysg a chyfleusterau meddygol ac yn cyfyngu ar y tai sydd ar gael a pha fath o waith mae'r Dalitiaid yn cael ei wneud.

3.12 Ef oedd y cyntaf i'w ddefnyddio mewn ystyr gwleidyddol. I Gandhi, doedd ahimsa ddim yn gysyniad goddefol oedd yn golygu osgoi unrhyw fath o wrthdaro, ond yn gysyniad gweithredol a oedd yn galw ar bobl i wrthwynebu a dymchwel drygioni ac anghyfiawnder drwy ddulliau di-drais.

Datblygodd Gandhi gysyniad ahimsa ymhellach gyda'i ddysgeidiaeth satyagraha. Yn llythrennol, mae'n golygu 'dal gafael mewn gwirionedd' neu fel mae eraill yn cyfeirio ato, 'grym gwirionedd'.

3.13 Ymprydio. Boicotiau economaidd.

3.14 Mae llawer yn credu pe bai pobl yn mabwysiadu egwyddorion ahimsa, sy'n cynnwys peidio â niweidio a thosturi, byddai ffrwyn ar wrthdaro a thrais ac efallai y byddai diwedd ar ryfel a therfysgaeth. Mae problemau heddiw yn wahanol iawn ac ni fyddai egwyddorion ahimsa yn gweithio yn wyneb eithafiaeth, terfysgaeth, ffanatigiaeth ac unbennaeth ormesol.

Thema 4

4.1 Gair Sanskrit yw puja sydd o'i gyfieithu'n fras yn golygu parch neu addoli. Mae'n cyfeirio at addoliad dyddiol Hindŵiaid, yn enwedig addoli'r ddelwedd sanctaidd – Murti.

4.2 Mae'r rhan fwyaf o pujas yn cynnwys ymolchi a gwisgo'r duwdod a chynnig eitemau amrywiol i'r duwdod fel dŵr, persawr, blodau ac yn aml goleuo cannwyll neu arogldarth. Fel arfer mae'n cynnwys y seremoni arti. Mae'r offeiriad yn dechrau addoli yn y deml drwy oleuo'r tân cysegredig a llosgi darnau bach o bren, camffor a ghee.

4.3 Havan yw'r ddefod sy'n ymwneud â thân symbolaidd i buro rhywun cyn agosáu at Dduw.

4.4 Mae'n ŵyl Hindŵaidd flynyddol yn y gwanwyn. Mewn rhai traddodiadau mae'n dathlu stori Holika a Prahlada. Fodd bynnag, mae Hindŵiaid eraill yn dathlu Holi er cof am Krishna.

4.5 Caiff Radha ei chydnabod fel yr hyfrytaf o'r holl laethferched (gopis).

4.6 Mae'r cyfyngiadau cymdeithasol sydd fel arfer yn gysylltiedig â chast, rhyw, statws ac oedran yn cael eu llacio, yn ogystal â'r normau cymdeithasol arferol sy'n ymwneud ag ymddygiad a defnyddio iaith aflednais. Yn Bengal, mae Holi yn cynnwys y Dolayatra (Gŵyl Siglo). Mae'r addolwyr yn rhoi delwedd o Krishna fel babi mewn crud siglo bach, yn ei haddurno â blodau a'i pheintio â phowdrau lliwgar.

4.7 Gall hyn ysbrydoli ffydd yn Nuw. Gall helpu Hindŵ i symud ymlaen ar y llwybr ysbrydol, oddi wrth bleserau synhwyraidd, tuag at gymundeb â'r dwyfol.

4.8 Mae Hindŵaeth yn grefydd y cartref ac ashramadharma Hindŵ yn ystod cyfnod penteulu ei fywyd yw addysgu plant y teulu am bob agwedd ar y grefydd Hindŵaidd. Hefyd maen nhw'n cael eu hannog i gymryd rhan yn y dathliadau. Felly mae'r arferion a'r defodau a gysylltir â phob gŵyl yn dod yn rhan annatod o'u hunaniaeth fel Hindŵiaid.

4.9 Roedd y Pandavas yn bum brawd a ymladdodd yn erbyn grymoedd drygioni ag arfau nodedig. Gadawon nhw eu harfau a'u halltudio eu hunain am flwyddyn. Cuddion nhw eu harfau mewn coeden Shami a dod o hyd iddyn nhw yn yr un lle pan ddychwelon nhw o'u halltudiaeth. Yna addolon nhw'r goeden cyn mynd i frwydro, ac ennill. Stori arall sy'n dylanwadu ar yr ŵyl a'i harferion yw stori Kautsa. I gofio hyn, mae ffyddloniaid yn tynnu dail o'r goeden Aapati ac yn eu rhoi fel anrhegion.

4.10 Prif nodwedd yr ŵyl yw dawnsio o gwmpas y cysegr i Durga sydd wedi'i adeiladu'n arbennig ar gyfer yr achlysur. Mae llawer o Hindŵiaid hefyd yn ymprydio, gan fwyta dim ond un pryd y dydd o ffrwythau a bwydydd melys o laeth. Maen nhw hefyd yn meddwl bod Durga Puja yn adeg dda i ddechrau menter newydd.

4.11 Mae Durga yn cynrychioli'r Fam Ddwyfol a grym Shakti neu egni cosmig. Hindŵaeth yw'r unig grefydd yn y byd sydd wedi pwysleisio mamolaeth Duw i'r fath raddau. Mae'n cynrychioli agwedd fenywaidd y dwyfol.

Geirfa

Advaita Vedanta Vedanta nad yw'n ddeuol ac sy'n addysgu bod atman a Brahman yn union yr un fath

Afatar: 'disgyniad' – credu bod duwiau unigol yn gallu dod i lawr i'r ddaear er budd y ddynoliaeth – fel arfer wedi'i gysylltu â Vishnu

Anghyffyrddedig: yr enw a roddodd yr Ariaid i rywun y tu allan i'r pedwar varna

Ahimsa: didreisedd tuag at unrhyw beth byw – rhan allweddol o athroniaeth Gandhi, a oedd â'i gwreiddiau mewn Jainiaeth

Ailymgnawdoliad: yr enaid yn trawsfudo o'r naill gorff i'r llall ar ôl marwolaeth

Aksarabhyasa: seremoni i blant ddysgu'r wyddor yn ystod Durga Puja yn ne India

Ananda: dedwyddwch pur

Ariaid: goresgynwyr neu fudwyr a ddaeth i ogledd India tua 1500 CCC a datblygu syniadau crefyddol Vedaidd

Arjuna: arwr y Pandavas yn y Mahabharata

Artha: caffael cyfoeth

Arti: y weithred o addoli golau; offrwm o gariad ac ymroddiad i'r duwdod

Asgetig: un sy'n byw mewn ffordd lym a disgybledig o fyw mewn Hindŵaeth, yn aml fel enciliwr neu feudwy

Ashrama: cyfnod bywyd Hindŵaidd

Atharva Veda: Veda swynganeuon

Atman: ysbryd microcosmig personol

Aum neu Om: y prif sillaf ddwyfol – yn llythrennol mae'n golygu Duw fel sain

Ayodhya: man geni Rama a lleoliad y Ramayana

Bhagavad Gita: 'cân yr Arglwydd bendigaid' – rhan o'r Mahabharata, yr ysgrythur Hindŵaidd mwyaf poblogaidd

Bhagavata Purana: un o ddeunaw purana neu hanesion mawr Hindŵaeth; mae'n hyrwyddo bhakti i Krishna

Bhakti: ymroddiad cariadus

Brahma: agwedd creawdwr y Trimurti

Brahmacharya: cyfnod y myfyriwr mewn bywyd

Brahman: ysbryd macrocosmig hollgyffredinol; Realiti Eithaf

Brahmin: offeiriad, y varna uchaf

Bura na mano, Holi hai: y dywediad cyffredin yn Holi sy'n golygu 'paid â digio, mae'n Holi', i faddau'r gweithredoedd sy'n torri'r normau cymdeithasol wrth ddathlu Holi

Catuvarnashramadharma: y pedair dyletswydd gymdeithasol a chrefyddol yn ôl cast a chyfnod mewn bywyd

Chandogya Upanishad: un o'r Upanishadau hynaf, sail ysgol Vedanta Hindŵaeth

Charanamrit: yn llythrennol y 'neithdar o draed yr Arglwydd' – dŵr wedi'i gymysgu ag iogwrt i olchi'r duwdod ac yna'i ddosbarthu i westeion y deml. Credir ei fod yn rhoi anfarwoldeb.

Chit: ymwybyddiaeth bur

Cydfwyta: bwyta gyda'ch gilydd

Dalit: rhywun gorthrymedig, un sydd y tu allan i'r system varna

Darshan: edrych i lygaid Murti a chysylltu â'r dwyfol

Dasyus: preswylwyr gwreiddiol India. Yn ôl y Vedau, fe gawson nhw eu trechu gan yr Ariaid a oresgynnodd y wlad.

Dharma: dyletswydd unigolyn ac un o dri phrif nod bywyd

Dolayatra: 'Gŵyl Siglo' Bengalaidd yn ystod Holi

Draupadi: yn ôl yr arwrgerdd, merch Drupada, Brenin Panchala. Hefyd daeth yn wraig i'r pum Pandava ar yr un pryd.

Durga: duwies bwerus, a bortreadir yn aml ar gefn teigr, ac yn cario llawer o arfau

Durga Puja: gŵyl Hindŵaidd sy'n dathlu addoli'r dduwies Durga

Durgotinashini: teitl Durga yn Bengal

Dussera: 'degfed diwrnod' – gŵyl ym mis Aswin yn dathlu digwyddiadau amrywiol o'r arwrgerddi, y Ramayana a'r Mahabharata, ond yn enwedig gŵyl y dduwies, Durga Puja

Dvaita Vedanta: Vedanta deuol, sy'n addysgu bod atman a Brahman yn annhebyg ac ar wahân, er eu bod o'r un natur

Dvija: yn llythrennol yn golygu 'wedi'i eni ddwywaith' ac yn cydnabod genedigaeth ysbrydol drwy upanayana

Dyled karmig: karma sy'n cronni drwy gydol bywyd rhywun, sy'n cadwyno'r atman wrth olwyn samsara

Gandhi: Mohandas Karamchand Gandhi, unigolyn enwog yn y dadeni Hindŵaidd; arweinydd y frwydr dros annibyniaeth India

Ganga: afon Ganges yn ogystal â duwies Ganges

Garba griha: 'tŷ croth' – cysegr canolog mandir

Ghee: menyn gloyw, cynhwysyn coginio cyffredin ac offrwm

Gopis: llaethferched Vrindavan a oedd yn chwarae gyda Krishna

Grihasta: cyfnod y penteulu mewn bywyd

Gunas: tair edau Prakriti

Guru: yn llythrennol 'athro' – un sy'n addysgu gwybodaeth grefyddol ac sydd wedi cyflawni ysbrydolrwydd cryf

Hanuman: cadfridog y mwncïod, cynorthwyydd Rama yn y Ramayana

Harijans: yr enw a roddodd Gandhi i'r 'Anghyffyrddedig', sy'n golygu 'plant Vishnu'

Harrapa: y ddinas gyntaf yn Nyffryn Indus i'w darganfod a'i chloddio

Hastinapura: prifddinas y Kauravas

Havan: defod o gylch tân symbolaidd, fel mewn priodas

Hindŵ: un a oedd yn byw y tu hwnt i afon Indus yng ngogledd orllewin India.

Hiranyakasipu: brenin yr ellyllon, tad Prahlada

Holika: chwaer Hiranyakasipu a modryb Prahlada

Indra: duw taranau'r traddodiad Vedaidd cynnar

Ishvara/Bhagavan: Arglwydd

Jainiaeth: crefydd Indiaidd hynafol sy'n hybu ahimsa tuag at bob bod byw

Jati: galwedigaeth neu swydd o fewn y system cast

Jiva-atman: enaid unigol

Jnana: gwybodaeth am Brahman drwy brofiad

Kama: pleser y synhwyrau

Kamadahana: enw ar Holi yn ne India

Kanya Puja: diwrnod sanctaidd i Hindŵiaid maen nhw'n ei ddathlu ar wythfed a nawfed diwrnod gŵyl Navaratri; addolir naw merch ifanc sy'n cynrychioli naw ffurf y Dduwies Durga

Karma: 'gweithredu a ffrwyth gweithredu' – y cysyniad bod y bydysawd yn ad-dalu pob gweithred

Kauravas: disgynyddion Kuru

Kolu: allor addurniedig a ddefnyddir yn ystod Durga Puja yn ne India

Krishna: afatar Vishnu

Kshatriya: varna rhyfela/llywodraethu

Kurukshetra: brwydr rhwng y Kauravas a'r Pandavas

Lakshmana: brawd Rama yn y Ramayana

Lakshmi: duwies cyfoeth a ffyniant, cydymaith Vishnu

Lingam: cynrychioliad mwyaf cyffredin Shiva – y symbol ffalig

Madhva: prif feddyliwr Dvaita Vedanta

Mahabharata: arwrgerdd yn disgrifio'r rhyfel ar ddechrau oes bresennol Kali

Mahishasura: ellyll â nodweddion da

Mam Dduwies: benywdod dwyfol, sy'n ganolog i draddodiadau Hindŵaidd Shakti a Shiva

Mandir: teml Hindŵaidd

Manu: prif ddeddfwr Hindŵaeth, cyfansoddwr chwedlonol y Manusmriti

Manusmriti: testun cyfreithiol hynafol mewn Hindŵaeth

Maya: rhith – mae hyn yn golygu'r byd ffisegol ac unrhyw beth sy'n gwneud i chi feddwl nad ydych chi'n Brahman

Mewnbriodas: priodi o fewn eich varna eich hun

Mohenjo-Daro: dinas fawr hynafol gwareiddiad Dyffryn Indus yn rhanbarth Sindh, Pakistan

Moksha: rhyddhad o gylch samsara – pedwerydd nod bywyd yr Hindŵ

Monistig: yn credu bod popeth yn y cosmos yn undod a'i fod yn cyfateb i'r dwyfol

Monotheistig: yn credu mewn un duw neu dduwies bersonol

Murti: delwedd o dduwdod a ddefnyddir i addoli

Navaratri: gŵyl y nosweithiau, yn para am naw diwrnod, tri ohonyn nhw wedi'u neilltuo i addoli Durga, Lakshmi a Saraswati

Nirguna Brahman: Duw heb nodweddion

Pandavas: pum mab Pandu yn y Mahabharata

Paramatman: goruwch hunan – Duw

Patanjali: cyfansoddwr yr yoga sutras (dogfennau ysgrifenedig)

Plaid y Bahujan Samaj: plaid wleidyddol genedlaethol yn India, sef y *BSP* (*Bahujan Samaj Party*)

Pradakshina: amrodio mannau cysegredig mewn Hindŵaeth

Prahlada: mab Hiranyakasipu, un o ffyddloniaid Vishnu

Prakriti: y bydysawd empirig/natur mewn athroniaeth Samkhya, sy'n cynnwys y tri guna

Prasad: bwyta'r bwyd sydd wedi'i gynnig i Dduw, fel modd o gael bendith

Puja: gweithred o addoli

Punya: teilyngdod

Purusha: naill ai dyn cysefin y Vedau neu'r hunan ysbrydol unigol yn athroniaeth Samkhya

Purusha Sukta: aberth dyn cysefin y creodd y duwiau'r bydysawd drwyddo

Radha: ffefryn Krishna o blith y gopis

Rama: seithfed afatar Vishnu – arwr y Ramayana

Ramayana: arwrgerdd yn disgrifio anturiaethau Rama

Ravana: ellyll-frenin

Rig Veda: y Veda hynaf sy'n cynnwys mantrau ac emynau ar gyfer yr yajnas

Rta: y drefn sy'n amlwg yn y bydysawd a gysylltir fel arfer â swyddogaeth Vishnu

Sadharana dharma: dyletswydd byw bywyd moesol a datblygu cymeriad moesol

Sadhu: enw arall ar rywun sy'n dechrau ar bedwerydd cyfnod bywyd yr Hindŵ

Saguna Brahman: Duw â nodweddion

Sama Veda: Veda melodïau

Samkhya: ysgol athroniaeth sy'n addysgu bod Ishvara, Prakriti ac atman yn amlygiadau o Brahman

Samsara: cylch parhaol marwolaeth ac ailenedigaeth

Sanatana dharma: cyfraith dragwyddol

Sannyasin: ymwadwr; rhywun sy'n ymwadu â chymdeithas a'i hunaniaeth i fynd ar drywydd elw ysbrydol

Sarvodaya: term Sanskrit sy'n golygu cynnydd pawb; roedd Gandhi yn defnyddio'r term i ddisgrifio ei athroniaeth wleidyddol ei hun

Sat: bodolaeth bur

Satyagraha: 'dal gafael mewn gwirionedd' neu 'grym gwirionedd' – y syniad bod grym cynhenid gan wirionedd ei hun

Satyagrahiaid: ymarferwyr satyagraha

Seva/sewa: gwasanaeth, crefyddol neu gymdeithasol, gan ffyddloniaid i gymdeithas

Shakti: egni dwyfol benywaidd y mae'n bosibl ei fynegi fel cydymaith benywaidd duw

Shankara: prif feddyliwr yr Advaita Vedanta

Shiva: agwedd dinistriwr ac ailgreawdwr y Trimurti

Shiva linga: cynrychioliad mwyaf cyffredin Shiva – y symbol ffalig

Shruti: yr hyn a glywir – testunau Hindŵaeth sydd wedi'u hysbrydoli'n ddwyfol

Sita: gwraig Rama yn y Ramayana

Smriti: yr hyn a gofir – testunau pwysig

Sudra: y varna sy'n gyfrifol am grefft a chynhyrchu

Svadharma: dyletswydd bersonol rhywun, yn ôl varna

Trawsfudo: y gred bod yr atman yn symud ymlaen at gorff arall ar ôl marwolaeth

Tri guna: tair edau sy'n gwneud y Prakriti – y bydysawd empirig

Trimurti: y drindod Hindŵaidd o dri duwdod sy'n cynrychioli tair priodwedd pob bodolaeth

Upanayana: seremoni'r edau sanctaidd i dderbyn rhywun i draddodiadau Hindŵaidd

Upanishadau: ysgrythurau ar ddiwedd y Vedau. Eu nodwedd yw myfyrio cyfriniol ac athronyddol ar natur yr hunan a Realiti Eithaf

Vaishnaviaeth: traddodiad Hindŵaidd sy'n seiliedig ar ymroddiad i'r duwdod Vishnu

Vaishya: y varna sy'n gyfrifol am fusnes a masnach

Vanaprastha: y cyfnod ymddeol mewn bywyd

Varna: yn llythrennol yn golygu 'lliw', y gair am y system pedwar dosbarth mewn Hindŵaeth – cast yw'r enw arno yn aml

Varnadharma: dyletswydd yn ôl eich varna

Varnashramadharma: dyletswydd yn ôl eich varna a'ch ashrama

Varuna: deva Vedaidd. Y gred yw mai hwn yw creawdwr a chynhaliwr y bydysawd

Vedau: testun gwreiddiol Hindŵaeth sy'n mynd yn ôl i 1500 CCC

Vedaidd: syniadau sy'n gysylltiedig â'r Vedau, sef yr ysgrythurau Hindŵaidd hynaf

Vishnu: agwedd cynhaliwr y Trimurti

Vrindavan: y man lle magwyd Krishna, canolfan bererindod bwysig i Vaishnaviaid

Yajna: aberth tân y grefydd Vedaidd

Yajur Veda: Veda defodau

Mynegai